I Grandi Romanzi Storici

I Grandi Romanzi Storici

NICOLE LOCKE

❖

La promessa del cavaliere

HarperCollins *Italia*

Titolo originale dell'edizione in lingua inglese:
The Knight's Broken Promise
Harlequin Mills & Boon Historical Romance
© 2015 Nicole Locke
Traduzione di Maria Grazia Bassissi

© 2016 HarperCollins Italia S.p.A., Milano
Prima edizione I Grandi Romanzi Storici
luglio 2016

Questo volume è stato stampato nel giugno 2016
presso la Rotolito Lombarda - Milano

I GRANDI ROMANZI STORICI
ISSN 1122 - 5410
Periodico settimanale n. 1026 del 15/07/2016
Direttore responsabile: Chiara Scaglioni
Registrazione Tribunale di Milano n. 75 dello 01/02/1992
Spedizione in abbonamento postale a tariffa editoriale
Aut. n. 21470/2LL del 30/10/1981 DIRPOSTEL VERONA
Distributore per l'Italia e per l'Estero: Press-Di Distribuzione
Stampa & Multimedia S.r.l. - Via Mondadori, 1 - 20090 Segrate (MI)
Gli arretrati possono essere richiesti
contattando il Servizio Arretrati al numero: 045.8884400

HarperCollins Italia S.p.A.
Via Marco D'Aviano 2 - 20131 Milano

1

Scozia, aprile 1296

«Più veloce, coraggioso sacco di ossa con le ginocchia nodose!» Gaira del clan Colquhoun si chinò sul collo del cavallo rubato.

Quanto tempo ci sarebbe voluto prima che il suo promesso sposo e i suoi fratelli capissero in quale direzione era fuggita? Due giorni? Tre, forse? Appena il tempo di rifugiarsi a casa della sorella.

Il cavallo non poteva correre più veloce di così. Aveva già un velo di sudore sui fianchi e ansimava pesantemente ogni volta che gli zoccoli toccavano terra. I respiri di lei avevano lo stesso ritmo frenetico.

Ecco, c'era quasi! Superata l'ultima collina, sarebbe stata al sicuro. Al sicuro. Oltre quella cresta avrebbe trovato cibo, riposo e l'immenso sollievo del conforto e dei consigli di sua sorella.

Si voltò indietro. Non c'era traccia di inseguitori. La morsa che le stringeva il cuore di colpo si attenuò un poco e lei allentò la presa sulle redini.

«Ce l'abbiamo fatta. Ancora un ultimo sforzo e potrai mangiare tutto il grano che riuscirò a farmi dare da Irvette.»

Avvertì l'odore dell'incendio ancor prima di arrivare in cima alla collina. Un misto di fumo, erba bruciata e animali in decomposizione. Il cavallo scartò di lato e alzò di scatto la testa, ma lei riuscì a farlo proseguire fino alla cima.

Solo allora vide l'orrore nella valle davanti a lei. Ebbe un capogiro, si accasciò sul collo del cavallo e scivolò giù dalla sella. La caviglia sinistra si piegò malamente sotto il suo peso. Gaira non avvertì alcun dolore, perché stava rigettando la colazione a base di acqua e gallette d'avena.

Quando lo stomaco fu finalmente vuoto, si accorse della terra asciutta sotto le mani, dell'erba che scricchiolava sotto le ginocchia. Il cavallo non era più al suo fianco.

Si alzò, fece un respiro profondo e tossì. Non era odore di mucche decomposte, quello che aveva sentito, bensì di capelli bruciati e di carne umana carbonizzata.

Quel fetore era tutto ciò che restava del villaggio di sua sorella. Le numerose capanne somigliavano a gigantesche casse toraciche vuote e annerite. Non c'erano tetti, né pareti, solo scheletri incandescenti che il fuoco non aveva ancora finito di consumare.

Sembrava che sull'intera valle si fosse schiantato un enorme masso fiammeggiante che aveva appiccato il fuoco alle case. Grandi, contorte spirali di calore e di fumo nero salivano verso il cielo del mattino, disperdendosi nell'aria.

Non si udiva alcun suono. Cinguettio di uccelli, fruscio di erba alta o fogliame, ronzio di insetti. Nulla. Era come se tutti i suoni della Scozia fossero stati risucchiati dall'aria.

Gaira sentì il cuore e i polmoni collassare. *Irvette, sorellina.*

Forse non era laggiù. Non doveva pensarci. Cercò di spingersi avanti, ma inciampò quando la cavi-

6

glia cedette. Non sarebbe riuscita ad affrontare la discesa a piedi.

Si guardò intorno. Il cavallo si aggirava nervoso ai piedi della collina. Il calore e gli odori lo spaventavano; anche se lo avesse chiamato, non sarebbe venuto.

Carponi, strisciò all'indietro per discendere la valle serpeggiante. Ondate di calore portate dal vento le scompigliarono la tunica e i calzoni; il fumo le circondò il viso e lei tossì. Ai piedi della collina, si raddrizzò e si tolse il berretto marrone usandolo per coprirsi la bocca.

Si guardò attorno nel tentativo di comprendere, di dare un senso a quello che vedeva. Impagliature di tetti, assi di legno e pezzi di mobilio erano sparsi sul sentiero tra le capanne, insieme agli abitanti del villaggio: uomini, donne, cani e bambini.

Tutto era immobile.

I corpi erano violati e carbonizzati. Non doveva essere successo da molto. Sul sentiero c'erano molte impronte di zoccoli, ma non si vedevano cavalli, maiali e nemmeno polli.

Trascinando il piede sinistro nella cenere, attraversò barcollando il villaggio in fiamme, che curvava insieme alla valle.

In fondo a quel luogo devastato, l'ultima capanna era in piedi. Più intatta delle altre, era però pesantemente danneggiata dalle fiamme e le travi del tetto penzolavano inerti fino a terra.

Vicino alla soglia c'erano i corpi bruciati, bocconi, di un uomo e una donna. L'uomo non era altro che un guscio di carne bruciata con la testa staccata dal corpo. Non fu difficile riconoscere la donna. I capelli rosso fiamma avevano le punte bruciate e l'abito color crema era coperto di fuliggine. Rivoli di sangue scendevano lungo il vestito da due profonde ferite di spada allo stomaco. Irvette.

Il mondo di Gaira si deformò, le sue percezioni si affinarono. Improvvisamente udì il sibilo delle fiamme e lo spumeggiare dell'acqua, il tonfo del legno fragile che si frammentava in polvere e il suono straziante di un alto lamento, che aumentava di volume.

Quando si rese conto che proveniva da lei, smise di gridare, riprese il controllo del respiro e poi lo sentì: un grido, fragile e acuto. Entrò zoppicando nella capanna e barcollò prima di crollare in ginocchio.

«Serpenti e cinghiali» sussurrò. «Grazie a Dio! Sei viva.»

2

Scozia, al confine con l'Inghilterra

La pioggia scrosciava sul campo di battaglia, trasformando la polvere in melma e creando torrenti negli avvallamenti e nelle crepe della terra.

Robert di Dent combatteva a piedi. La sopravveste e i calzoni, completamente neri, erano incollati al suo corpo. Il farsetto nero imbottito, zuppo di fango, non lo proteggeva più dalla cotta di maglia dell'usbergo e dei gambali.

I lunghi capelli gli scendevano sul viso e sugli occhi, ma non importava, perché la pioggia impediva comunque di cogliere quanto avveniva intorno a lui. Non riusciva più a vedere se i suoi uomini fossero in piedi o caduti; non poteva chiamarli, perché gli scrosci soffocavano gli altri suoni. La sola cosa che ancora udiva era il proprio respiro affannoso.

Aveva sangue ovunque: sui vestiti, nei capelli, gli entrava in bocca attraverso la barba, gli scorreva dalle spalle ai polsi, rendendo viscida la sua spada, dalla punta all'elsa.

Intuì la presenza di un nemico solo dalla vibrazione del fendente che stava per abbattersi su di lui e colpì dal basso verso l'alto, affondando la propria spada nel collo dell'aggressore. La lama si bloccò e lui la estrasse con violenza.

Perse l'equilibrio ed ebbe appena il tempo di schivare un'ascia. Cadde in ginocchio e rotolò in fretta sulle punte di frecce spezzate per sottrarsi al colpo di grazia del suo avversario, la cui scure sprofondò nel fango. Continuando a rotolare, spostò la lama all'altezza delle tibie dell'uomo, atterrandolo. Allora lui si rialzò e immerse la spada nel petto dello scozzese.

Combatté e avanzò, sputando fango e sangue e cercando di restare in piedi quando calpestava i morti che ricoprivano il suolo. I suoi stivali scivolavano mentre continuava a parare e affondare, bloccare e uccidere.

Svuotò la mente di qualsiasi cosa non fosse la battaglia. Non mirava alla gloria o alla sopravvivenza. Non contava i nemici che riusciva ad abbattere. Non pensava. Era fatto soltanto di muscoli, addestramento e spada.

Al termine della battaglia, i feriti e i morti sarebbero stati portati via. Poi ci sarebbero stati da mangiare e da bere, il riposo e un altro scontro ancora. Non conosceva altro, non respirava altro. Il suo passato era dimenticato per pura forza di volontà.

Robert continuò a calpestare il fango e l'erba aggrovigliata del campo di battaglia. Sentiva le urla dei suoi uomini, le loro grida di dolore e, peggio, l'immane silenzio di quelli che non potevano più emettere suoni.

Ingoiò la rabbia. Avevano pagato a caro prezzo la troppa fretta. Era stanco, ma i suoi uomini stavano ancora peggio. Da quando Re Edoardo aveva radunato un esercito più numeroso, i combattimenti erano diventati più frequenti, più febbrili. I soldati

non avevano abbastanza tempo per riposarsi tra u-
no scontro e l'altro e, di conseguenza, quel giorno
lui aveva visto cadere degli uomini che nemmeno
avrebbero dovuto essere sul campo.

Alzò lo sguardo. Hugh di Shoebury avanzava
lentamente verso di lui con un destriero abbandonato. L'uomo era alto e sottile come Re Edoardo,
ma la somiglianza finiva lì. Hugh non era un sovrano maturo: era giovane, con i capelli biondi, gli
occhi azzurri e la pelle così bianca che bastava un
tocco di sole per scottarla.

«Quanti?» gli chiese quando fu abbastanza vicino.

«Troppi per contarli» rispose Hugh, la mano sulla briglia sciupata. «Quali sono gli ordini, adesso?»

«Leviamo il campo e aspettiamo che da oriente
arrivino notizie del re.»

«Almeno possiamo riposarci.»

Robert smise di scrutare il campo di battaglia e
si voltò per tornare all'accampamento. «Speriamo
in una lunga tregua. In questa guerra ci sono troppe
complicazioni.»

«Non la si può nemmeno definire una guerra.
Balliol non ha abbastanza truppe per difendersi dal-
l'esercito di Re Edoardo.»

«Quando Balliol è stato incoronato, abbiamo ritenuto opportuno rafforzare le difese a settentrione,
ma adesso mi chiedo perché così tanti soldati siano
stati mandati a nord.»

Hugh si strinse nelle spalle. «Non ci è dato saperlo. E dal momento che abbiamo eseguito gli ordini, il re non può certo lamentarsi del famigerato
Black Robert.»

Lui ignorò l'uso del suo soprannome. Non lo gra-
diva nemmeno nelle giornate buone. E quella non
lo era per niente. «Ci vorranno diverse settimane
per recuperare.»

«Sì, ma il re sarà contento di quello che abbiamo ottenuto oggi. Neppure quanto è successo al nord potrebbe indebolire la sua determinazione.»

«Perché? Cosa è successo?»

«Non avete sentito? C'è un piccolo villaggio, Doonhill, nascosto in una valle a nordovest di Dumfries. Un gruppo di uomini, al comando di Sir Howe, si è spostato là quando sembrava che la vittoria non ci avrebbe arriso.»

«Howe ha portato via i suoi uomini a battaglia ancora in corso?» Robert affrettò il passo. «Avrebbe potuto costarci la vittoria!»

«Sì, ma sostiene che doveva ritirarsi altrimenti sarebbero morti tutti.»

Quella storia l'aveva già sentita. «Howe? Lo stesso che ha ordinato la ritirata della cavalleria a Lockerbie?»

«Proprio lui.» Hugh tossì.

«E così quel bastardo pensava di farla franca per la seconda volta?» Robert strinse i denti. «Cosa è successo a Doonhill?»

«È un piccolo villaggio, ma pare ci fossero molte donne.»

Non aveva bisogno di sentire altro. Non era ingenuo e sapeva che i postumi di una battaglia erano spesso razzie e violenze. Anzi, molti uomini ritenevano che fosse loro dovuto.

«Cosa pensa di fare il re per le donne?»

«Nulla.»

Robert si girò, rivolgendo tutta la sua attenzione a Hugh. Erano quasi arrivati al campo e voleva concludere la conversazione in privato. «Cosa significa *nulla*?»

«Che non ci saranno risarcimenti. Il re ha detto che manderà un messaggio a Balliol riguardo all'incidente nel caso ci siano delle ripercussioni.»

«Perché dovrebbero essercene? Perché non risarcisce gli uomini di Doonhill come ha fatto in passato?»

«Non ci sono uomini, Robert, né donne e nemmeno bambini da ricompensare» disse Hugh lentamente. «I soldati di Howe hanno distrutto l'intero villaggio.»

Lui sentì testa e corpo colmarsi di rabbia e di incredulità. Eppure, anche alle sue stesse orecchie, quando parlò, il suo tono suonò distaccato. «Come è possibile?»

«Sono i rischi della guerra.» Il cavallo di Hugh tirò con impazienza il morso. «Vi prego di scusarmi, questo animale ha bisogno di riposo e di cibo.»

Robert si scrollò di dosso l'esitazione che provava nel seguirlo. Da molto tempo aveva smesso di cercare di correggere il passato e la distruzione del villaggio non poteva essere cancellata. Ricacciando indietro quei pensieri, diede all'amico una pacca sulla schiena. «Vengo anch'io. Devo essere più affamato e più stanco di quanto credessi.»

Robert raggiunse la sommità della collina. Non sapeva ancora cosa lo avesse spinto ad andare là. Hugh non era stato contento di sapere che si sarebbe inoltrato da solo nel territorio nemico, ma non aveva voluto coinvolgere altri nel suo viaggio. Ora che vedeva la valle, gli parve una precauzione inutile.

Il giorno volgeva al termine, ma le tenebre incombenti non attenuavano la devastazione. Peggio ancora che nel suo sogno. Howe avrebbe pagato per quello che aveva fatto.

Il suo cavallo scrollò la testa con impazienza e lui strinse più forte le redini. Non sarebbe mai diventato un buon destriero da guerra. A cosa serviva, se il tanfo lo innervosiva? E là il tanfo non mancava. La morte ammorbava l'aria della valle.

Smontando, cominciò la discesa. Il fetore dei corpi in decomposizione e di legna carbonizzata gli riempì le narici. Respirando con la bocca, si fermò.

Non c'erano cadaveri. Ne sentiva l'odore, del resto aveva combattuto troppe guerre per Edoardo per non riconoscerlo, ma non erano disseminati tra le macerie di mobili e stoviglie. Affrettò il passo.

Vicino al lago, si imbatté in un ampio appezzamento di terreno appena dissodato. Un giardino? Il tanfo era così forte che rimpianse di dover respirare.

C'erano delle fosse nuove, poco profonde, in mezzo a piccole zolle di vegetazione bruciata. I cadaveri erano allineati e sul terreno si vedeva una lunga striscia più liscia che indicava che i corpi erano stati trascinati fino alla loro ultima dimora.

Era un cimitero e un cimitero significava sopravvissuti che seppellivano i loro morti. C'erano anche delle impronte, che stranamente sembravano tutte della stessa grandezza; chiunque le avesse lasciate, strascicava un piede.

Robert si guardò intorno, ma non udì alcun suono. Tutto era silenzio.

Un uomo cercava da solo di seppellirne così tanti? Si chiese perché qualcuno avrebbe dovuto curarsene. Non c'era più nulla da salvare al villaggio, non c'era modo di sanare e di ricostruire dopo la devastazione provocata dai soldati di Howe.

Sapendo di non essere solo, sfoderò la spada. La tenne bassa, lungo il fianco, e si diresse cautamente verso il lago. Fu allora che sentì un raschio, rapido e forte, proveniente da una delle casupole parzialmente bruciate.

Per essere sicuro che le sue parole venissero udite, aspettò di essere più vicino. «Vengo in pace!» gridò, prima in inglese e poi in gaelico. «Non voglio farvi del male.»

Ancora quel raschio... Metallo? Di sicuro nella capanna c'era qualcuno.

«Sono qui per offrire aiuto.» Cercò di usare un tono quanto più convincente. Chiunque si trovasse là dentro, poteva non sentirsi particolarmente incline all'ospitalità.

Avvicinandosi alla porta aperta, alzò la spada a livello dell'anca. Avrebbe preferito aspettare che l'occupante della capanna uscisse, ma questi avrebbe potuto essere ferito e bisognoso di aiuto.

Slanciandosi in avanti con la spalla, entrò nel piccolo edificio. Dal tetto bruciato penetrava il chiarore lunare. L'unica stanza era piccola e quadrata, ma lui riuscì a vedere poco altro.

E non riuscì a schivare il calderone di ferro diretto contro la sua testa.

3

«Oh, baffi di gatto attorno alla gola di un topo, l'ho ucciso!»

Gaira fermò il calderone che continuava a oscillare e inghiottì la bile acida che le era salita in gola. Con le ginocchia tremanti, si accovacciò accanto allo sconosciuto. Lentamente, molto lentamente, accostò la mano alla sua bocca e sentì il respiro caldo contro il palmo. Era vivo!

Il suo cuore prese il volo. Stordita, chiuse gli occhi e fece un profondo respiro per calmarsi. Quando si sentì più stabile, li riaprì per osservarlo.

Era un uomo grande e forte, non più alto di tanti scozzesi, ma forse più robusto e con un petto così ampio che sembrava scolpito nel fianco di una montagna. Il chiaro di luna non le permetteva di scorgere il suo volto, ma aveva i capelli lunghi e arruffati e la barba incolta.

I capelli e la barba, così poco inglesi, la lasciarono perplessa. Quell'uomo se li lasciava crescere come il più umile dei servi che non possedeva nemmeno un pettine. Ma com'era possibile che un servo inglese si trovasse così a nord e per giunta da solo?

Con cautela, gli tastò i fianchi alla ricerca di una borsa o di armi. Odorava di cedro, di cuoio e di aria aperta. Sotto le dita sentì solo la trama fine e morbida dei suoi indumenti. Il corpo era caldo, duro, spietato. Gaira aggrottò la fronte. Che fantasia! Un corpo non poteva essere spietato.

Passando le mani sul davanti, sentì i palmi cominciare improvvisamente a sudare e formicolare. Si fermò, comprendendo che avrebbe voluto continuare a esplorare, ma non per cercare delle armi.

Cosa c'era di sbagliato in lei? Aveva tre fratelli maggiori. Costui non poteva essere diverso. *Ma mi dà sensazioni diverse.* Cancellò quel pensiero. Si stava comportando di nuovo come una sciocca. Se le mani le sembravano strane o calde, era solo perché aveva paura che si svegliasse. Ecco. Il suo era semplice nervosismo.

Ingiungendo alle proprie mani di obbedire, raggiunse la cintura. Si era per caso mosso? No. Gli occhi erano ancora chiusi. Prese un respiro per calmarsi. Sotto le dita sentì i muscoli piatti dell'addome, le ossa sporgenti del bacino. Trattenendo il fiato fece scivolare le mani verso le gambe, tutte muscoli e tendini. Vicino agli stivali tastò una cinghia e l'elsa rigida di un pugnale. Lo sfilò; era pesante e l'impugnatura aveva una decorazione in rilievo, ingemmata.

«Quindi non siete un contadino.» Mettendo da parte l'arma, gli palpò le grosse braccia e subito sentì l'acciaio freddo della spada al suo fianco. La sua pelle formicolò per la rabbia. «Anche se non aveste parlato, avrei capito che siete inglese perché siete un bugiardo. Pace! Ah! Quale uomo viene in pace con la lama sguainata?»

Le tremavano le dita quando staccò quelle di lui dalla spada. Barcollando sotto il suo peso, la depose in fondo alla stanza e poi prese la corda che il misterioso sconosciuto teneva appesa alla cintura. Non era abbastanza lunga per legarlo mani e piedi, ma quello che la preoccupava di più erano le sue mani.

Il cuore le batteva forte nel petto. Era preoccupata anche da altre parti di lui, troppo. Non era così ingenua da pensare che fosse inoffensivo. Il suo corpo muscoloso e il fatto che parlasse inglese e gaelico le dicevano che era un soldato addestrato.

Di sicuro al risveglio sarebbe stato di pessimo umore. Ma quale altra scelta aveva avuto lei? Si era nascosta nella capanna. Non era colpa sua se quell'uomo si era avventurato proprio lì dentro. Aveva dovuto colpirlo con il calderone per difendersi.

E ora cosa sarebbe successo? Presto lui avrebbe ripreso conoscenza. Era inglese, forse uno di quelli che avevano distrutto il villaggio. Non poteva correre dei rischi. Non doveva più pensare soltanto a se stessa.

«Rifletti, Gaira, rifletti!» Gli aveva preso le armi. Potevano darle un certo controllo. Fece rapidamente il nodo e si nascose di nuovo nell'ombra ad aspettare.

«Come sarebbe a dire che non è da suo fratello?» Busby di Ayrshire sputò per terra. La saliva finì esattamente al centro della scarpa consunta del suo messaggero.

«Non è tornata dai Colquhoun, laird» balbettò questi. «I suoi fratelli sono rimasti molto sorpresi nel vedermi.»

Busby si passò le grosse mani sul davanti della ruvida tunica marrone. L'unica soddisfazione di questa notizia? Il suo messaggero aveva paura. Gli piaceva quando gli altri avevano paura.

«Hai spiegato a quel bastardo di Bram che, se non mi porta sua sorella entro una settimana, il nostro accordo salta?»

«Certamente. Ci hanno dato il permesso di perlustrare il castello.»

Busby fece un passo avanti. «Hai riferito anche che per il disturbo esigo un ulteriore risarcimento di cinque pecore? E che non avrei preso la ragazza se avessi saputo che era così ribelle? E che se vogliono la guerra tra i nostri clan l'avranno?»

«Sì, laird.» L'altro dovette reclinare la testa per guardarlo in viso tanto si era avvicinato. «Ho ripetuto tutto, ogni parola. Ma non è servito a nulla. Abbiamo cercato ovunque e non c'era traccia di lei.»

Mentre Busby aspettava che il messaggero tornasse con lei o almeno gli portasse delle notizie, erano passati quattro giorni dalla scomparsa della ragazza. Il fatto che non fosse successo niente di quello che aveva previsto attizzò la sua furia.

«Dimmi cosa hanno risposto» ordinò.

Il messaggero stropicciò i piedi e fece un passo indietro quasi impercettibile. «Non erano contenti.»

«Come sarebbe a dire?» sibilò.

Questa volta l'altro indietreggiò senza ulteriori esitazioni. Busby lo lasciò fare. Non gli importava: era ancora a portata di mano.

«Erano estremamente dispiaciuti. Io, ehm, temevo per la mia vita. Hanno detto qualcosa a proposito dell'aver perso la sorella e che, se dovesse succederle qualcosa, sarebbe colpa vostra.»

«Cosa?» ruggì lui, stringendo le dita intorno al collo sottile dell'uomo.

Un suono gracchiante sfuggì dalla gola del messaggero e Busby allentò la presa per lasciarlo parlare. «Mi hanno detto che per prima cosa l'avrebbero cercata nella zona tra qui e le terre dei Campbell, mentre voi dovreste andare a sud.»

Lo lasciò andare e l'uomo barcollò all'indietro. «Andare a sud? A che scopo?»

«C'è una sorella minore» ansimò l'altro. «Sposata. Vive a Doonhill.»

«Prepara il mio cavallo. Non sprecherò tempo.»

Il messaggero cominciò a tremare. «Quale cavallo, laird?»

«Come sarebbe a dire quale? Il *mio* cavallo, mentecatto. L'unico cavallo decente in questa terra desolata!»

L'altro si morse l'interno della guancia. «Lo ha preso lei.»

«Lei... *cosa?*»

«Lo ha preso» balbettò l'uomo. «Non è più nella stalla.»

Inferocito, Busby fece un passo in avanti. Voleva disperatamente mettere di nuovo le mani intorno a quel collo e stringere fino a dissolvere almeno un poco della propria frustrazione, invece rivolse la rabbia verso l'interno, lasciandola sbollire. Solo una persona meritava in pieno la sua ira: aveva tutte le intenzioni di farla ricadere su Gaira del clan Colquhoun.

Un dolore pulsante alla tempia richiamò Robert dalle tenebre. Aprì gli occhi e vide un modesto chiaro di luna che entrava da un tetto bruciato. Fece per mettersi a sedere.

«Muovetevi troppo in fretta, impostore di un inglese, e vi ritroverete questo pugnale nelle vostre parti nobili!»

Si fermò di botto. La voce proveniva da un angolo dell'edificio. Una donna fece un passo avanti.

Il chiarore che filtrava dall'alto gli mostrò che indossava una tunica e dei calzoni troppo grandi per la sua figura alta e sottile. Aveva i capelli raccolti in diverse treccine che scendevano sul seno. Accucciata a gambe larghe, agitava un pugnale davanti a sé.

Robert strizzò gli occhi per vedere meglio. Il *suo* pugnale. «Mi avete colpito con un calderone» la accusò in gaelico.

«Mi sa che meritiate molto di più! Avevate la

spada sguainata e puzzate di soldato inglese.»

Lui cercò di muovere le braccia e sentì che erano legate, ma le gambe erano libere e, facendo leva, si mise a sedere. La sconosciuta serrò più forte il pugnale e lui rallentò i movimenti. Aveva imparato in tante battaglie che la paura è altrettanto pericolosa della rabbia. Dal dolore che gli risuonava in testa, era in grado di dire che la donna era spaventata *e* arrabbiata.

«La capanna era buia. Sarebbe stato sciocco non sguainare la spada.»

«Questo dovrebbe farmi sentire meglio?» lo schernì.

La conversazione aveva preso una brutta piega.

Lei era adirata, era scozzese ed era una donna; lui era inglese, in un villaggio scozzese che i suoi compatrioti avevano distrutto. Lei teneva in mano un pugnale; lui aveva i polsi legati. Le probabilità non erano a suo favore.

Per quanto ne sapeva, c'erano soltanto loro due e lei non avrebbe potuto lasciarlo sdraiato a terra per sempre. Ma se viveva al villaggio, come mai era ancora viva?

«Non voglio farvi del male» continuò in gaelico. «Cosa ci fate qui?»

«La stessa domanda che vi faccio io.»

«Sono soltanto un viaggiatore.»

«Un inglese, nonostante cerchiate di parlare la nostra lingua. La state storpiando» puntualizzò lei. «Come vi chiamate?» aggiunse poi in inglese.

Parlava un inglese puro. Anche se viveva al villaggio, non era una semplice contadina. «Mi chiamo Robert di Dent e non è un crimine essere inglesi.»

«Lo è quando ci troviamo in un villaggio nel quale i miei parenti sono stati uccisi dalla vostra gente.» Si raddrizzò, ma il pugnale rimase puntato.

Robert aveva ancora le mani legate, anche se stava rapidamente allentando le corde. «Sono arrivato da poco. Non ho avuto alcuna parte in questo massacro. Come vi chiamate?»

La donna ignorò la domanda. «Come faccio a sapere che non siete responsabile della loro morte?»

Lui rimase stupito. «Dunque non vivete al villaggio?»

Anche nella luce fioca, poté vederla prima impallidire e poi divenire paonazza per la rabbia. «No, erbaccia! Come potrei essere un'abitante del villaggio? Io sono viva.» Si interruppe. Le lacrime brillarono. «Avete visto quello che è successo qui.»

Robert non capiva. «Siete sopravvissuta?»

«No. Anch'io ero in viaggio e sono arrivata troppo tardi.»

Una risposta troppo cauta, e i polsi di lui ormai erano liberi. «Non siete passata di qui per caso. Avete detto che avevate dei parenti» osservò. «Sono morti?»

Lei sussultò a quella domanda, e la ignorò. «Siete solo di passaggio, dunque?» chiese.

Date le circostanze, aveva il diritto di sospettare di lui. «Sì» mentì Robert.

«Ah! Con la spada sguainata e un così bel pugnale nascosto, dovrei credervi?»

Non era facile, d'accordo. «Vi preg...»

Uno scalpiccio di passi dietro di loro!

«Zia Gaira, c'è un cavallo in cima alla collina. Zia Gaira, puzza e non ci vedo niente. State bene? Sono venuto ad avvisarvi!»

L'attenzione della donna corse verso la porta. Ecco il diversivo che gli serviva. Lasciando cadere la corda, Robert balzò in piedi e agguantò il bambino che stava entrando nella capanna.

«Mettetelo giù!» gridò lei. «Non vi ha fatto niente! Mettetelo giù, ho detto!»

22

Il piccolo, assorbendo il terrore della donna, cominciò a dimenarsi e a lottare, riuscendo ad affondargli i denti aguzzi in un fianco. Grugnendo, Robert lo allontanò e lo mise in piedi davanti a sé.

«Sembra che io abbia qualcosa che vi appartiene.»

«È innocente, vi dico.»

«Può darsi, ma adesso siamo pari. Voi avete il mio pugnale, e io ho il bambino. Credo che adesso non mi trafiggerete con quella lama.»

La donna aveva un'aria di sfida e lui si irrigidì, pronto a schivare il pugnale se lo avesse lanciato. Nonostante la minaccia, non aveva alcuna intenzione di far del male a nessuno.

Lei gettò l'arma ai suoi piedi. «Potete fare quello che volete di me, ma, vi prego, lasciatelo stare. Ha già sofferto abbastanza.»

Robert raccolse il pugnale e il bambino volò tra le braccia della donna. Il buio non gli permetteva di distinguere i suoi lineamenti, ma lui avvertì il suo sollievo e anche qualcos'altro.

«Il bambino può uscire dalla capanna prima che cominciamo?» gli chiese.

C'era una nota di disagio nella sua voce. Era così diversa da prima che lui faticò a capire il senso delle sue parole, ma poi comprese. Credeva che l'avrebbe violentata. A quali orrori aveva assistito prima del suo arrivo?

Robert era lì solo da poco, ma aveva visto le macerie carbonizzate e le tombe poco profonde. Erano passati tre giorni dall'attacco. A giudicare dall'odore acre, aveva capito che solo alcuni erano morti per ferite di spada, molti di più erano stati bruciati. Lei era lì da più tempo e aveva visto troppi orrori.

«Non farò del male né a voi né al ragazzo. Sarò anche inglese, ma sono sincero quando dico che sono venuto in pace.»

«La chiamate pace?»

Rimorso. Una sensazione scomoda che non sembrava andare d'accordo con il bisogno di proteggere, ma improvvisamente provò entrambi. Doveva essere la donna.

Lei teneva stretto il bambino. Era vulnerabile, ma continuava a sfidarlo. Era coraggiosa, ma anche nella luce incerta lui notò la stanchezza delle sue membra e udì il dolore nella sua voce.

Abbassò gli occhi. Una rozza fasciatura alla caviglia non nascondeva il gonfiore. Erano sue le impronte che aveva visto presso le tombe. Soltanto le sue.

«Sono passato dal vostro... giardino. State preparando le aiuole per la primavera?»

Invece di rispondere, la donna si accovacciò e cercò di far girare il bambino verso di lei. «Alec, su, va' al campo.»

Questi liberò la testa per voltarsi e puntare gli occhi diffidenti su di lui. «Non voglio.»

«Alec, ascoltami. Sai che ti ho proibito di venire nella valle. Mi hai disobbedito. Ma non ti punirò se torni subito indietro.»

Il bambino non si mosse.

Il tono di lei divenne più dolce. «Alec, se te ne vai subito, ti do l'ultimo favo.»

Il piccolo la fissò, il visetto contratto. Lei annuì con vigore. Lanciando un ultimo rapido sguardo alle sue spalle, Alec corse fuori dalla capanna.

Mentre il rumore dei suoi passi si affievoliva, la donna si raddrizzò lentamente.

«La mia vita per qualcosa di dolce. Ah, avere di nuovo cinque anni» disse con voce malinconica. Sorrise, intrecciando le dita davanti a sé. «Temo che abbiamo avuto un malinteso. Io sono Gaira del clan Colquhoun.»

Robert si chiese dove fossero finite rabbia e sfida. Il suo atteggiamento, perfino l'aria intorno a lei erano mutati. Di colpo si insospettì. «I vostri modi sono cambiati.»

«Sì. Anche se siete inglese, siete diverso dagli uomini che hanno bruciato Doonhill.»

Quella donna era incomprensibile. «Sì, lo sono, ma come avete fatto ad accorgervene all'improvviso?»

Lei parve esasperata. «Il giardino.» Robert era confuso. Voleva parlare di piante? «Non avete chiesto se sono stata io a seppellire i morti, ma se stavo preparando le aiuole. Un uomo che non vuole ferire i sentimenti di un bambino non può assomigliare ai mostri che hanno distrutto questo villaggio.» Quando gli voltò le spalle e si chinò, la tunica larga ricadde in avanti modellando il suo fondoschiena sotto i calzoni aderenti.

Ogni pensiero scomparve dalla sua testa. Doveva essere la luce della luna a fargli dei brutti scherzi o l'immaginazione suggeriva quello che i suoi occhi non potevano vedere. Comunque fosse, gli si seccò la bocca. La curva bella e forte delle gambe di lei sembrava arrivare fino al cielo e i suoi glutei erano rotondi, pieni, sensuali e decisamente troppo... vicini.

Tanti anni senza una donna e non era mai stato tentato. Si erano premute contro di lui, gli avevano fatto balenare i seni davanti agli occhi, si erano leccate le labbra e lui non aveva sentito neppure un fremito di emozione, soltanto fastidio. Ma il fondoschiena di quella donna, avvolto nei calzoni maschili, gli incendiò i lombi. Provò un impeto, una tensione e si impose di concentrarsi sull'oggetto che lei teneva tra le mani.

Era una spada e la puntava verso di lui.

«Vi ringrazio» gli disse, in tono garbato. «Ho cercato di proteggerlo da ciò che è realmente accaduto alla gente di qui.»

Poi tossicchiò. Fece una pausa. Stava aspettando la sua risposta.

Non era una spada qualsiasi. Era la *sua* spada. L'imbarazzo spense la sua lussuria. Cosa avrebbe pensato Edoardo del suo soldato in quel momento? La lama si abbassò un poco quando lei spostò la mano sull'impugnatura.

Sarebbe stato così facile toglierle la spada. Lei non aveva equilibrio e l'arma era troppo pesante. La donna non era una minaccia.

Ma Robert era una minaccia per lei. «Cosa state facendo?»

«Sto puntando un'arma verso di voi, ecco cosa sto facendo.»

«Pensavo aveste detto che non sono un mostro.»

«Sì, ho detto che non siete come i mostri che hanno bruciato il villaggio. Ma siete pur sempre inglese. Non posso fidarmi di voi.» Fece un cenno con la testa. «Calciate la corda e il pugnale verso di me. Mi serviranno ancora.»

Concentrandosi sui propri movimenti, piuttosto che sul suo aspetto, Robert spinse lentamente con il piede il pugnale e la corda verso di lei.

«Sono sveglio, stavolta, e voi siete sola» osservò. «Per quale motivo dovrei stare fermo senza difendermi?»

Lei non gli toglieva gli occhi di dosso. «Per dimostrare che non siete un mostro.»

Robert fece una pausa. Una donna e un bambino. Non sapeva se ci fossero altri superstiti.

«Questo prima non mi ha fermato» sottolineò lui.

«Non commetterò lo stesso errore due volte.»

«E la mia spada?»

«La tengo io. E anche il vostro pugnale.»

Lui lottò contro l'istinto di reagire. Gaira era scozzese, ma era una donna e doveva proteggere Alec. Era già abbastanza vulnerabile senza che lui la

26

spaventasse ulteriormente. Inoltre, voleva delle risposte e lei non avrebbe parlato se lo avesse considerato una minaccia. Tuttavia, se lo avesse legato più stretto di quanto avesse fatto prima, sarebbe stato indifeso.

Infine, giunse le mani davanti a sé.

Lei scosse la testa. «Dietro. Voltatevi.»

«Ho bisogno di liberare la vescica.»

Gaira rifletté un istante, poi fece un cenno d'assenso e abbassò la spada.

«Per essere un inglese avete ragione, sapete?» Gli si avvicinò lentamente.

Lui provò un senso di disagio mentre le tendeva le mani perché lo legasse di nuovo. «Riguardo a cosa?»

Gli girò più volte la corda intorno ai polsi e la annodò in modo più sicuro, ma lui non serrò forte le mani l'una contro l'altra, così da riuscire ugualmente ad allentarla. Era buio e lei non se ne accorse.

«Ho cominciato a seppellire i morti» gli disse allontanandosi di un passo. «Ma lavoro solo di notte e la caviglia mi rallenta molto.»

Lui si voltò e la vide raccogliere la spada e il pugnale. La visuale non era la stessa di prima, ma il ricordo era fresco e le gambe di lei erano ancora troppo lunghe... e splendide.

«Perché di notte?» Si schiarì la voce roca.

«Per nascondere quello che faccio» gli rispose.

Pensò al bambino che correva accanto al cimitero. Anche a una così giovane età, doveva avere indovinato quello che la zia faceva. «Ne avete altri da seppellire.»

«Sì. L'odore sta diventando così forte che è sempre più difficile andare avanti.» I suoi occhi si riempirono di lacrime. «Ma non voglio lasciare Doonhill prima di avere finito.»

Robert ignorò il suo tono determinato. Era venuto

solo per cercare delle risposte e riferirle a Edoardo, non per aiutarla a seppellire i suoi parenti.

La donna indicò la porta e lui si voltò per uscire dalla capanna. Tenendo le distanze, lei lo seguì fuori. Si era sistemata la spada sulla spalla per sostenerne il peso. Robert manteneva la lama così affilata che avrebbe potuto tagliare un grosso albero, ma il collo di lei non aveva protezioni e la caviglia le ostacolava i movimenti.

«Prendete il mio fodero» le propose.

«Il cinturone è troppo largo, scivolerebbe giù.»

Lui si fermò. «Tenete la spada come state facendo adesso, solo mettetela nel fodero.»

La donna gli lanciò un'occhiata che non capì, ma fece come le aveva detto. Dopo essersi rimessa sulla spalla la spada inguainata, continuò a camminare.

Perché volesse salvarle il collo, Robert non lo sapeva. «Vi chiamate Gaira?» domandò invece.

Lei si irrigidì. «Perché me lo chiedete?»

«Credevo che *gaira* volesse dire...»

«Bassa» lo precedette lei. Le sue spalle si rilassarono un poco. «Sì, vuol dire questo. Forse mia madre sperava che non diventassi come i miei fratelli.»

Aveva dei fratelli. Erano stati uccisi lì o erano accampati nei paraggi? Non aveva intenzione di finire impiccato da scozzesi vendicativi.

«Il bambino è al sicuro dove si trova adesso?» le chiese.

«Sì. Prima del vostro arrivo non avevamo visto nessuno e ci siamo accampati in un posto abbastanza nascosto vicino alla foresta. Alec resterà là fino al mio ritorno. Sarà troppo spaventato per disobbedire.» Si interruppe scrollando le spalle. «O forse troppo occupato a mangiare il miele del favo. Voi siete accampato qui vicino?»

«No. Sono appena arrivato.»

«Ci sono altri inglesi?»

28

«Non avreste dovuto farmi questa domanda *prima* di rapirmi per portarmi al vostro accampamento?»

A lei sfuggì una risata, ma colma di panico, che presto zittì.

Non per la prima volta, Robert si stupì della propria arrendevolezza, mentre per la prima volta provò un fremito di apprensione.

La donna non aveva detto se c'erano altre persone con loro, ma era piuttosto sicuro che fosse sola con il bambino. Sul terreno aveva visto soltanto le sue impronte. Tuttavia, non poteva esserne del tutto certo. Non avrebbe avuto difficoltà a difendersi da uno scozzese, anche da uno irascibile, ma non era in grado di calcolare gli effetti di uno scontro se fossero stati di più. Non aveva intenzione di spargere altro sangue in quel luogo e, benché lei lo avesse legato e gli avesse portato via la spada, Robert sapeva combattere. Se ce ne fossero stati altri, avrebbe dovuto andarsene. «Chiedo scusa, ma temo...»

«Ah, non dovete essere spaventato. Starete dove sto io. Non mordo. Siete troppo peloso.»

Lui batté le palpebre; non aveva afferrato il senso delle sue parole. Ma poi pensò alla propria barba incolta, ai capelli lunghi... *era* peloso. Qualcosa gli rombò dentro. Una risata. Quella donna lo aveva quasi fatto ridere.

4

Gaira si voltava continuamente indietro a guardare l'inglese che la seguiva in silenzio. No, non solo in silenzio. Meditabondo. Cupo. Era scuro come il fondo di un corso d'acqua turbolento. Quell'uomo, anche se apparentemente tranquillo, sotto la superficie era forte e possente come i fiumi scozzesi. E il fatto che lo nascondesse la innervosiva.

Non aveva detto una sola parola da quando aveva recuperato il suo cavallo. Ora camminava dietro di lei con accanto l'enorme destriero.

Gaira aveva il suo pugnale e la sua spada, ma sul cavallo aveva visto una spada ancora più grossa, delle coperte e due sacchetti; era sicura che uno dei due fosse pieno di monete tintinnanti. Lui taceva, ma lei poteva quasi udire i suoi pensieri. Cercò di smettere di mordersi il labbro.

Aveva invitato uno sconosciuto al loro rifugio. Un soldato inglese, che parlava di pace, ma era arrivato con la spada sguainata e portava altre armi con sé. Aveva *dovuto* invitarlo. Che altro avrebbe potuto fare?

Se lui avesse avuto veramente intenzione di farle del male, gli sarebbe comunque bastato seguirla fino all'accampamento e prenderla di sorpresa. Meglio tenerlo legato e vicino. Tuttavia, aveva qualcosa da dirgli prima di arrivare a destinazione.

Si girò di scatto verso di lui. L'uomo si fermò altrettanto di botto e la guardò speranzoso.

Robert osservò la donna che lo fissava. In meno di un'ora aveva mostrato molte emozioni diverse: coraggio, paura, dolcezza, affetto, umorismo. Ora, una miriade di espressioni le attraversava il viso; la principale era la determinazione. Chiaramente voleva dirgli qualcosa, ma non sapeva come farlo. Provò un moto inebriante di aspettativa. Era da tempo che qualcuno non lo incuriosiva tanto.

Ma poi li vide.

Dietro di lei c'era un accampamento rudimentale. Un fuoco ardeva intorno a un calderone fumante. Le fiamme alte e la luna piena fornivano luce a sufficienza: non era uno scherzo che gli faceva la vista.

«Chi sono?» le chiese.

Negli occhi di lei, prima tanto espressivi, calò una barriera. Il suo unico movimento fu un tendersi quasi impercettibile delle spalle, il mento si sollevò appena. «Non farete loro del male, vi avviso.» Teneva la voce bassa. «Se ci proverete, vi toglierò molto più della spada.»

«Chi sono?» ripeté lui.

La donna non rispose, ma tenne gli occhi fissi su di lui.

Come se qualcosa lo avesse spinto avanti, superò Gaira per andare verso i quattro bambini che erano usciti dalla foresta, allineati come soldati per la battaglia. Lei corse per raggiungerli e si mise dietro a una ragazzina. La scena lo colpì. Comprese che non erano allineati per combattere, ma per l'ispezione. La *sua* ispezione. La donna non si era messa in mezzo per proteggerli, bensì alle loro spalle, come per sottolineare i meriti di ciascuno.

Lui era ammutolito.

Gaira avvicinò a sé i bambini e sussurrò qualcosa, senza mai levargli gli occhi di dosso.

«Questo è Robert, viene da Dent ed è inglese.» Si raddrizzò e alzò la voce. «Non credo che voglia farci del male, quindi l'ho invitato a stare al nostro accampamento per stasera.»

Lui avvertì la loro diffidenza mutarsi in timore, ma i bambini non aprirono bocca, né ruppero la riga. Era ridicolo, eppure Robert non riusciva a togliersi dalla testa il linguaggio militare.

Premendo le mani sulle spalle della ragazzina e indicando brevemente il maschietto alto come lei alla sua sinistra, Gaira li presentò: «Questi sono Flora e Creighton. Hanno nove anni e sono gemelli».

I due avevano gli stessi capelli castano scuro e, anche se non poteva esserne certo, i loro occhi sembravano di un azzurro scintillante.

Nonostante fossero tanto simili per colori e altezza, il loro atteggiamento nei suoi confronti non avrebbe potuto essere più differente. Flora teneva il mento affondato nel petto, le labbra tremanti, mentre Creighton invece lo fissava, le mani serrate lungo i fianchi.

Gaira fece rapidamente un passo di lato e sfiorò con la mano la testa del bambino la cui chioma sembrava stesse cercando di fuggire in tutte le direzioni. «Alec lo conoscete già.» Arruffò i capelli castani, che si mossero appena. Alec sorrise, palesemente compiaciuto di essere stato presentato.

«La piccola è Maisie.» Gaira indicò la bambina appesa al braccio sinistro di Alec. «Non ha ancora due anni e sta imparando a parlare.»

I capelli di Maisie erano talmente biondi da sembrare quasi trasparenti alla luce del fuoco; i suoi occhi grandi e verdi occupavano metà del visetto. Lui non riuscì a distinguere granché dei suoi tratti perché aveva la mano in bocca, luccicante di saliva.

Si costrinse a dire qualcosa. «Sono vostri?»

«Sì.» La donna sollevò il mento.

I bambini non si assomigliavano tra di loro e certo non assomigliavano alla donna alta davanti a lui. L'accampamento consisteva in una coperta sostenuta da una corda legata a un albero, un riparo troppo esiguo per ospitare tutti. E c'era un solo cavallo, con una sola borsa.

Gaira non era la loro madre e, forse, nemmeno una parente. Eppure sosteneva che erano suoi. Robert non sapeva chi fosse, e nemmeno se fosse una Colquhoun, ma si stava prendendo cura di quattro bambini sopravvissuti al massacro. Da sola.

E di notte seppelliva i corpi ormai decomposti dei loro parenti. Da sola.

Sembrava anche che non ci fosse nessun compagno a proteggerla, ed era accampata in quella terra dimenticata da Dio al limitare della guerra più sanguinosa che lui avesse mai combattuto in vita sua.

I suoi occhi lo stavano sfidando, i capelli sfuggiti alle numerose treccine erano simili ai serpenti di Medusa. Alla luce del fuoco riuscì a vedere che la tunica era rozza ed enorme per lei. Era un indumento maschile. L'aveva indossata anche prima di arrivare lì o solo dopo?

Troppe domande.

Qualunque cosa si fosse aspettato venendo nel piccolo villaggio rurale, non era questo. Aveva voluto verificare se le voci corrispondevano al vero, se i suoi compagni inglesi erano stati capaci di simili atrocità. Non si era aspettato di trovare dei superstiti. Invece eccoli lì: quattro bambini e una donna.

E non sapeva cosa fare con nessuno di loro.

5

L'inglese stava per andarsene. Gaira lo vedeva nei suoi occhi. Avvertì una fitta di panico prima di rilassarsi. Lui aveva le mani legate. Come avrebbe fatto ad andarsene?

Guardò i bambini. Creighton sembrava volesse uccidere Robert; Flora era sul punto di piangere per la paura; Alec, che Dio lo aiutasse, era solo felice di essere lì. I grandi occhi di Maisie assorbivano tutto quello che aveva intorno. A una così tenera età, aveva già visto troppo.

Non era in grado di lenire i loro sentimenti, che dovevano essere confusi quanto i suoi. Aveva appena portato un inglese al campo e gli inglesi avevano massacrato le loro famiglie. Avevano ucciso sua sorella. Soffocò il dolore che le serrava la gola.

Non poteva rischiare di perderlo di vista. «Sarete affamato. Volete un po' di cibo?» chiese.

Lui guardò i bambini come se aspettasse di sentire la loro opinione, ma i piccoli rimasero zitti. Sapevano che c'era qualcosa in gioco. Infine annuì e lei lasciò uscire il fiato.

Singhiozzi.

Gaira si svegliò. Il sole stava facendo capolino

sopra il profilo delle colline e la foschia mattutina era di un bianco lattiginoso. Quando si era addormentata? Molto tardi, ma non sarebbe dovuto succedere.

Si mosse lentamente, attenta a non svegliare Maisie e Alec, rannicchiati contro di lei.

Parole spezzate. Altri incubi.

Con il vento freddo che le mordeva le guance, rimboccò il suo scialle intorno ai bambini e si girò verso Flora e Creighton, stesi vicino al fuoco.

Flora era sveglia, piangeva e batteva freneticamente sulle spalle del fratello.

Creighton non emetteva alcun suono, ma tutto il suo corpo urlava per i demoni intrappolati all'interno. Un incubo ancora più spaventoso dell'ultimo.

Gaira toccò dolcemente Flora, che trasalì. «Lascia fare a me» suggerì.

La bimba si allontanò dal fratello, le mani serrate in grembo.

Cantando sottovoce, Gaira sfiorò delicatamente la fronte di Creighton fino a quando il bambino ricominciò a respirare regolarmente e il suo corpo si afflosciò. Cantare aiutava; la prima volta lo aveva svegliato e non avrebbe ripetuto l'esperienza.

Piano piano, Creighton si rilassò e quando aprì gli occhi parve sorpreso di vederla.

Lei si rialzò con un sorriso. Il vento freddo la assaliva e si strinse le braccia intorno alla vita. Poi raggelò.

Robert era seduto lì di fronte e la fissava.

Di colpo lei divenne consapevole dell'arco della sua fronte, della forma del naso, del castano scuro dei suoi occhi.

Non pensava più ai bambini o al vento pungente. Tutto quello che riusciva a percepire erano i suoi occhi. La sera prima aveva pensato che lui si nascondesse sotto la superficie, ma in quel momento tutto ciò che lei voleva sapere sul suo mondo, sui suoi pensieri, era proprio lì davanti.

Senza che Robert battesse ciglio, d'un tratto gli occhi diventarono opachi, il castano spento, e Gaira ebbe l'impressione di essere stata spinta fuori da un ruscello d'estate, sulla sabbia fredda della riva, senza alcuna possibilità di immergersi di nuovo nel calore.

Acutamente consapevole, guardò Maisie e Alec, avvolti strettamente nel suo scialle. Si voltò di nuovo.

L'uomo sembrava arrabbiato e molto minaccioso. Aveva i capelli di una bella tonalità di castano, ma erano lunghi, incolti e cadevano in larghe onde sulle spalle. Sembravano morbidi e selvaggi allo stesso tempo. Lei seguì con lo sguardo ogni ciocca, ogni curva di ogni onda. Avvertì uno strano formicolio nei palmi delle mani. Era di nuovo agitata?

Cercando di placare i nervi improvvisamente frementi, abbassò le braccia e lo guardò con il mento alzato. Senza le braccia a proteggerla, il vento le incollò addosso la tunica e i calzoni. Non era decente, ma non poteva evitarlo. Non avrebbe lasciato capire che era nervosa.

Gli occhi dell'uomo brillarono, il suo cipiglio si accentuò. Sì, era minaccioso. Non riusciva a credere di averlo fatto andare lì.

Il suo aspetto indicava che non conosceva né pettine né fronzoli, niente che potesse renderlo piacevole allo sguardo. Portava la barba, come gli scozzesi, ma, senza le treccine che la tenevano in ordine, la sua era piena, ondulata e lunga. Se non avesse avuto lo stesso colore caldo dei capelli, Gaira lo avrebbe preso per un vecchio.

«Ci serve del cibo» esordì lui.

Le parole erano secche, brusche, ma il timbro ancora troppo piacevole.

Dei riccioli ribelli le spazzarono il viso, accecandola e pungendole gli occhi, ma non li scostò. «Ho messo delle trappole.» Fece un cenno in direzione degli alberi. «Non abbiamo avuto molta fortuna. Le nostre esche sono...»

Lui la interruppe e sollevò un poco le braccia. «Posso trovare del cibo se mi slegate.»

Arrogante. Gli guardò le mani, che aveva legato davanti perché lui potesse liberarsi la vescica. L'uomo probabilmente pensava che il suo piccolo atto di bontà significasse debolezza. Avrebbe capito in fretta che non era così.

«Avete bisogno di mangiare» proseguì Robert.

Gaira fece diversi passi verso di lui. Era seduto e fu costretto a sollevare la testa per guardarla. Avrebbe dovuto sembrarle più piccolo, meno pericoloso, ma i suoi occhi erano troppo fermi e l'inclinazione del mento troppo orgogliosa.

Chi era? Un soldato inglese... e probabilmente anche un nobile, pensò.

I suoi abiti erano di stoffa eccellente, ma vestiva tutto di nero. Nessuna decorazione, né colore. Fatta eccezione per un anello d'oro, era l'abbigliamento semplice di chi non possedeva denaro. Solo che portava con sé un pugnale ingioiellato, due spade e un sacchetto pieno di monete. Oggetti costosi che parlavano di una grande ricchezza. Non aveva mai conosciuto un uomo ricco che andasse in giro senza ornamenti. Perfino i suoi fratelli portavano un po' di questo, un po' di quello.

«Mi credete così ingorda da mettere in pericolo le nostre vite lasciandovi libero?» ribatté.

«Avermi portato via le armi e legato le mani vi dà solo un falso senso di sicurezza» replicò lui. «Se avessi voluto colpire qualcuno di voi, l'avrei già fatto.»

«Non ve ne ho fornito l'opportunità, inglese.» Si

mise i capelli dietro le orecchie. «E non lo farò. Mai.»

«Ah, sì?» La voce dell'uomo era diventata morbida. «E le volte che avete chiuso gli occhi, stanotte? Quei momenti non mi sarebbero forse bastati per colpire?»

Oh, sì, era arrogante! E un po' troppo spaventoso. Anche così, seduto e legato, aveva un aspetto che metteva paura. Peggio ancora, Gaira temeva che avesse detto la verità. Quella notte si era addormentata almeno un paio di volte.

Era l'unica custode di quei bambini e del tutto consapevole di quanta poca protezione potesse dare loro. Aveva portato lei quell'uomo nel loro accampamento. Poteva non essere stato lui a massacrare i loro genitori, ma di sicuro aveva ucciso altre persone. Non c'era motivo per cui un inglese dovesse trovarsi lì. Non era prudente lasciarlo libero.

«Avete bisogno di mangiare, Gaira» insistette lui. «E anche i bambini.»

Il desiderio di resistere, sempre che ci fosse stato, l'abbandonò. Avevano davvero bisogno di mangiare. Disperatamente e in gran quantità. Le trappole non avevano ancora funzionato e gli incendi avevano spaventato gli animali, facendoli fuggire.

L'inglese parve avvertire il suo cambiamento e si alzò in piedi.

«Cosa potete promettermi?» gli chiese.

«Niente che siate disposta a credere» rispose lui, arricciando gli angoli delle labbra. «Ma anch'io devo mangiare e forse questo basta.»

Lei scrutò con attenzione il suo volto. Quello che vide non era esattamente un sorriso, ma voleva esserlo. «Forse basta.» Gli slegò i polsi. «Ma se vi azzarderete a prendere la spada e il pugnale, dovrete lasciare questo campo. Non voglio che i bambini vi vedano con un'arma in mano.»

Non stette a guardarlo mentre se ne andava, ma prese le esche per riaccendere il fuoco. Intuì che si era allontanato e lasciò uscire il respiro che aveva trattenuto.

Non c'era ragione per cui dovesse ritornare. Gli aveva accordato fiducia e questo la rendeva ancora più nervosa, perché l'inglese non aveva fatto nulla per meritarsela.

Era un nobile che portava i capelli come un contadino e nascondeva la ricchezza dei suoi abiti. Era misterioso, oscuro, come se cercasse di nascondere qualcosa di se stesso sotto la superficie e impersonasse qualcun altro.

Si mise di nuovo i capelli dietro l'orecchio. Non aveva tempo di pensare a ciò che l'uomo celava. Maisie aveva bisogno di essere nutrita e cambiata, e la borraccia di pelle doveva essere riempita di acqua da bollire.

E poi avrebbe dovuto spiegare ai bambini che erano di nuovo soli.

Busby raccolse le poche provviste che gli servivano e scese le strette scale di pietra del suo castello.

I giunchi sul pavimento della sala scricchiolarono sotto i suoi piedi; anche con quella scarsa luce gli schizzi di grasso sulle pareti e le ossa rimaste dai pasti precedenti erano visibili. Respirò l'odore del legno umido e della carne marcia e desiderò uscire il prima possibile. Ma i suoi tre figli più piccoli erano lì, strisciavano per terra e spostavano i giunchi con dei bastoni.

«Cosa fate voi tre dentro casa in una così bella giornata? Dovreste essere fuori.»

Deliziati, i bambini sgranarono gli occhi, poi balzarono in piedi e corsero ad abbracciargli le gambe e le braccia. Scacciando l'impazienza per quel ritardo, lui ruggì: «Cosa abbiamo qui?».

Loro risero e lo strinsero ancora più forte. Era il solito gioco. Lui si accucciò e subito i bambini gli si arrampicarono addosso. Li sollevò tutti e tre e, barcollando un po', andò fuori e li rimise in piedi.

«Cosa facevate per terra?» volle sapere.

Il più grande dei tre si fece avanti con entusiasmo. Il cuore di Busby si gonfiò mentre ascoltava sua figlia Fyfa, una ragazzina coraggiosa.

«Papà, stavamo eliminando i parassiti, proprio come volevate voi!» esclamò.

«I parassiti?»

«Sì, abbiamo sentito che volevate allontanare i parassiti dalla Scozia, così abbiamo pensato di aiutarvi.»

Lui sbuffò e batté le palpebre. «Siete proprio dei bravi ragazzi, e rendete orgoglioso vostro padre, ma non voglio che strisciate per terra. Non è adatto al vostro rango.»

«Ma, papà...»

«Voglio che mi obbediate in questo. Dov'è Lioslath? Doveva prendersi cura di voi.»

Fyfa fece una smorfia. «È andata a pulire le stalle.»

Busby ringhiò. La sua cocciuta figlia maggiore dirigeva il castello da quando la sua seconda moglie era morta, ma non si occupava mai delle cose più semplici, come tenere puliti i giunchi o far cucinare del buon cibo. Sempre con i cavalli o nei campi, era inadatta a mettere su famiglia, nonostante fosse in età da marito.

Se solo lui avesse avuto una moglie!

«Andate, adesso. Non voglio più vedervi pulire.» Li sospinse verso i campi e attese che fossero ormai distanti prima di dirigersi alle stalle.

Calciò i sassi ai suoi piedi. Accidenti a quella donna! Perché era fuggita? Sembrava quasi che non volesse sposarsi. Ma lui aveva fatto un patto con quegli impostori dei suoi fratelli e si sarebbe assicurato che lo rispettassero.

Quando aveva ricevuto l'invito dei Colquhoun a incontrare la sorella per un possibile fidanzamento, aveva pensato a uno scherzo. Nella regione tutti sapevano che la sua seconda moglie era morta da un paio di anni, lasciandolo con diversi figli e un maniero trascurato. Nessuno lo aveva mai avvicinato come potenziale pretendente e lui aveva da tempo rinunciato all'inutile ricerca di una nuova compagna.

Questo avrebbe dovuto insospettirlo, ma dopo avere visto il castello dei Colquhoun pulito e ricco, assaggiato piatti saporiti e speziati ed essersi sentito offrire venti pecore, non gli era sembrato vero di poter combinare l'accordo. Che idiota.

Quando la sua promessa sposa finalmente gli era stata presentata, aveva il viso gonfio e chiazzato di rosso. Nonostante questo, Busby si era convinto di aver fatto un buon affare e aveva issato su un cavallo lei e i suoi effetti personali.

Invece la ragazza era scappata, prima ancora che potesse anche solo mostrarle il maniero o i suoi figli!

Il suo castello aveva bisogno di ordine e per quello ci voleva una moglie. Sì, una moglie poteva far mettere dei giunchi puliti sui pavimenti e preparare del pane senza sassolini nell'impasto.

E ai suoi figli mancava una madre. I bambini avevano del buon sangue scozzese dentro le vene, ma fuori avevano bisogno di una ripulita. Era troppo tardi per trasformare la figlia maggiore, Lioslath, in una dama. Invece per Fyfa, che di anni ne aveva appena sette, c'era ancora qualche possibilità.

E che dire del suo clan? Si aspettavano che tornasse con una ricca sposa e venti pecore. Aveva le pecore, ma senza la sposa avrebbe dovuto restituirle.

C'erano solo due posti nei quali poteva essere fuggita. Era solo una donna, dopotutto. Debole, e per di più una Colquhoun. Non ce l'avrebbe fatta da sola, il che significava che si trovava o lungo la strada che portava a settentrione, e il suo piagnucoloso messaggero se l'era fatta scappare, oppure era diretta a meridione come i suoi fratelli avevano suggerito.

Se fosse tornata da loro, l'avrebbero ricondotta alla ragione. In quei giorni turbolenti, non desideravano certo dare inizio a una faida tra i loro clan.

Ma se lei era a sud, soltanto lui avrebbe potuto catturarla. Busby pregustò la vendetta.

Sì, l'avrebbe riacciuffata. Quanto meno, un viaggetto verso sud gli avrebbe lasciato il tempo di escogitare una punizione che non l'avrebbe resa inutile per i suoi scopi.

6

«Ragni e caverne!» esclamò Gaira. «Un'altra volta no!»

Afferrò i capelli che si scioglievano, ma il vento vorticoso vanificava i suoi tentativi di rifarsi le trecce e lei tirò le ciocche fino a farsi venire mal di testa.

«Alec!» chiamò, la voce alta e tagliente. La sua agitazione cresceva di pari passo con il dolore alla testa. «Alec! Dove sei?»

Non udì risposta né vide dei movimenti. Intorno a lei le colline si innalzavano e discendevano come meglio credevano. Alla sua destra c'erano soltanto dei radi alberi sottili, a sinistra l'ampia vallata dai fianchi ripidi che si tuffavano in un laghetto. Voltò le spalle alla valle.

Zoppicando andò verso gli alberi, allontanandosi dal campo. *Campo*. Era più che altro un misero ripiego adatto per la sopravvivenza di una sola persona. Non abbastanza per lei e quattro bambini. Tanto più se tra questi ce n'era uno di cinque anni con una passione per i furtarelli.

«Alec!» gridò. «Che Dio mi aiuti! Se non riporti indietro quel sacchetto di pelle, non ti darò una goccia d'acqua per una settimana!»

Risatine.

Gaira ruotò sul piede destro e vide una macchia nel folto degli alberi. Arrancò, cercando di catturare il bambino che correva veloce quanto le corte gambe gli permettevano. Ammirava il suo spirito, anche se dovette slanciarsi per acchiapparlo il più delicatamente possibile. Alec si dibatté tra le sue braccia, prima di restare immobile a guardarla con solennità.

Ridendo, lei prese il sacchetto. «Devi smetterla di rubare. Ci sto mettendo troppo tempo a sbrigare le faccende e devo ancora trovare del cibo.»

Gli occhi di Alec si spalancarono. «Quell'uomo ritornerà, zia Gaira?»

Cipigli. Arroganza. Inglese. Tuttavia, loro erano ancora tutti vivi. Sperava di avere fatto bene a fidarsi di lui. Non era rientrato ed era già tarda mattinata.

«Non credo» rispose. Sapendo che le si potevano leggere negli occhi le preoccupazioni, gli diede un colpetto nello stomaco. «Ora alzati, devo preparare del cibo per riempire la tua panciona.»

Il bambino si tirò su. «Non ci sarà da mangiare dove stiamo andando?»

Ce n'era in abbondanza, ma lei non sapeva se quei traditori dei suoi fratelli gliene avrebbero dato un po'.

«Sì, piccolo. A casa mia c'è un sacco di cibo. Ehi, mio fratello è il più grande e il più forte laird di tutta la Scozia, e la sua dispensa è così piena che sarà grato se ti farai avanti per dargli una mano a vuotarla.»

«Ma se là c'è tanto cibo, perché siete fuggita?»

Il cuore le fece una capriola. «Chi ha detto che sono fuggita?»

«Quando eravamo nascosti tra gli alberi, vi abbiamo visto volare su per la collina in groppa al

44

vostro cavallo. Flora ha detto che stavate scappando da qualcosa di cattivo.»

«Oh, Flora ha detto questo?»

«Sì, abbiamo pensato che non potevate fuggire da Doonhill perché non avevate visto...» Si bloccò. Le lacrime gli fecero luccicare gli occhi. «Non avevate visto...» ritentò.

Gaira si mise in ginocchio e lo abbracciò forte. «Sì, Flora ha ragione. Non avevo ancora visto quello che era successo al vostro villaggio. Ma ero lo stesso ansiosa di raggiungere Doonhill. Non c'è motivo di credere che stessi fuggendo.»

Il bambino si abbandonò contro di lei. «Saremo di nuovo al sicuro?»

Buon Dio, non lo sapeva. Non era più certa di niente da quando suo fratello l'aveva consegnata con la forza al laird più crudele di tutta la Scozia. Ma del resto proprio le terre del fratello erano l'unico rifugio nel quale potesse portare i bambini.

Strinse più forte Alec. «Costi quello che costi, sarete al sicuro.» Rapida, lo afferrò e gli fece il solletico. «Ma non da me!»

Alec si divincolò e ricominciò a ridacchiare. Il suo visetto non era più preoccupato.

«Adesso riporta al campo la tua panciona e non farti più scoprire a rubare.»

Ridendo, il bambino corse verso l'accampamento.

Lei lo seguì più lentamente. In verità, la pancia di Alec non era più grossa come pochi giorni prima. Eppure, se non fossero partiti presto da Doonhill, soffrire la fame sarebbe stato il loro guaio minore.

Quando arrivò al campo, trovò Robert curvo sul focolare. Stava rigirando dei grossi pezzi di carne che sfrigolavano sulla fiamma. Lo stomaco di Gaira brontolò.

Ma la sorpresa non fu il ritorno dell'uomo o il fatto che stesse cucinando, bensì i bambini, che mangiucchiavano placidi delle gallette d'avena mentre sedevano perfettamente composti in semicerchio attorno a lui e al fuoco.

Fatta eccezione per Creighton, che se ne stava lontano, gli occhi che non abbandonavano mai la schiena di Robert. Gaira moriva dalla voglia di consolarlo, di aiutarlo a sfogare la rabbia ma, per quanto lo desiderasse, il bambino non riusciva ancora a parlare.

Creighton e Flora erano quelli che la preoccupavano maggiormente circa la presenza dell'inglese. Erano grandicelli e consapevoli di chi fossero coloro che avevano ucciso i loro genitori.

Robert improvvisamente incontrò il suo sguardo e lei inciampò.

«La carne sarà pronta tra poco.»

Era stato il suo tono, più che le parole, a colpirla. Gaira immise aria nei polmoni vuoti e si raddrizzò. Cosa c'era di sbagliato in lei? Le sembrava che nulla sarebbe mai più stato normale, eppure lui non stava facendo altro che preparare loro la colazione.

«Siete qui» disse, senza celare la propria confusione.

«Sì, il cibo è nel cuore della foresta. Non c'è da stupirsi se le vostre trappole non funzionavano.»

Perché siete tornato?, avrebbe voluto chiedergli. Perché darsi pensiero per loro, quando era così evidente che il suo posto non era quello? Ma i bambini la guardavano e lei era troppo timorosa della risposta che avrebbe potuto ricevere.

Ora l'inglese aveva portato del cibo per tutti e condiviso con loro le sue gallette d'avena.

«Avete altre gallette?» gli chiese. Le servivano per Maisie.

«A volontà.» Robert guardò Flora. «Ma ho già promesso che avrei tenuto il resto per Maisie.»

Le guance della ragazzina erano rosee. Senza dubbio era stata lei, così protettiva, a trovare il coraggio di chiedergli del cibo per la piccolina del gruppo.

«Non sapevo che gli uomini cucinassero» osservò Gaira.

Lui si strinse nelle spalle e conficcò il pugnale in un pezzo di carne. «Mi piace mangiare.»

Anche ai suoi fratelli, ma non per questo si erano presi la briga di imparare. Si chiese quali altre capacità nascondesse.

Erano troppe domande per quell'ora mattutina e troppe per lei che aveva già tanti altri problemi. Non aveva certo bisogno di preoccuparsi anche per le azioni di un inglese solitario. Gaira sollevò Maisie dal grembo di Flora.

«Devo cambiarla di nuovo» annunciò senza rivolgersi a nessuno in particolare.

Andò alla borsa che aveva appeso a un alberello e prese le pezze di tela che aveva tagliato.

Da quanti giorni era lì? Tre? Quattro? Alec credeva che lei stesse fuggendo quando aveva galoppato su per la collina diretta verso Doonhill. Non gli avrebbe mai detto che aveva ragione.

Erano troppo vicini alle terre di confine e alle battaglie che vi imperversavano, e già questo sarebbe stato abbastanza brutto, dato che non aveva niente per difendere se stessa e quattro bambini che dipendevano in tutto e per tutto da lei.

Mise giù Maisie, le tolse i pannicelli sporchi e la avvolse rapidamente in quelli puliti.

No, il problema non erano la vicinanza alle terre di confine e la presenza di un inglese che la faceva sentire confusa. Il *suo* problema era uno scozzese arrabbiato, che pensava che lei fosse sua moglie. E peggio, molto, molto peggio, era che sarebbe dovuta tornare a elemosinare protezione da suo fratello. Un fratello che l'aveva indotta con l'inganno a sposarsi e a lasciare la sua casa.

Se avesse dovuto provvedere soltanto a se stessa, non ci avrebbe mai più rimesso piede, ma ora aveva i bambini. Doveva tornare per tenerli al sicuro.

Il suo piano per la fuga, vale a dire rifugiarsi nel villaggio di sua sorella, era finito nel peggiore dei modi. Al momento lei non aveva altro che della legna bruciata, dei cadaveri cui dare sepoltura e delle promesse che, per quanto contrastanti, intendeva mantenere.

Una era portare i bambini al sicuro presso il suo clan, ma l'altra, quella di seppellire i morti, la stava rallentando. E se avesse atteso oltre e Busby l'avesse raggiunta, non avrebbe potuto adempiere ad alcun voto.

Strillando, Maisie afferrò l'erba alta che la circondava e Gaira andò a raschiare i pannicelli sporchi contro un tronco d'albero. Li avrebbe lavati più tardi.

Si girò troppo in fretta e perse l'equilibrio. Con cautela, alzò il piede sinistro e cercò di flettere la caviglia all'interno della stecca che aveva improvvisato. Era ancora gonfia e lei riusciva a malapena a calzare lo stivale. Sospirò. Non c'era speranza che le cose fossero diverse, nessuna possibilità che non fossero peggiori di quello che erano state appena pochi giorni prima, e non serviva desiderare altrimenti.

Ma, ricordò a se stessa, aveva ancora qualche provvista, un cavallo forte ed era abbastanza intelligente da tirare tutti quanti fuori da quel pasticcio. Ciò che le mancava era il tempo.

Sollevò Maisie e se la sistemò di nuovo sul

fianco. Non si sarebbe preoccupata per qualcosa che non aveva modo di controllare. Semplicemente, non c'era nessuno che potesse aiutarla.

Strinse più forte la bambina.

E Robert? No. Di certo lui non sarebbe stato disposto ad aiutarli.

Tuttavia, non poté reprimere un pensiero improvviso. Chissà quando, tra il momento in cui lo aveva colpito in testa e quello in cui lui si era messo a preparare la colazione, qualcosa era cambiato. Non li aveva uccisi, aveva addirittura cucinato per loro.

Forse *lui* era la risposta alle sue preghiere. Era un soldato inglese, però era lì. Era lì. E questo era ciò che contava.

L'arrivo di quell'uomo sembrava una manifestazione della volontà di Dio, o un suo scherzo. In ogni caso, Robert di Dent l'avrebbe aiutata a seppellire i morti.

Spostando Maisie sull'altro fianco, uscì dagli alberi. Se la caviglia non le avesse fatto male, si sarebbe messa a saltellare.

«Stai diventando una ragazza grande.» La strinse a sé e sbuffò sonoramente contro il collo della piccola.

«Grande!» Maisie le tirò una treccina.

«Oh, vuoi questo, vero?» Zoppicando, girò su se stessa.

Alec si precipitò verso di loro. «Posso giocare?»

Aveva la faccia cosparsa di briciole d'avena e carne. Proprio come doveva essere. Gaira si finse rassegnata. «Ah, immagino di sì.»

Depose a terra Maisie e sollevò Alec, il quale si dimenò finché non fu al sicuro sulla sua schiena. Appoggiando il peso sul piede sano, lei lo fece volteggiare avanti e indietro, assicurandosi che le trecce sobbalzassero, così il bambino strillò più forte.

Quando la testa cominciò a girarle, inciampò, lasciò cadere Alec e si distese sull'erba a guardare il cielo che ruotava.

Sospirando e ridacchiando allo stesso tempo, socchiuse gli occhi. Improvvisamente, un'ombra la coprì. Robert era in piedi sopra di lei e il suo corpo massiccio oscurava il sole.

Gaira non riusciva a capire se era stordita perché aveva roteato troppo o perché i caldi occhi castani la fissavano.

«Dobbiamo parlare» esordì lui.

Giusto. Lei diede un colpetto ad Alec sullo stomaco e si alzò. Maisie era andata carponi fino a un albero. Dopo averle ripulito le piccole dita, la mise in braccio a Flora e prese lo scialle.

Sorrise alla bambina più grande. «Per favore, va' a controllare le trappole e rimettile a posto. Assicurati che Alec raccolga i legnetti per accendere il fuoco, perché sono quasi finiti. Io torno tra poco.» Poi si rivolse a Robert. «Andremo fino alla valle.»

Dal suo arrivo, non aveva più osato recarvisi in pieno giorno. Tuttavia, lì sarebbero stati soli e forse davanti a quella devastazione lui avrebbe offerto il suo aiuto.

Robert la seguì. Cercò di convincersi che solo la curiosità lo spingeva a guardare il suo modo di camminare o di mordersi nervosamente il labbro inferiore.

Lo scialle, di un verde intenso, metteva in evidenza il suo incarnato, incorniciando la figura alta e snella. I suoi capelli non erano castano scuro come aveva creduto in un primo tempo, bensì di un rosso fiammeggiante; non il rosso morbido delle bellezze inglesi, ma un profondo color papavero, quasi irreale nella sua intensità. Gli occhi avevano il colore del whisky in pieno sole, la pelle era coperta da una miriade di lentiggini e la bocca era larga, con le labbra color pesca.

Più avanzavano più si accentuava la sua andatura zoppicante, così lui rallentò il passo per camminarle accanto.

Da quando era al mondo, Robert non aveva mai visto una donna come Gaira. Era come se fosse discesa dal sole. I suoi colori sarebbero bastati a renderla insolita, ma la sua statura lasciava a bocca aperta. Non era bella. In realtà, aveva il naso quasi storto e il mento troppo aguzzo. Ma non aveva importanza.

La voleva. Era troppo esperto per non riconoscere i primi segnali della lussuria. Ma anche questo non aveva importanza. C'erano altre cose a cui pensare.

«Quando siete venuta qui, non eravate insieme ai quattro bambini, vero?» chiese.

«No. Loro sono gli unici sopravvissuti.»

«Il ragazzo è muto?»

Lei aggrottò le ciglia e scosse rapidamente la testa. «Creighton si rifiuta di parlare.»

Lo aveva sospettato. Per tutto il tempo che avevano trascorso insieme quella mattina, il ragazzino aveva fissato davanti a sé con odio silenzioso e gelido. Fortunatamente, le chiacchiere di Alec avevano riempito i silenzi imbarazzanti.

E di quelli ce ne erano stati tanti. Robert non sapeva come comportarsi con i bambini. Così aveva preparato la colazione per se stesso e per loro. Era sollevato di non doversi preoccupare per loro ancora a lungo.

Giunsero in cima alla collina e poi cominciarono la discesa.

«Ecco, lasciate che vi aiuti.» Si avvicinò.

Lei lo allontanò con un gesto. «Me la cavo da sola.»

Lui indicò la caviglia. «È rotta?»

«Credo di no.»

Non disse altro, ma la caviglia era evidentemente gonfia. Quale donna non si lamentava per qualcosa che le faceva male?

«Avete detto che eravate in viaggio per Doonhill quando è accaduto?» le chiese. Superarono la curva della valle e lui scorse il lago.

«Sì, credo di essere arrivata solo poche ore dopo l'attacco. Stavo venendo a trovare i miei parenti.»

«Da sola?»

«Naturalmente. Da sola.» Gli occhi di lei erano diffidenti. «Ha importanza?»

No. Non sapeva perché glielo avesse domandato.

«Quale donna viaggia da sola e indossando abiti maschili?» indagò.

Lei inciampò, ma Robert fece finta di non accorgersene.

«Quale soldato inglese viaggia da solo in territorio scozzese per ispezionare un villaggio che i suoi compagni hanno devastato?» ribatté.

A questa domanda non sapeva rispondere. Cosa avrebbe pensato quando avesse scoperto che lui non era un semplice soldato, bensì Black Robert, il più temuto dei cavalieri inglesi?

Era stato il suo scudiero a mettere in circolazione le dicerie e le canzoni su Black Robert. Più battaglie lui combatteva, più le voci e le canzoni si diffondevano. Non poteva arrivare in un nuovo accampamento o su un campo di battaglia senza che il suo nome passasse di bocca in bocca.

Era una fortuna che la scozzese non lo avesse

riconosciuto, altrimenti gli avrebbe già trafitto le viscere con la sua stessa spada.

Arrivarono ai piedi della collina e camminarono verso il luogo dove Gaira aveva scavato. Mentre si avvicinavano ai corpi, lei si raschiò la gola.

Robert aspettò. Anche se era stato lui a chiedere di parlarle, sapeva perché Gaira aveva voluto tenere lì la conversazione: alla luce del giorno, non c'era modo di travisare l'orrore di quella scena. Bambini con le braccia grassocce strappate via, donne fatte a pezzi e uomini a faccia in giù erano allineati in attesa di essere seppelliti vicino alle patate.

«Mi aiuterete?» gli domandò.

Dopo le battaglie, i cadaveri erano semplicemente uno scenario di guerra. Lui e i suoi soldati ne avevano seppelliti tanti. Ma lei non era un soldato insensibile. Non poteva aver visto simili atrocità prima. Come mai si stava cimentando in una prova tanto ardua?

«Perché semplicemente non ve ne andate?»

«No.» Gaira fece una pausa. «Allora, mi aiuterete? Ho bisogno di seppellirli e anche in fretta.»

«Sarebbe più pratico se li bruciaste su una pira» suggerì lui.

La donna rimase a bocca aperta. «Hanno già visto troppo fuoco.»

Non era preparato al peso del dolore che si riversò su di lui. Non era preparato alle emozioni. Ma quella donna, portandolo in quel luogo, aveva fatto sì che tutte le emozioni del mondo lo passassero da parte a parte e lo straziassero.

Non c'era alcuna ragione logica per essere lì. Aveva fatto un brutto sogno e di punto in bianco si era messo in viaggio. Si massaggiò la nuca e cercò di prendere le distanze dalla stretta che gli mordeva il petto.

Ma non era stato l'incubo a costringerlo ad andare a Doonhill. Era stato un ricordo, un ricordo che aveva cercato di dimenticare.

Era passato molto tempo dall'ultima volta in cui aveva provato rabbia e ancora di più da quando aveva pensato al fuoco. Ma ora aveva fatto entrambe le cose.

Era il villaggio a turbarlo.

Un intero villaggio distrutto, per opera dei suoi compagni inglesi. Non riusciva a scrollarsi di dosso la sensazione di essere il responsabile. Se non avesse combattuto una battaglia così vicino a Doonhill, tutte quelle persone sarebbero state ancora vive. Erano innocenti e non sarebbero dovute morire.

«Ebbene, li seppellirete? Darete loro un degno riposo?» ripeté Gaira. «Al più presto?»

Rispondendole si sarebbe impegnato a fare qualcosa che non voleva, ma l'urgenza nella voce di lei era inequivocabile. Da sola e lavorando soltanto un paio d'ore a notte, sarebbe dovuta restare lì almeno una settimana per riuscire a seppellire tutti quanti, e in quel modo sarebbe stata esposta ad altri pericoli.

«Avete rischiato molto fermandovi qui tanto a lungo.»

«Sono le loro famiglie. Sentivo... No, avevo *bisogno* che i bambini sapessero che i loro cari riposano in pace.»

Quell'ostinazione equivaleva in pratica a un desiderio di morte. «I bambini vi sono senz'altro grati per tutto ciò che fate, ma è una follia rimanere oltre. Gli inglesi che hanno distrutto il villaggio avrebbero già potuto tornare e massacrarvi tutti.»

Lei si mordicchiò un labbro. «Come voi?»

«Vi ho detto che non sono stato io.»

L'espressione tormentata scomparve dai suoi occhi. «Non so se credervi. Siete ovviamente un soldato inglese e non potete essere passato di qui per caso.»

Lui non rispose. Non contava che lei gli credesse.

Gaira incrociò le braccia sul petto. «Questa discussione è tempo sprecato. I soldati non sono ritornati e tutto ciò che chiedo è il vostro aiuto.»

Non sembrava avere intenzione di desistere. Robert aggiunse *testarda* alle sue qualità. «Sì, ma qui ci sono altri pericoli. I bambini mi hanno informato che le provviste sono esaurite. Come potete procurarvi cibo a sufficienza per sfamare cinque bocche?»

«Siamo sopravvissuti.»

«Ma per quanto tempo ancora ce la farete?»

Gaira si girò di scatto verso di lui e la rabbia la fece ergere in tutta la sua statura. «Avevo sperato di finire prima. Non avevo messo in programma che il piede mi avrebbe ostacolato tanto. Mi aiuterete? Ho poco tempo a disposizione, lo so, non c'è bisogno che me lo diciate voi. Che razza di uomo non aiuterebbe una donna a seppellire i suoi parenti?»

Fece qualche passo avanti e prese una vanga che giaceva a terra. Era un attrezzo rudimentale, inadeguato al lavoro che li aspettava. La lama era nera, il manico un rozzo bastone. Probabilmente quello originale era bruciato nell'incendio.

Sì, era testarda, teneva il mento sporto in fuori e una scintilla di sfida balenava nei suoi occhi, ma le tremavano le labbra e sotto le lentiggini era pallida.

Imprecando, Robert le si avvicinò e le tolse la vanga dalle mani. Lei barcollò un poco per l'impeto del suo gesto e lui le prese il gomito affinché riprendesse l'equilibrio. «I vostri morti saranno seppelliti entro oggi» ringhiò.

Vide la rabbia di lei dissolversi in fretta. Dava l'impressione di stare soffocando per emozioni e parole che lui non voleva sentire.

«Perché? Perché adesso siete gentile?» Il dolore colmava la sua voce.

L'immagine di un corpo snello, avvolto in un telo bianco e adagiato su un letto di foglie verdi, balenò dietro le sue palpebre. Bruscamente, le lasciò andare il gomito. Gaira perse l'equilibrio, ma questa volta lui non la toccò.

«Seppellirò i vostri morti» ripeté, la voce fredda. «Ma non prendetela per gentilezza.»

Affondò la vanga inefficace nella terra. La lama dondolò, però non si ruppe. Avvertiva la presenza di lei alle sue spalle, ma questa volta Gaira non lo interruppe.

7

❖

Verso sera, Gaira arrivò in cima alla collina per la terza volta, con uno scopo preciso. Strinse al petto i rami verdi che aveva raccolto per le tombe.

Da dove si trovava, vedeva il giardino, i cumuli di terra e il lago appena dietro. I suoi occhi non indugiarono sul paesaggio, ma sull'uomo che lavorava laggiù.

La giornata era stata calda e si era svestito, tenendo addosso solo i calzoni, come lei aveva visto fare dai contadini inglesi nei campi. Solo che lui non era un contadino.

Usava la vanga e lavorava sodo perché lei glielo aveva chiesto, ma aveva tutta l'aria di uno abituato a comandare. Forse era l'inclinazione della testa, le spalle tirate indietro, o la spada scintillante ai suoi piedi...

Robert di Dent affondava la vanga e poi gettava di lato la terra smossa. I suoi muscoli forti guizzavano a ogni movimento. Non aveva un'oncia di grasso ed era solido, dal collo ai polpacci. Una donna avrebbe potuto tracciare le linee dei suoi tendini con facilità.

Gaira avvertì uno strano impulso e le sue dita ripresero a formicolare. Non riusciva ancora a interpretare quella sensazione, ma non era nervosismo, questo lo sapeva.

Si concentrò sulle caratteristiche più sgradevoli dell'inglese: la lunghezza ribelle dei capelli, la barba ispida e incolta, le cicatrici piatte che costellavano il suo corpo dal viso in giù. Esercizio inutile. Il suo corpo le piaceva.

«Non sei altro che una stupida, Gaira di Colquhoun.» Aveva cose più importanti da fare che dirsi che Robert di Dent era un bell'uomo.

Irritata, distolse lo sguardo da lui e vide che diverse nuove tombe erano state scavate e riempite. L'inglese aveva anche modificato le poche tombe che lei aveva iniziato a scavare: erano più profonde, i corpi più protetti. In meno di un giorno, aveva finito il lavoro.

Era un uomo impossibile. Gaira lo aveva pregato, supplicato, ma lui aveva preso la vanga solo quando lei aveva rinunciato a insistere. Aveva accettato di aiutarla e lei non capiva ancora perché.

Aveva anche terminato il lavoro molto più in fretta di quanto lei sarebbe mai stata in grado di fare. Poteva solo sperare che fosse stato abbastanza veloce, che lei avrebbe avuto il tempo di tornare dai suoi fratelli prima che il suo promesso sposo li trovasse. Poteva farcela. Ma le serviva ancora l'aiuto di Robert.

Cercò di non pensare all'iniziale riluttanza a seppellire i suoi morti. Sicuramente ora sarebbe rimasto e li avrebbe aiutati ad arrivare a destinazione.

Bilanciando meglio i rami che reggeva tra le braccia, scese con cautela giù per la ripida collina. A un tratto il suo piede urtò un sasso e lei inciampò, sparpagliando ovunque il verde.

«Scriteriata e scalza.» Gaira raccolse rabbiosamente rami e foglie e se li infilò sotto il braccio. «Questo è ciò che sei. In più di un senso.»

Si lasciò scivolare all'indietro fino in fondo al pendio e poi, voltandosi di scatto, si ritrovò Robert a un palmo di distanza. Sbalordita, inciampò di nuovo, i rami volarono in tutte le direzioni e il suo corpo andò a finire contro quello di lui.

Immediatamente il mondo si ridusse all'odore di maschio e cedro e alla sensazione di pelle calda coperta di sudore. Le sue dita artigliarono i muscoli delle spalle che aveva occhieggiato tutto il giorno. I suoi seni bruciavano, le gambe cedettero. Barcollando, si aggrappò più forte al suo sostegno.

Robert inspirò bruscamente, come se fosse caduto dentro un lago ghiacciato, poi si strappò via dalla sua stretta.

Lei perse l'equilibrio. Due braccia forti la afferrarono per la vita prima che finisse con la faccia per terra.

Considerevolmente infastidita, nonché imbarazzata, Gaira fletté il piede. «Ah! Per fortuna non mi sono fatta ancora più male. Grazie a...»

Quando incontrò il suo sguardo non fu più in grado di finire la frase.

Sguardo era una parola troppo blanda. Fu infatti inchiodata da due occhi castani che si muovevano avidi sul suo volto, come se lei fosse stata un banchetto messo davanti a un uomo affamato. Lui scrutò ciascuna delle sue lentiggini, che non erano poche, la bocca troppo larga e il mento poco femminile.

Gaira sapeva di avere una figura ossuta, seni piccoli, gambe lunghe e allampanate. Il formicolio alle dita le si diffuse nel resto del corpo. Rapidamente. Fece per scostarsi.

Le braccia di Robert, le stesse che lei aveva contemplato pochi istanti prima, la cinsero più strettamente, poi cominciarono a sollevarla.

Gaira assorbì le folte ciglia di lui che ombreggiavano gli zigomi pronunciati, le piccole cicatrici che a miriadi scomparivano sotto la barba lungo il profilo della mascella, il labbro inferiore pieno.

Stava per baciarla, lo sapeva. Aprì la bocca per prendere aria.

Ma poi lui la mise giù e fece un passo indietro, prendendo le distanze.

L'umiliazione la sopraffece. Fissò i sassolini attorno ai suoi piedi. Sfidando i secondi lunghi un anno che li separavano, finalmente trovò qualcosa da dire.

«Avete finito?»

«Quasi.» Robert prese la vanga e cominciò a livellare la terra sopra le tombe.

Gaira lo scrutò. Non la stava guardando. Bene. Non voleva che vedesse quanto fosse ferita dal suo rifiuto.

«Cosa volete fare con quei rami?» le chiese lui.

Rami di betulla, ramoscelli e felci erano finiti a terra, sparpagliati come i suoi pensieri.

Corrugando la fronte, lei dovette fare un grosso sforzo per concentrarsi prima di trovare la risposta. «Sono per onorare le tombe. Ho voluto dare loro qualcosa di più di una montagnola di terra.» Si mise a raccogliere i rami sparsi, ma lui non l'aiutò. «Per far sapere loro che erano...»

Non riuscì a completare la frase. Le faceva troppo male pensare a sua sorella. La addolorava troppo ricordare il modo in cui i bambini avevano perso i loro genitori. Si avvicinò in punta di piedi alle tombe e dispose i rami e il verde sui tumuli. Era contenta di poter nascondere il viso, mentre li sistemava, ma non ci mise molto, non ne aveva presi tanti.

Ora aveva soltanto i vivi per cui preoccuparsi. Compresa lei stessa. Almeno fino a quando il suo corpo non avesse smesso di provare quel desiderio per uno sconosciuto e il suo cuore di sentirsi stupidamente mortificato.

Si passò il dorso delle mani sul viso. Non sapeva cosa dire.

«Ho preparato qualcosa da mangiare» annunciò quando non riuscì più a sopportare il silenzio.

L'inglese non rispose e Gaira lo guardò. Stava fissando le tombe che lei aveva decorato, la fronte corrugata, le guance scavate; poi conficcò la vanga nel terreno con forza eccessiva, evitando il suo sguardo.

Gaira esitò qualche istante prima di incamminarsi di nuovo verso l'accampamento. Robert la seguì, ma quando lei inciampò sulla sommità della collina, stavolta non la aiutò.

Le tombe decorate avevano penosamente ricordato a Robert il passato. Dolore, rabbia e lussuria gli scorrevano nel corpo mentre camminava dietro a Gaira. Non potevano esistere sentimenti più contrastanti: caldo, freddo, strazio, piacere. Il risentimento verso se stesso per il fatto di provare qualcosa era però l'emozione che dominava tutte le altre.

Gli anni di astinenza si prendevano gioco di lui mentre seguiva la donna su per la collina. Cercò di concentrarsi sul paesaggio che lo circondava, ma i pendii dei verdi rilievi sbiadivano in confronto al fuoco delle treccine di Gaira. Ognuna di esse metteva in evidenza un dettaglio femminile: la vita sottile, il profilo dei fianchi che si allargavano, la curva delle natiche, la forza delle sue lunghissime gambe. Il desiderio per lei era troppo complicato e la situazione era già abbastanza difficile. Aveva detto a Hugh dove era diretto, ma si era fatto tardi per tornare al campo. Per quel giorno doveva accontentarsi di aver seppellito i morti ed esaurito i suoi obblighi nei confronti della giovane.

«Si sta facendo sera» osservò. «Se non vi dispiace, resterò all'accampamento per un'altra notte.»

Lei non rallentò. «Va bene.»

«Farò piano per non svegliare i bambini quando partirò domani mattina.»

Gaira si immobilizzò tanto repentinamente che per poco lui non le finì addosso. Quando si girò di scatto, le treccine gli frustarono le braccia e le mani come cordicelle.

«Partirete domani mattina?» si informò, inarcando un sopracciglio.

«Ho detto ai miei uomini che sarei stato via per non più di un giorno. Ne sono passati quasi due. Se non mi vedranno rientrare, verranno a cercarmi.»

Una ruga le oscurò la fronte. «Domani pensavo di prendere i bambini e tornare dai miei fratelli nelle terre dei Colquhoun. Sono a nord dell'estuario del Clyde.»

Non vedeva cosa c'entrasse quell'informazione con la sua partenza, ma sapeva bene dove si trovava l'estuario del fiume.

«Sono molte miglia di viaggio verso nord e bisogna attraversare delle acque gelide» puntualizzò. «Voi e i bambini non potete andare così lontano.»

Lei non chiese come facesse un inglese a possedere una conoscenza tanto accurata della geografia scozzese. «Questo è il piano.»

La scrutò in viso, attendendo che finisse, che annunciasse che il suo parente più prossimo sarebbe arrivato presto e che sarebbe stato meglio se lui fosse partito quanto prima.

Invece Gaira continuò a fissarlo con intensità, come se si aspettasse qualcosa. E lui *voleva* dire qualcosa. Anche un inetto avrebbe capito quanto fosse rischioso il suo piano.

«Non ce la farete mai con un solo cavallo» dichiarò infine. «Flora è così leggera e delicata nel corpo e nello spirito da sembrare trasparente. Alec e Maisie sono troppo piccoli per un viaggio a cavallo tanto impegnativo.» Fece un passo verso di lei. «E se resterete a corto di gallette d'avena per Maisie, cosa le darete da mangiare? Creighton non parla... Se scorgesse un pericolo e non riuscisse ad avvisarvi?»

Gaira aprì e richiuse la bocca un paio di volte. Sembrava che non avesse idea di come rispondere. Robert fece per superarla.

Lei non si mosse. «Siete tanto bravo a dirmi ciò che non posso e non devo fare. Qui non avete diritto di dare ordini. Alec è piccolo, ma la sua determinazione è forte.» Serrò i pugni lungo i fianchi. «I dentini di Maisie non sono ancora spuntati del tutto, ma ne ha già alcuni e se resteremo senza gallette d'avena, potremo macinare la carne che abbiamo e mescolarla con dell'acqua. Mi assicurerò che non muoia di fame.» Si voltò, si allontanò di un paio di passi, come per prendere le distanze da lui e allentò i pugni. «Per quanto riguarda Flora e Creighton, ho il sospetto che fossero delicati e poco loquaci anche prima. I vostri soldati non hanno certamente contribuito a migliorare la loro situazione, ma quei bambini sono sopravvissuti, e sono stati abbastanza svegli da salvare anche Alec.»

Il sole stava tramontando alle sue spalle e la sua testa sembrava circondata da lingue di fuoco. I suoi occhi erano di un bruno dorato. Era tutta rabbia e determinazione, ed era magnifica. Robert non riusciva a smettere di chiedersi come apparissero i suoi capelli quando erano sciolti, quale sfumatura assumessero i suoi occhi quando provava delle emozioni diverse dall'ira. E non poteva fare a meno di sentirsi uno sciocco.

«Ce la faranno» ribadì lei.

Fece un altro passo, stavolta per avvicinarglisi e

Robert inalò il suo profumo, un misto di verde e di qualcosa di dolce, come una bacca che non aveva mai assaggiato.

Cercò di concentrarsi sui bambini. «Vi siete affezionata a loro» osservò.

«Sì!»

«Ma hanno di sicuro dei parenti che sarebbero disposti ad accoglierli.»

«Credete che non ci abbia pensato?» Gaira agitò le braccia nella sua direzione. «Flora dice di averne, ma non sa dove. Alec è troppo giovane per saperlo.»

«E Maisie?»

«*So* chi sono i suoi parenti» replicò lei. «Questa conversazione è inutile. Devo portarli dai miei fratelli. È l'unico posto dove so che verranno accuditi.»

Robert non poteva certo mettersi a discutere con lei su dove i bambini sarebbero stati protetti. Non avrebbe potuto portarli all'accampamento inglese, nemmeno se loro fossero stati disposti ad accompagnarlo. Per quanto pericoloso potesse essere il viaggio fino alle terre dei Colquhoun, lui non conosceva un altro posto sicuro per loro, vicino o lontano. Eppure, non poté fare a meno di insistere.

«Non ce la farete mai.»

Con un altro passo lei gli si parò davanti e gli diede un colpo sul petto. «Oh, sì. Ci aiuterete voi.»

8

❖

Tutti i suoni furono improvvisamente risucchiati dall'aria. No, non era corretto, perché lei udì il ronzio di un'ape che passò davanti a loro e il fruscio del vento nell'erba. L'unico a essere perfettamente silenzioso era Robert.

I suoi occhi non la abbandonavano un istante; le braccia penzolavano lungo i fianchi in modo quasi innaturale. Aveva sentito le sue parole?

«No...» alitò infine.

Gaira represse la rabbia immediata che le era salita dentro. L'aveva sentita. E la sua riluttanza non avrebbe dovuto sorprenderla. «Sì, invece. Perché sareste venuto, altrimenti, se non per fare qualcosa per un villaggio che i vostri uomini hanno devastato?»

Robert non disse niente, e lei fece un passo indietro. Dunque non era stato il senso di colpa per la brutalità dei suoi connazionali a portarlo lì. Avrebbe dovuto tentare una tattica diversa.

«I bambini non sono al sicuro. Devono arrivare dai Colquhoun per ricevere le cure di cui hanno bisogno. Avete ragione, non ce la faremo mai da soli, ma con il vostro aiuto, le vostre provviste e il cavallo, ci riusciremo.»

Lui rimase ancora in silenzio.

La rabbia di Gaira si stava rapidamente tramutando in panico. E se non l'avesse aiutata? Poteva quell'uomo, poteva *qualunque* uomo, abbandonarli come niente fosse?

«Dove sono i vostri sentimenti?» lo accusò.

Qualcosa si mosse nei suoi occhi, un'ombra scura che le procurò uno strano dolore al petto. Tutt'a un tratto desiderò confortarlo, ma non aveva alcun senso.

Si premette le dita sotto gli occhi. Non potevano essere i sentimenti di lui, bensì i suoi a farle dolere il cuore. Doveva essere così. L'inglese non aveva sentimenti, mentre lei stava rapidamente perdendo il controllo dei propri... e anche del suo orgoglio. Ma si sarebbe abbassata a supplicarlo, se questo lo avesse fatto decidere.

«Razza di scarafaggio, non capite che non ve lo chiederei se non fossi costretta? Siete la nostra unica speranza!»

E pensare che aveva creduto di poter contare su di lui. Invece, prima l'aveva aiutata a malincuore e ora non rispondeva nemmeno alla sua richiesta.

«Zia Gaira! Vi ho tenuto da parte del coniglio!»

Alec, con i capelli che gli danzavano selvaggiamente sulla schiena, stava arrivando di corsa. Le si allargò il cuore vedendo come saltava e correva. Beata infanzia, capace di superare qualsiasi prova. Per questo ce l'avrebbero fatta. Se solo ne avessero avuto la possibilità.

Allontanandosi da Robert, si accovacciò, pronta a prendere Alec al volo. Era così naturale, così semplice. Ecco la sua risposta: i bambini avevano una possibilità, avevano lei. E così smise di dubitare. Sentendosi selvaggia come i capelli di Alec, lo agguantò; lui strillò e cercò di scappare.

«Oh, mi hai tenuto del coniglio, giusto? È questo il coniglio che mi hai tenuto? Sembra succulento.»

«No, non sono io. Io non sono un coniglio!»

Lei lo palpò, fingendo di controllare se era abbastanza grasso. «Oh, che bocconcino saporito!»

Schioccò le labbra e Alec strillò più forte. I suoi occhi si sgranarono per la gioia e il finto terrore.

Sentì che Robert la guardava, ma evitò di guardarlo a sua volta. Invece scosse le trecce e si tirò dietro Alec correndo verso l'accampamento.

Il campo era silenzioso, tranne che per il leggero crepitio del fuoco e per le creature notturne che facevano frusciare le foglie e i ramoscelli intorno a loro.

Gaira incrociò le braccia guardando le fiamme che si smorzavano a poco a poco. Non riusciva a dormire. I pensieri non la lasciavano in pace. E anch'essi, come il fuoco, si spargevano in tante direzioni e poi si spegnevano.

Pensava ai bambini, ora profondamente addormentati, e a come fare a condurli sino al suo clan. Pensava a cosa ne sarebbe stato di loro se il suo promesso sposo li avesse catturati. Pensava a Robert, che non aveva più aperto bocca da quando Alec li aveva interrotti. Ma Gaira aveva continuato ad avvertire i suoi occhi su di sé, e lo aveva sorpreso a guardare i bambini. E poi di nuovo lei.

Non aveva idea di cosa stesse pensando l'inglese quando erano tornati al campo e lei aveva giocato con Maisie, pettinato i capelli di Flora e fatto in modo che Creighton mangiasse abbastanza coniglio da nutrire il suo corpo che stava crescendo.

Aveva cercato di non preoccuparsi dei suoi pensieri mentre sparecchiava, copriva il fuoco e avvolgeva i bambini nel suo scialle per ripararli dal freddo notturno.

Non si sentiva più frustrata e neppure ferita. Soltanto confusa. Lui agiva e si comportava in modo diverso da chiunque altro di sua conoscenza.

Era sembrato quasi arrabbiato quando gli aveva rivolto la sua richiesta. Non perché accontentarla sarebbe stato un fastidio, ma perché la sua supplica gli aveva arrecato dolore. Solo che invece di spiegarle le sue ragioni, si era limitato a osservarla in silenzio per tutta la sera.

Anche se Robert era dall'altra parte del fuoco, lei sentiva ancora che la stava guardando, il che significava che nemmeno lui dormiva. Questo, probabilmente più di qualsiasi altra cosa, era il motivo per cui Gaira ancora non riusciva a prendere sonno.

Irrequieta, si sedette e cominciò a sciogliere i capelli. Li aveva lavati prima di intrecciarli con cura, ma le treccine tiravano la cute e le davano fastidio.

Non lo udì muoversi, tuttavia lo percepì. Doveva essersi messo a sedere, gli occhi vigili ora intenti e concentrati.

Su di lei.

Scoprendosi improvvisamente impacciata, sciolse i capelli con gesti scomposti fino a quando le trecce furono abbastanza disfatte da poterle pettinare. Con dita tremanti si massaggiò il cuoio capelluto per alleviare il dolore che si era inflitta da sola. Ma la consapevolezza che lui la stava osservando fece sì che il dolore si diffondesse, facendole formicolare le spalle sensibili, e poi scendesse più in basso, lungo il corpo e le gambe.

Tremando, afferrò il pettine. Lo sollevò e se lo passò tra la folta chioma per sciogliere le treccine.

Sentì Robert che si muoveva alle sue spalle. Ma non le disse nulla e così tacque anche lei.

Tutt'intorno l'aria diventò calda, densa, e il suo

cuore cominciò a battere a un ritmo sconosciuto. Continuò a passarsi il pettine tra i capelli, lasciando che i denti pungessero il cuoio capelluto e scorressero verso il basso.

Lui prese un brusco respiro.

Per un istante, Gaira tenne il pettine sospeso quindi, abbassandolo, sussurrò: «Mi dispiace di avervi svegliato».

«Ho delle domande da farvi.»

La sua risposta era in totale contrasto con quello che lei provava. Attese, ma lui non aggiunse altro e nemmeno tornò al suo posto dall'altra parte del fuoco.

Incerta sul da farsi, lasciò scorrere il pettine fino alle punte, ma quel gesto non bastò ad allentare la tensione, così prese a massaggiarsi la testa, facendosi strada tra i riccioli pesanti. I capelli le sembravano in qualche modo più indisciplinati del solito, le dita saggiavano una consistenza che non aveva mai notato prima. Così come non era mai stata tanto consapevole dello sguardo di un uomo come di quello di Robert. Così come non aveva mai sentito il proprio respiro accelerare, come se si fosse scottata eppure continuasse a tenere la mano sul fuoco. Al pari dei suoi capelli, anche lei si sentiva libera ma ancora aggrovigliata.

«Parlatemi di quando avete trovato i bambini.» La voce di Robert era roca, indistinta.

Colta di sorpresa, dovette sforzarsi per capire la domanda. Lui voleva sapere dei bambini. Non di quell'insolito affanno.

Dei bambini poteva parlare. Robert l'aveva aiutata a seppellire i morti e a procurarsi dell'altro cibo, meritava di sentire almeno una parte della verità. Il respiro le tornò alla normalità.

«Sono arrivata al villaggio poche ore dopo che gli inglesi se ne erano andati» raccontò.

L'uomo le si sedette accanto, le gambe piegate, le braccia e le mani penzoloni in mezzo alle ginocchia. Non la toccava e non le stava di fronte, ma non aveva importanza, perché lei percepiva la sua presenza vicina.

«Nella fretta di scendere lungo il pendio della collina, mi sono slogata la caviglia, ma non mi sono fermata.» Non voleva descrivere quello che aveva visto. Lui era stato nella valle, sapeva quello che era successo. «Prima di vedere Maisie l'ho sentita. Era nell'ultima casa, sotto delle coperte strappate e una cassa rovesciata. Erano coperte da cavallo sporche. Immagino che gli inglesi non abbiano voluto perdere tempo a portarle via.»

Pur non avendoli visti con i suoi occhi, non c'era alcun dubbio che fossero stati gli inglesi a distruggere Doonhill. Strinse forte il pettine e lasciò che i denti aguzzi le si conficcassero nel palmo della mano.

«L'ho afferrata, l'ho tenuta stretta. Lei era la mia unica speranza. Non c'era nient'altro... di salvabile.» Fece un respiro spezzato. «Ho risalito la collina per cercare il cavallo che si era spaventato. L'ho trovato vicino a un boschetto. A quel punto la caviglia mi faceva molto male ed ero grata che non si fosse allontanato di più. È stato allora che ho visto qualcosa muoversi tra gli alberi. Avevo paura, sapevo che gli inglesi se ne erano andati da poco. Invece erano i bambini. Flora teneva Alec per mano e Creighton era in piedi con i pugni lungo i fianchi.»

«E la vostra parente?»

Lei rimise il pettine nella borsa. «Ero venuta a trovare mia sorella, Irvette, suo marito e la loro bambina.»

«Maisie.» La voce di lui era sicura. «È Maisie la bambina, vostra nipote.»

«Sì.» Non c'era bisogno di nascondere la verità.

«Avete seppellito vostra sorella e suo marito.»

Lei annuì. Li aveva sepolti di notte, insieme a tanti altri. Ed era stato di notte che aveva sentito il peso dei vivi e dei morti che dipendevano da lei. Solo allora si era concessa di abbandonarsi al dolore e alla rabbia.

«Non potevo lasciare Irvette così e nemmeno mio cognato.»

«Siete rimasta per seppellire gli altri a causa dei bambini?»

«In parte, ma non solo.» Cercò di escludere dalla mente la visione della notte e della lunga camminata fino alla valle, dove il vento non soffiava così forte e il chiarore lunare oscurava la devastazione del villaggio.

«Adesso ho degli incubi. Non solo per ciò che ho visto, ma...» Si bloccò. Spostare i corpi fino al cimitero improvvisato era stato un lavoro lungo e macabro. «Sentivo che i morti mi spronavano a scavare, sapete? Ho scavato così tanto che le vesciche delle mani si sono rotte, ma quel dolore acuto ha superato il male alla caviglia e così ho lavorato più in fretta. Solo che non sono stata abbastanza veloce. Anche nel freddo della notte, avvertivo l'odore dei cadaveri e vedevo gli sciami di mosche. Mi spostavo, ma le mosche mi stavano addosso come se aspettassero anche me.» Scosse la testa. «Non era la cosa peggiore. Più terribile ancora era il tonfo dei corpi quando cadevano nella fossa che avevo preparato per loro.»

Lo sguardo dell'uomo era fisso sul fuoco e lei lo vedeva soltanto di profilo. Chissà a cosa stava pensando.

«Non sono riuscita a scavare delle tombe abbastanza profonde da far tacere quel suono» confessò. «E non era l'unico.»

Lui aggrottò la fronte, ma non la interruppe.

«So che mi prenderete per pazza, ma ho udito le loro voci, deboli, provenienti da un altro luogo, ma abbastanza forti perché riuscissi a sentirle.» Doveva dirlo. «Mi hanno ringraziato» gli confidò. Quelli erano i suoi pensieri più intimi, così personali che non avrebbe mai pensato di condividerli con qualcuno, ma chissà come sapeva che lui avrebbe capito. «Mi hanno ringraziato perché mi prendevo cura dei loro figli quando loro non potevano più farlo.»

Robert fece un movimento improvviso, ma continuò a tacere. Se non fosse stato seduto accanto a lei, Gaira avrebbe giurato che non stesse ascoltando, invece non poteva non sentire il suo racconto. Eppure, liquidava così le sue paure, con tanta leggerezza?

«Ma... a che... scopo?» singhiozzò. «Voi non avete... intenzione... di aiutarci.»

Non era mortificata per la voce spezzata. Aveva superato qualsiasi forma di orgoglio. Era disperata. Aveva paura. Era in lutto. E lui stava per andarsene.

Robert prese un respiro incerto. «Questo pomeriggio ho detto che non vi avrei aiutato.»

Non c'era bisogno che le ricordasse la loro conversazione.

«Ma è arrivato Alec e avete giocato con lui» proseguì. «Poi avete giocato anche con Maisie e vi siete presa cura di Creighton e di Flora. Avete sorriso ai bambini, avete dato loro affetto, eppure sapevo che eravate in difficoltà.»

Lei si diede dei colpetti sulle guance, desiderando che i segni rivelatori della sua debolezza si cancellassero. «In tutta la mia vita non mi sono mai sottratta alle mie responsabilità. E quei bambini significano davvero molto per me. Ho fatto loro una promessa e la manterrò, con o senza il vostro a-iuto.»

«Vi porterò al villaggio più vicino.» Lui aveva la voce affannosa, come se le parole gli fossero sfuggite prima che potesse fermarle. «Non oltre» soggiunse con maggiore fermezza. «Sarà sufficiente per procurarvi un altro cavallo e delle provviste.»

Invece del sollievo sperato, Gaira avvertì una fitta. Sì, lui le aveva concesso un po' di tregua dal disagio che l'aspettava, ma sapeva che era stato riluttante, e questo aggiungeva il peso del rimorso al suo cuore già gravato. Solo che non era nella posizione di rifiutare. Annuì e si asciugò gli occhi con il dorso delle mani.

«Sì» sussurrò. «Solo fino al villaggio più vicino.»

Robert si alzò e fece per andarsene, ma poi si fermò.

«Gaira?»

Lei piegò la testa per guardare in su verso di lui. Le dava le spalle e solo il viso era rivolto nella sua direzione. Osservò il corpo ben fatto e robusto, la tunica tesa sopra le braccia muscolose, la vita snella, i calzoni che si modellavano sulle gambe scolpite, forti e resistenti. Il fuoco debole e tremolante non le consentiva di scorgere i lineamenti, ma non importava. Sentiva su di sé i suoi occhi, che accesero di nuovo quel calore ormai familiare.

Il suo corpo reagì. Il sangue prese a formicolare sotto la pelle, il respiro si fece superficiale, i vestiti le parvero di colpo troppo stretti.

Doveva essere il dolore a renderla così esposta, così scoperta. Si sentiva vulnerabile, a lui e ai pensieri che l'inglese non avrebbe espresso.

«Sì?» rispose infine.

Robert non la toccò, ma fu come se lo facesse. I

suoi occhi si muovevano su di lei, simili a mani. Non le morbide carezze dello sguardo, ma colpi violenti che la incendiavano, che la consumavano.

«Fintanto che siamo insieme» le disse con voce ferma, «non legatevi più i capelli.»

Gaira si augurò che le fiamme ormai basse nascondessero il suo rossore.

9

Busby non mascherò la propria soddisfazione. Anzi, lasciò trapelare il piacere che provava mentre rivolgeva un ghigno minaccioso al contadino. Non poteva farne a meno, era nella sua natura. La stessa natura che aveva indotto quel pover'uomo a dargli le informazioni che gli servivano per rintracciare la sua promessa sposa fuggitiva.

Non sarebbe riuscita a nascondersi da lui, nemmeno vestita da uomo. Era alta e secca, ma i suoi lunghi capelli rossi avrebbero attirato l'attenzione. E poi cavalcava un animale di razza, un ottimo cavallo che apparteneva a lui.

Busby si rilassò e si diresse verso il suo ronzino. Sapeva di avere una figura imponente, che colpiva. Era più alto e forte di tanti altri.

Godeva nel vedere la paura sulle facce della gente. Le poche case di contadini lungo la strada non avrebbero rappresentato un ostacolo per la sua ricerca. Anzi, già nella prima alla quale aveva bussato, il contadino gli aveva detto prontamente che una ragazza era passata di là, meno di una settimana prima.

Che razza di sciocca! Cavalcare in pieno giorno dove avrebbero potuto vederla! Non doveva fare altro che seguirla, interrogare qualcuno qua e là e alla fine l'avrebbe riacciuffata.

Perché scappare a nascondersi in casa di sua sorella non avrebbe cancellato l'obbligo che aveva di sposarlo. Il suo castello aveva bisogno di lei. I suoi figli avevano bisogno di lei.

Rimontò in sella, le labbra serrate in una smorfia di irritazione. Probabilmente l'avrebbe già raggiunta se non avesse dovuto cavalcare quel misero ronzino. Ingoiò la rabbia.

L'avrebbe trovata. E allora non le avrebbe dimostrato nessuna pietà. Se lei l'avesse voluta, non sarebbe scappata, non avrebbe messo in pericolo le sue venti pecore e non avrebbe portato via il suo cavallo migliore.

Il giorno dopo, Gaira si destò in mezzo a un gran baccano. Alec piangeva, Flora tratteneva i singhiozzi, Creighton stava picchiando un pezzo di legno contro un tronco abbattuto.

Quella confusione svegliò Maisie, avvolta nello scialle. Gaira la prese in braccio. Lo strillo acuto della piccina le trafisse l'orecchio e lei dovette fare un grosso sforzo di volontà per non contribuire alla confusione generale.

Non fu difficile individuare Robert, che stava sellando i cavalli.

«Cosa state facendo?» gridò per farsi sentire.

Senza nemmeno voltarsi, lui rispose: «Sto preparando le nostre cose per il viaggio».

«Glielo avete detto.» Gaira cullò Maisie per calmarla.

«Sì. L'ho ritenuto necessario.»

Creighton smise di battere sul tronco, il pianto di Alec si placò e i singhiozzi di Flora si fecero meno frequenti. Gaira fu grata del temporaneo silenzio, ma non voleva che quella conversazione avesse luogo davanti ai bambini. «Non ne avevate il diritto. Sono sotto la mia responsabilità.»

Ogni fibra del suo essere rifletteva la frustrazione che provava in quel momento. Avrebbe voluto afferrare il pezzo di legno di Creighton, mettersi a strillare fino a diventare paonazza come Maisie. Invece fece qualche profondo respiro per placare il proprio cuore.

Poco prima di prendere sonno si era quasi pentita di avergli chiesto di accompagnarli. Non lo conosceva, avrebbe potuto rappresentare per loro un pericolo più grande dell'ignoto che li aspettava.

Ma adesso che lui lo aveva detto ai bambini non c'era modo di tornare indietro. Comunicandolo a loro, aveva subdolamente assunto il comando del gruppetto. Gli aveva chiesto di aiutarla a fare quel viaggio, non di prendere il suo posto. Era lei che guidava i bambini, e non era disposta a subire altre prepotenze. Ne aveva più che abbastanza degli uomini dispotici.

«Aspettate! Datemi qualche minuto. Devo occuparmi di Maisie e poi vorrei parlare da sola con i piccoli.»

La sua richiesta non suscitò alcuna reazione di sorpresa. L'inglese diede un colpetto sul collo del suo cavallo e si incamminò verso il lago.

Gaira attese che fosse sparito prima di rivolgersi ai bambini. Creighton la guardava speranzoso, Flora fissava le proprie mani strette in grembo e Alec si accontentava di cercare chissà quale tesoro nell'erba.

Sperava che quello che avrebbe detto fosse la verità. Molto, *troppo* era affidato al caso. I suoi fratelli, dopo aver fatto tutto il possibile per liberarsi di lei, avrebbero accolto i bambini? E Robert, nonostante fosse inglese e fosse un soldato, si sarebbe rivelato davvero il brav'uomo che lei credeva?

«Vi ho già parlato della mia casa, che si trova nel nord. I miei fratelli sono brave persone e saranno contenti di accogliervi tutti.» Si sistemò Maisie sul fianco e, dall'odorino che emanava, comprese che non era soltanto bagnata, ma in quel preciso istante non aveva tempo di cambiarla. «Casa mia è lontana, però, e il viaggio potrebbe essere pericoloso. Ho chiesto a Robert di fare con noi un pezzo di strada.»

Creighton riprese il pezzo di legno.

Flora, angosciata e sbalordita, obiettò: «Ma, zia Gaira, lui è... è inglese. Avete detto che ci avreste protetto».

Lei se lo era aspettato, ma udire le parole pronunciate dalla dolce Flora la ferì ugualmente. «Vi proteggerei a costo della vita se necessario. Tutti voi.»

«Come possiamo fidarci di lui?» chiese la bambina. «Come facciamo a sapere che non succederà ancora qualcosa di brutto?»

Non c'era una risposta per quella domanda. Lei non sapeva se sarebbe successo di nuovo qualcosa di brutto, non sapeva se Robert avesse portato con sé il pericolo. Ma lui aveva aiutato a seppellire i loro parenti, aveva addolcito le proprie parole per un ragazzino. Doveva accontentarsi di questo.

Conosceva i bambini da meno di una settimana, ma sapeva che avrebbe fatto qualsiasi cosa per proteggerli. Qualsiasi cosa. Compreso fare affidamento su un uomo che non conosceva.

«Credo che possiamo fidarci di lui in un solo modo, come noi stessi ci siamo fidati l'uno dell'altro... d'istinto.»

Creighton batté il legno sul tronco. Aveva gli occhi sfavillanti, le labbra contratte. Con quell'espressione piena di rabbia non era difficile intravedere l'uomo che sarebbe diventato un giorno. Il cuore di

Gaira si strinse. Era troppo presto per essere già così adulto.

«Non credere che la stia prendendo alla leggera, Creighton, perché non è vero. Con un altro cavallo arriveremo a un rifugio sicuro più in fretta e avere con noi un uomo che sa disporre le trappole e usare una spada è un vantaggio che non possiamo ignorare.»

Andò verso un albero lì vicino e raccolse la biancheria asciutta che le serviva per cambiare Maisie.

«È inglese, questo sì, ma è probabile che ne incontreremo altri lungo la strada. Preferisco averne uno con noi, che dice di volerci aiutare e che ha già dimostrato chi è, qualcuno che...»

Si interruppe. Flora aveva cominciato a singhiozzare. Improvvisamente anche a lei venne voglia di piangere. «Mi dispiace tanto, Flora, per tutti voi. Ma penso che questa sia la soluzione più giusta.»

Infilò la mano nella borsa, ma non trovò niente. Spostò Maisie sul fianco, capovolse la sacca e la scosse. Era vuota, e Alec non si vedeva da nessuna parte.

«Alec, briccone, dove hai nascosto le gallette di Maisie?»

Lasciò Maisie con Flora e si diresse verso il lago. Aveva finito di dare da mangiare alla piccola, ma Robert non era ancora tornato. Non poteva più aspettare. Ora che aveva preso una decisione, era ansiosa di partire.

Lo trovò sulla riva. Si stava infilando la tunica, le braccia allungate sopra la testa. Lei scorse la sua pelle abbronzata dal sole prima che l'indumento gli coprisse l'addome. L'inglese aveva i capelli e la barba bagnati, ma i vestiti erano asciutti. Il suo cuore saltò un battito quando si rese conto che pochi istanti prima che lei arrivasse in cima alla collina era stato nudo.

Si rifiutò di riflettere sul perché il cuore avesse sussultato a quel modo, o sul motivo per cui le si era seccata la bocca quando aveva visto solo poco più che un lembo della sua pelle scoperta.

«Avete fatto il bagno?» chiese quando fu abbastanza vicino.

«Ho nuotato.» Si strinse nelle spalle. «Mi aiuta a pensare.»

Lei non aveva mai conosciuto qualcuno che nuotasse. Ai suoi fratelli Caird e Malcolm piaceva giusto sguazzare nell'estuario del Clyde; suo fratello maggiore Bram invece, quando non era occupato a corteggiare qualche ragazza, difficilmente si prendeva la briga di entrare nell'acqua.

No, costui era diverso da tutti quelli che conosceva. Lo dimostrava il modo in cui reagiva a lui. Aveva visto innumerevoli volte i suoi fratelli nudi, eppure il corpo di Robert le suscitava una curiosità che non capiva fino in fondo.

«Ho fatto qualche riflessione anch'io» annunciò. «I bambini sono d'accordo che veniate con noi fino al prossimo villaggio.»

Robert fece per passarle davanti.

Gaira alzò la mano per fermarlo. «Aspettate. Ho qualche idea su come fare questo viaggio.»

Lui non aprì bocca, ma inarcò un sopracciglio.

«Non voglio che pensiate di poter dettare le condizioni.»

Anche l'altro sopracciglio si sollevò, ma l'inglese continuò a tacere. Bene. Se lui avesse sogghignato o se gli avesse visto un luccichio negli occhi, gli avrebbe detto di tornare nel lago dal quale era appena uscito.

«Non mi piace subire prepotenze, ordini o avvertimenti da parte di un uomo sciocco e arrogante.»

Enumerò ogni punto sulle dita. «Mi aspetto di essere trattata in modo equo e con rispetto in questa impresa. Se ve lo meriterete, vi tratterò con rispetto anch'io.»

Un angolo della bocca di lui si incurvò. «Questo viaggio riguarda il rispetto, dunque? Credevo che mi aveste chiesto di venire con voi per una questione di sicurezza.»

Lei ignorò il suo sarcasmo e la curva della sua bocca. «Quanto a questo, non ne sono sicura. Non vi conosco e non so proprio quali siano le vostre motivazioni.»

«Mi avete chiesto aiuto. Avete cambiato idea?»

Ebbe l'impressione che le sue sopracciglia si sollevassero ancora di più, ma non ne era sicura perché ormai si confondevano con l'attaccatura dei capelli.

«Sì, ve l'ho chiesto io» rispose. «Ma ora mi chiedo, alla piena luce del giorno, perché abbiate accettato.»

Lui si strinse nelle spalle. «Forse per senso di colpa.»

Non era quello. Lei aveva cercato di far leva sul senso di colpa perché provasse del rimorso e non era riuscita a scalfirlo. «Se fosse così, vi sareste già redento seppellendo i morti. Non dovreste spingervi fino a viaggiare con una donna e quattro bambini in un paese nemico.»

«Noi non siamo nemici dichiarati.»

«Lo siamo e voi lo sapete. Non crediate che non abbia notato il vostro bel cavallo da guerra e le numerose armi che portate. Siete un soldato di Re Edoardo e probabilmente avete sparso del sangue scozzese.»

Osservando ancora le sue sopracciglia, comprese di aver colto nel segno. Ancora una volta, dovette riconoscere che lui era come un fiume dalle profondità insondabili. Doveva ricordarsi che, anche se lui li avesse aiutati, non sapeva chi fosse o a chi fosse leale.

«Non pensavo che fosse importante chi sono» replicò Robert.

Non riusciva a credere che stava davvero per mettersi in viaggio con un uomo simile, ma quali altre possibilità aveva? L'inglese era la risposta di Dio alla sua richiesta di aiuto. Non sarebbe stata così stupida da rifiutarla.

«Forse avete ragione» ribatté. «Non voglio conoscere la vostra storia, qualunque sia. Voglio solo la vostra parola che ci difenderete dagli altri e da voi stesso.»

Gli occhi dell'uomo erano imperscrutabili. «Avete la mia parola.»

Lei raccolse una zolla di terra e gliela porse. Lo fissò. «Non la prendete?» chiese poi, esasperata.

«Prendere una zolla non significa suggellare un cambio di proprietà?»

«Sì. Ma ora siete in terra scozzese, Robert di Dent. Una volta che comincerete a percorrere queste colline e a vedere il verde dei boschi, le graziose campanule, il gioco del sole sull'acqua blu, vi verrà voglia di possederne. Ve ne sto solo offrendo un poco in dono. Per mostrarvi un minimo di fiducia.»

Lui continuò a fissarla. Gaira gli si appressò, agitando la mano. «È un gesto di buona volontà, ignobile, rozzo, testa di...»

Robert avanzò di un passo e spazzò via la zolla con un gesto. «Non c'è bisogno di fiducia tra noi e non voglio nessun regalo. Faccio ciò che è necessario e questo è tutto. Una volta raggiunto il villaggio più vicino e acquistato le provviste, me ne andrò. Fareste meglio a ricordarvene.»

Sbalordita dal suo improvviso cambio di atteggiamento, Gaira lo guardò allontanarsi. Era freddo come il fiume Clyde in inverno. Cercò di riprendere a respirare, nonostante gli effetti che aveva avuto su di lei quel rifiuto.

Un rifiuto che in nessun modo avrebbe dovuto colpirla al cuore. Ma ultimamente sembrava che qualsiasi cosa giungesse nei pressi di quella zona delicata. Era l'unica spiegazione del perché quell'uomo, che era inglese e arrabbiato e irsuto, in qualche modo l'affascinava.

Il suo gesto di buona volontà era stato sincero, quando gli aveva offerto la terra scozzese. Però lui l'aveva respinta. Ancora una volta.

E così non si fidava di lei. Giusto. Ma questo non significava che *lei* non potesse fidarsi di lui. Era una Colquhoun e il loro motto era *Se posso*.

Si era già fidata tanto da permettergli di avvicinarsi a lei e ai bambini. E avrebbe continuato nonostante quello che lui aveva dichiarato di voler fare.

10

La nebbia del mattino era densa e le nuvole gli pesavano addosso. Robert era abituato alla pioggia inglese e persino alla bruma umida del Galles, ma avrebbe giurato che le nuvole scozzesi erano spiriti maligni che gli impregnavano i vestiti.

Eppure non era la nebbia che chiedeva la sua attenzione. Era la donna che non aveva ancora smesso di parlare da quando avevano levato l'accampamento.

«Non capisco perché vi vogliate imporre questo martirio. Pensate quello che volete, ma io non farò tutta la strada a cavallo. Non potete camminare fino al prossimo villaggio, sapete. Se lo farete, crollerete per la stanchezza neanche a metà strada. Allora cosa ce ne faremo di voi?»

«Vorrà dire che prenderete il mio cavallo, che non sarà stanco perché adesso non lo sto cavalcando.»

Robert non vedeva niente al di là delle betulle bianche dal tenero fogliame verde. La foresta che stavano attraversando non era troppo fitta e i cavalli potevano procedere affiancati, ma oltre gli alberi c'era soltanto foschia e lui era in stato di allerta, il corpo teso, le orecchie che cercavano di arrivare dove gli occhi non potevano. Ma era impossibile.

«Il vostro cavallo!» esclamò Gaira. «Non cercate di ingannarmi. *Questo* cavallo potrebbe portare senza sforzo me, Maisie, Alec e voi in armatura completa.»

«È troppo giovane e male addestrato.» Nonostante ciò, aveva notato che Gaira non aveva la minima difficoltà a gestire il lunatico destriero. Avere Alec e Maisie in sella con lei non le dava alcun disagio.

Lei sbuffò.

«Forse non avrebbe problemi» concesse. «Ma la vostra caviglia deve guarire.» Girò intorno a un gruppo di alberi e ricomparve davanti ai cavalli. «Non camminerò fino al villaggio. Sono sicuro che questa strada che insistete per percorrere è la via più breve. Appena arrivati a destinazione, compreremo delle provviste e un altro cavallo.»

«E come faremo esattamente? Non abbiamo nulla da barattare.»

«Ho delle monete d'argento, Gaira» rispose Robert. Di sicuro lei le aveva già sentite tintinnare nella sua scarsella.

«Anche scozzesi?»

Per poco lui non inciampò. Baratto e argento inglese erano i mezzi di scambio più comuni. Tuttavia, lui aveva anche dei soldi scozzesi. Li teneva in una borsa separata, troppo pesante da portare; un fardello gravoso da ricordare. Ne aveva a sufficienza per pagare per un villaggio distrutto. «Alcune» rispose.

«Posso tenerlo io?» li interruppe Alec, eccitato.

Gaira rivolse la sua attenzione al bambino che si reggeva aggrappandosi alle sue spalle. «Tenere cosa?»

«Il cavallo che comprerete. Posso averlo io? Ne ho sempre desiderato uno.»

Il destriero di Creighton sbuffò. Robert vide che il bimbo stringeva forte le redini e Flora gli metteva una mano sulla spalla.

«Io... non credo che Sir Robert desideri che teniamo noi il cavallo, Alec.» La dolce voce di Flora giunse attraverso la nebbia. «Penso che voglia procurarsene uno in modo che possiamo arrivare più facilmente a casa di Gaira.»

«Ora è la *nostra* casa, Flora, non dimenticarlo» intervenne la donna. «Presto sarà la casa di tutti noi. Ma hai ragione. L'animale sarà di Robert e quindi spetterà a lui decidere cosa farne.»

«Non vedo perché il nuovo cavallo non possa essere usato dai bambini» dichiarò lui. «Sempre che riusciamo a trovarne uno. A me non servirà quando sarò di nuovo in Inghilterra.»

Rallentò il passo in modo da poter vedere il viso di Gaira e vi scorse sorpresa, rabbia, irritazione e frustrazione, tutte insieme. Non pensava che qualcuno potesse effettivamente provare, men che meno esprimere, tante emozioni allo stesso tempo.

«Ah... non abbiamo bisogno di altri gesti generosi da parte vostra» ribatté lei.

«Non sono generoso» puntualizzò Robert. «Portate a casa quattro bocche da sfamare, dovrebbero almeno arrivare con il loro cavallo. È un regalo che faccio ai bambini.» Gaira emise un suono di totale incredulità. «Il cavallo sarà probabilmente troppo docile e più adatto a loro che a dei soldati. Che bisogno potrei avere io di un simile animale?» Lei non replicò. «Accettate?» insistette Robert, pur conoscendo già la risposta.

«Ah, difficilmente potrei rifiutare un dono che volete fare ai bambini e non a me.»

«Lo terremo! Lo terremo!» strillò Alec.

«Alec, sta' fermo o cadrai» lo rimproverò Gaira.

Robert si fermò, lasciando che i cavalli lo superassero. Non riusciva a vedere altro che le loro tracce nell'erba fitta e sulle campanule. L'istinto gli diceva di raggiungere il margine del bosco, ma Gaira gli aveva detto che la strada per il villaggio più vicino passava in mezzo al bosco, non intorno. Non conoscendo la zona, lui aveva dovuto arrendersi, benché non gli piacesse. Se questa era la strada che portava verso nord, era il tragitto meno frequentato che avesse mai visto.

«Dove stiamo andando?» si informò Alec.

«Alla fine, arriveremo a casa di zia Gaira» rispose Flora. Ogni sua parola era intrisa di pazienza.

Robert era sorpreso. Aveva perso il conto delle volte che il ragazzino aveva posto la stessa domanda. Si avvicinò di nuovo alla testa dei cavalli.

«Perché?» chiese Alec.

«Perché voglio farti conoscere i miei fratelli» spiegò Gaira, la voce allegra. «Ricordi che ti ho raccontato di loro? Bram, il rosso, Caird, non così rosso, e Malcolm, il bruno.» Poi si lanciò in una dettagliata descrizione e continuò a raccontare per tutta la mattina con grande divertimento dei bambini.

Robert lasciò che la sua voce passasse in sottofondo. Se avesse riferito ai suoi uomini di avere viaggiato con una donna che parlava di un argomento dopo l'altro e non stava mai zitta, sarebbero rimasti esterrefatti. Ma non gli importava. Gaira aveva un accento musicale e lui lo trovava tranquillizzante, come se solo la sua voce riuscisse a placare i suoi pensieri tormentosi.

Ecco un altro motivo per cui voleva portarla al villaggio e andarsene al più presto.

Gaira interruppe il monologo. «Robert, abbiamo bisogno di riposare.»

«Siamo appena partiti» rispose lui senza nemmeno voltarsi indietro.

«Sono passate ore e i bambini hanno delle necessità.»

Senza smettere di camminare, Robert si girò a guardarli. I piccoli evitarono i suoi occhi. «A me sembra che stiano bene. Proseguiamo.»

Gaira arrestò il cavallo. «Sono bambini, non soldati, e hanno bisogno di riposare.»

Quel viaggio stava durando troppo. Aveva detto a Hugh che sarebbe tornato entro un paio di giorni, non dopo settimane. «Ci fermeremo a mezzogiorno.»

«Non ce la faranno mai.»

Lui afferrò la briglia e tirò leggermente. L'animale indietreggiò. Non aveva mai avuto problemi con i cavalli, e il fatto che quello ne desse qualcuno a lui e nessuno a Gaira lo irritava moltissimo. Tirò più forte le redini e il cavallo avanzò.

Robert ignorò l'espressione caparbia della donna. Soddisfatto, le voltò le spalle. Non avrebbe tollerato ulteriori ritardi. L'avrebbe aiutata, ma alle sue condizioni. Non a quelle di lei.

Fece due passi prima che Gaira lo chiamasse. «Volete che Maisie bagni il vostro cavallo?»

«Vallo!» trillò la piccina.

Gaira cercò di non ridere per il brusco arresto dell'inglese e tentò con altrettanto impegno di non mostrarsi trionfante quando lui lasciò andare le redini e si diresse verso Flora e Creighton. Quest'ultimo rifiutò il suo aiuto, invece la bimba, scossa da un violento tremore, mise una mano nella sua.

Quando Robert l'ebbe posata a terra, tornò da lei. Ora Gaira vedeva il suo volto, le labbra serrate, le spalle tirate indietro.

Gli porse con delicatezza Maisie quando allungò le mani verso di loro. Poi però lui tenne la bambina lontano da sé, reggendo il suo peso solo con le

88

braccia. La piccola non parve farci caso. I suoi grandi occhi lo fissavano avidamente mentre lei continuava a succhiarsi il pollice con impegno, la saliva che le colava sul mento.

Robert guardò a sinistra e a destra, cercando un posto sicuro dove metterla.

A Gaira sfuggì una risata prima che potesse serrare le labbra per imprigionarla. «Non dovete tenerla in quel modo.»

Lui si allontanò di un paio di passi dal cavallo e mise giù la bambina, poi le diede un colpetto sulle spalle come se questo potesse tenerla ferma dove si trovava. Ritornò quindi verso Gaira, ma lei vide che Maisie, con i suoi incerti passettini, seguiva Robert.

Gliela indicò con un dito. «Dovete darla a Flora o a Creighton. Altrimenti vi verrà dietro.»

Lui si accigliò. «È pericoloso che stia così vicino al cavallo» osservò.

«Ma lei non lo sa. Vede voi e probabilmente non pensa più ai cavalli. Al momento le loro zampe le sembrano solo dei bastoni alti e nodosi.»

«Dovrebbe sapere che non si fa.»

«Non siete molto pratico di bambini, vero?»

«Ne ho già visti» rispose mentre prendeva di nuovo in braccio Maisie, che si era maldestramente aggrappata alla parte posteriore delle sue gambe.

«Vederli e prendersi cura di loro non sono proprio la stessa cosa» puntualizzò lei.

Robert affidò Maisie a Flora e tornò a prendere Alec, ancora stretto alla vita di Gaira; lo sollevò e lo tenne penzoloni a mezz'aria. Il bimbo cominciò a ridere di gusto e a scalciare e dondolare le gambe prima ancora di toccare terra. Quando lo fece, scappò in mezzo agli alberi, girando tutto intorno come un'ape con un cespuglio di rose.

«Non dovete nemmeno tenerli in quel modo.»

Gaira smontò e prese Maisie dalle braccia di Flora.

«Non mi preoccupo di come tenerli. Il mio compito era quello di farli scendere a terra.»

Lei si allontanò dai bambini e cominciò a spogliare e a pulire la piccolina.

«Sì, ma c'è un mondo di differenza nel come li si trasferisce da un punto a un altro.» Alzò la voce per farsi sentire. «La parte più importante è come li tenete.»

Appena finito, riordinò i vestitini di Maisie prima di prenderla in braccio e sistemarsela sul fianco. Le piaceva la sensazione del corpicino caldo e grassoccio premuto contro di lei.

Benché i cavalli non fossero sudati, Robert li stava strofinando. Gaira ebbe il sospetto che facesse parte del suo addestramento, e il modo in cui li governava rivelava molto su che tipo di uomo fosse.

«Potreste essere bravo con loro, sapete. Ci vuole solo un po' di pratica.»

Lui non la guardò. «Per cosa ci vuole della pratica?»

«Per la cura dei bambini.»

«Io non mi prendo cura dei bambini.»

«Oh, andiamo. Non è molto diverso dal prendersi cura dei cavalli. Anche loro hanno bisogno di cibo, bevande, riposo e di una mano dolce.»

Lui smise di strofinare il cavallo e la fissò da sopra la schiena dell'animale. «Io non mi prendo cura dei bambini. Il mio dovere è quello di farvi arrivare al prossimo villaggio e procurarvi delle provviste, nient'altro.»

Gaira smise di camminare verso di lui. «Perché siete qui?»

«Cosa intendete dire?»

«Avete accettato di aiutarci.»

«Sì» confermò Robert.

Lei si accorse della sua esitazione. Bene, doveva

stare in guardia. Era stanca, spaventata, arrabbiata e addolorata. Non voleva aggiungere anche *frustrata* alla lista.

«Se volete veramente aiutarci, dovete farlo sotto ogni aspetto. Smettete di essere ricalcitrante, grossolano e poco divertente.»

La bocca di lui si incurvò. «Tutte le ragazze scozzesi parlano come voi?»

Fu soltanto un mezzo sorriso, ma lei notò che gli aveva addolcito gli occhi. «E adesso non cambiate argomento. Vi costringerò a lavorare con i bambini, altrimenti potrete semplicemente tornarvene nella vostra Inghilterra infestata di erbacce.»

Robert guardò Maisie ancora tra le sue braccia. «Sono un soldato, non un padre, e non appena avremo raggiunto il villaggio vicino, me ne andrò» ripeté, ostinato.

Lei girò intorno al cavallo. Quando fu abbastanza vicino, spostò Maisie e la appoggiò contro il petto di Robert. Lui non fece nemmeno l'atto di sollevare le braccia.

Allora Gaira gli prese un braccio, lo mise sotto il sederino della bambina e la sistemò meglio. Poi si allontanò in fretta e pregò tra sé e sé che lui non la lasciasse cadere.

«Sì, ma fino ad allora dovremo accontentarci di questo» dichiarò.

Lo vide adattare il corpo rigido al peso della piccola ed elevò un'ulteriore supplica affinché Maisie collaborasse. Prese in fretta la borsa, tirò fuori una galletta di avena e gliela porse.

«Ha quasi finito di mettere i denti, ma qualcuno deve ancora spuntare.»

Lui guardò prima la galletta poi Maisie. Maisie guardò la galletta e poi Robert.

«I dentini nuovi stanno forando le gengive» gli spiegò Gaira.

L'uomo le rivolse uno sguardo vacuo.

Lei cercò di non sorridere ancora. Ci sarebbero volute molte lezioni prima che Robert imparasse a prendersi cura dei bambini. «Mettersi le dita in bocca e masticare gallette alleviano il fastidio fino a quando i denti riescono a forare le gengive.»

Annuendo, lui avvicinò la galletta alla bocca di Maisie.

La bimba guardò la galletta, poi con un risucchio si tolse le dita di bocca e l'afferrò con la mano pulita, mentre con l'altra, bagnata di saliva, si aggrappava alla tunica di Robert.

Lui abbassò gli occhi sul davanti della tunica. «Credo che abbia vinto lei» dichiarò.

Gaira rise. «Non sapevo che foste dotato di senso dell'umorismo.»

«Infatti, non è il mio forte» rispose, gli occhi che non si staccavano da Maisie.

Lei osservò le emozioni mutevoli che gli attraversavano il volto. Era come guardare più a fondo nel fiume che lui le ricordava. Aveva detto di non essere spiritoso, ma Gaira aveva il sospetto che ogni tanto il suo umorismo si facesse sentire.

Abbassò lo sguardo in fretta prima di girarsi. «Vado a vedere se gli altri hanno bisogno di me.»

Sentendo che lui la guardava, cercò di non inciampare nei propri piedi. La sua era una sorta di fuga, ma non poteva farne a meno; proprio come non riusciva a evitare di essere affascinata da quell'uomo.

Robert non aveva voluto rivelare nulla di se stesso, e infatti era stato alquanto silenzioso per tutta la mattina, ma era proprio il suo carattere ad affascinarla. Era paziente, gentile, onorevole, anche se a malincuore, e generoso nonostante non volesse esserlo.

Tuttavia, mentre lui teneva in braccio Maisie,

non erano stati quei tratti a manifestarsi. No, c'era stato qualcosa di più profondo. In quel momento, lei aveva scorto del dolore, e anche una certa tenerezza.

Era un uomo in età da famiglia, però non aveva mai accennato a una moglie e lei si rese conto che non glielo aveva mai chiesto. Non sapeva nulla della sua vita, solo che era un soldato di Edoardo d'Inghilterra, e lei aveva a malapena intuito quella nota di tristezza.

Improvvisamente si sentì in colpa per il capriccioso desiderio che provava per lui. Robert di Dent poteva essere sposato.

11

Quando Gaira ritornò al campo improvvisato dopo essersi presa qualche minuto per sé nel bosco, trovò Creighton che giocava tranquillo con Alec e, nonostante l'umidità, Flora che dormiva con la schiena appoggiata contro un grosso tronco e Maisie appisolata in grembo.

Le si strinse il cuore nel cogliere i bambini in quel momento di spontaneità. La stanchezza disegnava ombre sotto i loro occhi e i fardelli che si portavano dietro incurvavano le loro spalle. Lei aveva perduto una sorella, ma loro non avevano più né famiglia né casa.

Erano sfiniti ed erano soltanto all'inizio del viaggio. Avevano tutti bisogno di riposo.

Era stata una prova ardua perfino percorrere quelle poche miglia per allontanarsi dalla valle. Gaira non aveva più sentito odori da quando Robert aveva finito di seppellire i cadaveri, ma il vento aveva portato il puzzo di legna bruciata, rievocando dei ricordi dolorosi. Se lo aveva avvertito lei, non poteva essere sfuggito nemmeno ai bambini.

Creighton si accorse che lo stava guardando e non ricambiò il suo sorriso. Gaira si avviò per andare da lui; gli avrebbe dato una bella arruffata ai

capelli e avrebbe scherzato per cancellare la sua e-
spressione seria. Lo aveva fatto molto spesso da
quando lo conosceva. Il ragazzino non rideva, ma il
suo fastidio era sempre preferibile a quello sguardo
vuoto.

«Dobbiamo andare.»

Gaira si fermò. Robert era in mezzo agli alberi,
le braccia conserte, una spalla appoggiata contro un
tronco. Si chiese da quanto tempo si trovasse lì.

«Ripartiremo quando i bambini si saranno ripo-
sati» rispose. «Il tempo è bello, forse non pioverà
nemmeno.»

«E se invece piovesse? Conoscete qualche riparo
nei pressi?»

No, non lo conosceva. Quando era fuggita, non
aveva percorso quella strada. Ma non gli avrebbe
raccontato i motivi del suo viaggio nella valle per
non dare adito a troppe domande.

«Purtroppo no.»

L'ombra degli alberi offuscava i suoi lineamenti,
tuttavia Gaira sentì che il suo sguardo si era fatto
più penetrante.

«Hanno bisogno di fare una sosta» insistette, per
distogliere la sua attenzione.

«Di questo passo, arriveremo al villaggio il prossimo inverno» polemizzò Robert.

Le sue parole erano ridicole, anzi, probabilmente
il suo era solo un debole tentativo di fare dello spirito. Comunque fosse, Gaira fu scossa da un brivi-
do gelido.

Come aveva potuto essere tanto sciocca? Era vero che i bambini avevano bisogno di tirare il fiato,
ma non erano al sicuro. Se il suo promesso sposo li
avesse raggiunti, lei non sarebbe più stata in grado
di aiutarli.

«Idiota» disse a se stessa, poi, rivolta a lui: «Da
quanto tempo siamo fermi qui?».

Robert abbassò le braccia e fece qualche passo verso di lei, gli occhi socchiusi. «Sarà almeno un'ora.»

Gaira distolse il viso da quello sguardo scrutatore e batté le mani. «Bene, bambini, in marcia. Abbiamo indugiato abbastanza.»

«Ma io ho fame» protestò Alec.

Lei sentì una fitta di rimorso. Non si era accertata che avesse mangiato. «Vorrà dire che mangeremo mentre cavalchiamo.»

Robert la fissava e lei comprese che il suo brusco cambiamento lo aveva insospettito, ma non le importava. Dovevano proseguire.

Prese Maisie dalle braccia di Flora. La piccina non si svegliò. Tese la mano ad Alec, ma il ragazzino inaspettatamente si slanciò verso Robert.

«Dai, zio Robert!» esclamò afferrandogli la mano, poi tirò.

L'uomo rimase a bocca aperta. «Ah...»

Alec tirò ancora più forte e il piede destro di Robert si spostò.

Gaira decise di andare in suo soccorso. «Non avete lo stesso sangue, Alec, quindi non può essere tuo zio.»

Il bimbo rifletté su quelle parole e si strinse nelle spalle. «Va bene, mi piacete lo stesso» gli disse tendendogli le mani.

Con le braccia rigide come bastoni lungo i fianchi, Robert fissò Alec. Il suo viso era color gesso e aveva un'espressione che lei non gli aveva mai visto. Si vedeva che era combattuto e confuso. Gaira sorrise.

«Vuole essere preso in braccio» gli spiegò. «Per essere messo sul cavallo.»

Con l'aria appena un po' sollevata, Robert accontentò il bambino. Per smettere di ridere, lei si voltò in fretta verso Creighton e Flora.

«Venite, voi due. Si parte.»

Flora si strofinò gli occhi e Creighton la aiutò a rialzarsi. Quando la seguirono verso il loro cavallo, l'enormità della responsabilità che si era presa la colpì in pieno. In meno di una settimana, quei bambini avevano imparato a credere che lei si sarebbe presa cura di loro. Si fidavano abbastanza da seguirla in un luogo sconosciuto. Abbastanza da permettere a uno sconosciuto soldato inglese di viaggiare con loro. Una fiducia che lei trovava difficile comprendere.

Per primo aiutò Creighton a montare, poi toccò a Flora. Entrambi la guardarono con aria di aspettativa.

Forse non era soltanto una questione di fiducia. Forse cominciavano a volerle bene.

Consegnando le redini a Creighton, si disse che non li avrebbe delusi.

Il tempo non resse. Dopo neanche un'ora, l'aria diventò fredda, la nebbia più densa e pochi istanti più tardi la pioggia li investì da tutti i lati, spinta dal vento.

Robert si chinò in avanti usando le braccia per ripararsi gli occhi. Gli alberi non offrivano alcun riparo e i cavalli si trascinavano dietro di lui. Non aveva bisogno di alzare la testa per vedere le forme accalcate dei bambini e di Gaira curvi sui cavalli.

Eppure, al di sopra del vento e della pioggia, gli strilli di Maisie si udivano chiaramente. Era contento che la bambina fosse tra le braccia della donna e vicino alle orecchie di lei e non alle sue.

Qualcosa non andava. I modi di Gaira gli davano da pensare. Un momento appariva determinata a sostare e a riposarsi e quello successivo si affrettava a mettere i bambini sui cavalli come se un fiume in piena stesse per travolgerli tutti.

E sembrava intimorita. Non era la prima volta che le vedeva un'espressione spaventata o che lei mostrava una grande premura. Gli aveva chiesto più volte se poteva seppellire i morti in fretta. Sulle prime lui aveva pensato che la paura e l'urgenza fossero la conseguenza di ciò che era accaduto a Doonhill, ma ora si chiedeva se dietro non ci fosse dell'altro. Ma per quale motivo una donna con quattro bambini doveva aver bisogno di avanzare tanto velocemente?

Non aveva risposte e niente in lei aveva senso.

Indossava una tunica e dei calzoni maschili e viaggiava da sola. Poteva aver detto la verità su sua sorella e sulla sua visita a Doonhill, ma non gli aveva detto perché, in primo luogo, era andata fino là.

Una raffica di vento lo sospinse di lato. Quando si raddrizzò, la pioggia era cessata all'improvviso, come se qualcuno avesse messo un tappo nel cielo. Contemporaneamente alla pioggia tacque anche il pianto di Maisie. Dopo il suono ruggente di vento e scrosci d'acqua, il pesante silenzio, interrotto solo dal gocciolio proveniente dagli alberi e dagli sbuffi dei cavalli, sembrava quasi innaturale.

Il cielo azzurro e i raggi del sole filtravano tra i rami e l'erba rorida di pioggia e le campanule scintillavano nella luce chiara. Robert pensò che sarebbe stato bello, senza i vestiti inzuppati e le pesanti, fredde gocce di acqua che gli cadevano addosso dagli alberi.

«Dobbiamo uscire dal bosco» esclamò. «O non ci asciugheremo mai.»

«E se non riuscissimo a ritrovare il sentiero?» Gaira sembrava preoccupata.

«Seguiremo il limitare del bosco fino a quando troveremo del terreno asciutto.»

«Ma non sono sicura...»

«Io esco da questo bosco fradicio. Potete venire con me oppure no, ma io voglio asciugarmi.»

Cominciò a camminare verso oriente, ma udì il commento di lei prima di sentire che i cavalli lo seguivano.

«Mi avevano detto che gli inglesi erano delicati, ma non credevo che bastasse qualche goccia di pioggia per farvi correre a cercare un clima più confortevole.»

Robert non ritenne che quella provocazione fosse degna di una risposta.

«Non mi sorprende, sapete» continuò lei.

A quanto pareva non intendeva lasciarlo in pace e alla fine lui abboccò all'amo. «Voler essere asciutti è un desiderio sensato e pratico, non debolezza. Ammalarsi o lasciare che la pelle si irriti sino a renderla esposta alle infezioni, invece, è testardaggine.»

«È sempre perché siete pratico e non testardo che avete una sella splendida, con un'imbottitura così spessa che sembra di cavalcare sull'aria? O che avete un abbigliamento così fine che la sua morbidezza rivaleggia con i petali dei fiori?»

Lui si strizzò i capelli. «Non mi mancano i soldi. E con i soldi si comprano queste cose.»

«Sì, e immagino che direte che non è peccato desiderare delle comodità.»

«A me piacciono.»

«Sì, perché siete delicato.»

Stanco di difendersi, Robert si voltò. Si aspettava di trovare sul suo viso un'espressione di scherno o di quell'umorismo che ormai gli era familiare, ma quelle emozioni non c'erano. Invece di un lampo negli occhi o di una curva alle labbra, notò il pallore dietro le lentiggini e un cerchio bianco intorno alla bocca.

«Che gioco state facendo?»

Nonostante tenesse Maisie tra le braccia, lui vide che le sue mani tiravano le redini.

«Non prendetemi per uno sciocco, donna. Voi credete che punzecchiandomi riuscirete a tenermi nel bosco, il che significa che non volete che esca dalla copertura degli alberi. Come mai?»

«Non so di cosa stiate parlando.»

«O siete voi che dovreste restare nascosta?» insistette. L'ipotesi gli sembrava sempre più verosimile. «Siete sicura che questo sia il sentiero che porta al paese più vicino?»

Gaira tirò con forza le redini, costringendo il cavallo a superare Robert e si diresse verso est, dove il bosco finiva.

«Voglio solo che arriviamo là senza correre rischi» ribatté. «Se volete mettere a repentaglio la nostra sicurezza per asciugarvi, così sia, inglese.»

Lui lasciò che si allontanasse di un paio di iarde. «Cosa ci sarebbe di così pericoloso fuori dal bosco?» chiese poi.

Gaira non alzò la voce, ma le sue parole gli giunsero ugualmente. «I vostri compagni d'arme che hanno bruciato il villaggio. Chi altri?»

Per la prima volta da quando si erano incontrati, non le credette.

Perché forse lei aveva dimenticato, ma lui no. Gaira aveva già detto che non temeva più gli inglesi che avevano attaccato Doonhill.

Sembrava priva di malizia e lui le aveva creduto riguardo al villaggio e alla sorella, ma quell'ultima osservazione gli aveva confermato che c'era dell'altro, come aveva sospettato. Gli indizi erano molti.

Prima di tutto la tunica e i calzoni da uomo che portava. L'incendio di Doonhill non aveva risparmiato niente, quindi dovevano essere gli stessi vestiti con i quali era arrivata.

Inoltre aveva viaggiato da sola. Nessuna donna

viaggiava senza almeno un accompagnatore. Forse per questo si era fatta passare per un uomo, ma era un travestimento da poco.

Poi c'erano la sua paura e l'urgenza.

Tutto confermava che Gaira stava fuggendo. Ma con quattro bambini e solo due cavalli, non sarebbe arrivata in fretta da nessuna parte. Se non gli raccontava almeno una parte della verità, lui non avrebbe potuto difendere se stesso e loro.

Era uno sciocco a farsi coinvolgere in qualunque guaio lei fosse andata a cacciarsi, ed era ancora più pazzo perché non ne conosceva il motivo.

Perché, prima o poi, chi l'aveva indotta a scappare li avrebbe raggiunti.

12

Quando uscirono dall'ombra degli alberi, Gaira batté le palpebre per la luce accecante del sole e Alec starnutì. Le mani del bambino erano strette intorno alla sua vita e non le ci volle un grande sforzo di fantasia per capire che lo starnuto era finito contro la sua schiena.

«Mettiti la mano davanti alla bocca la prossima volta, Alec.»

Risatine.

Furono come un balsamo istantaneo per la sua ansia crescente.

Robert camminava di nuovo in testa a tutti. Solo che questa volta erano sulla vera strada che portava verso nord, verso casa. La strada che lei aveva percorso all'andata. In campo aperto. Dove i suoi fratelli o Busby di Ayrshire avrebbero potuto facilmente vederli.

Non sapeva chi temesse di più. I suoi fratelli traditori o il suo promesso sposo assassino? O gli assassini erano i suoi fratelli e il traditore il suo fidanzato? Sperava che tornare a casa fosse la scelta giusta. Anche se l'aveva tradita, Bram non avrebbe trattato male quattro piccoli orfani. E Gaira confidava che avrebbe permesso anche a lei di restare.

Dopotutto, qualcuno avrebbe dovuto occuparsi dei bambini.

Ritornare dal suo promesso sposo era impensabile. Non sapeva molto di Busby di Ayrshire tranne che le sue mogli erano morte e il suo castello e il clan erano in cattive condizioni. Quando aveva cavalcato con lui, era stata troppo sconvolta dal tradimento del fratello per prestargli molta attenzione. Eppure si era accorta della sua stazza brutale, del linguaggio rude e del modo in cui la guardava: disgustato e calcolatore.

Ma la reputazione di Busby e la sua rozzezza potevano essere più gravi del tradimento di un uomo ai danni dell'amata sorella? O perlomeno di una sorella che credeva di essere amata?

Si guardò intorno per cercare di distrarsi da quei pensieri ribelli. Purtroppo, l'erba alta e bagnata e gli insetti saltellanti non costituivano una distrazione efficace. Robert sì.

La sua bella figura scura si stagliava contro il sole e l'erba verde rorida di pioggia. Le sue spalle larghe, le gambe robuste e perfino le sue braccia rilassate, che oscillavano leggermente, erano una visione più che gradevole. Nessuno dei suoi movimenti era inutile; camminava senza dispendio di energia e sembrava in grado di arrivare alla fine di quel viaggio con le sue gambe, senza sforzo. Gaira non dubitava che ce l'avrebbe fatta.

Sospettava anche che stesse mantenendo volutamente i cavalli a un'andatura lenta, come se sapesse che era necessario per i bambini. Creighton portava bene il cavallo, ma Flora era terrorizzata e Alec e Maisie si tenevano a malapena in equilibrio.

Dunque Robert costituiva per lei una distrazione, ma non soltanto, e Gaira aveva il terribile sospetto di sapere quale altra emozione le provocava. Benché lo conoscesse solo da pochi giorni.

Desiderio. Puro e semplice. Non capiva come fosse possibile, ma era così. Cercò di pensare che forse ciò che sentiva era solo il disperato bisogno che qualcuno, chiunque, la tirasse fuori dal pasticcio nel quale si era cacciata.

Dopotutto, non aveva mai pregato Dio con più ardore di quando aveva chiesto aiuto per uscire da quella situazione. Ed era arrivato Robert.

Nonostante l'aspetto trasandato e i modi ruvidi, c'era qualcosa di solido in lui. Immutabile. Forte, non solo nel corpo, ma anche nello spirito. L'inglese non avrebbe venduto sua sorella. Non avrebbe maltrattato i servi, né avrebbe vissuto in una casa miserabile e sporca. No, nel regno di Robert tutto era pulito, ordinato e al suo posto. E lei riteneva anche che non avrebbe permesso a nessuno di sconvolgere quell'ordine.

Quanto ai bugiardi... Non era difficile immaginare Robert di Dent che tagliava la gola a un uomo perché gli aveva mentito.

Gaira poteva solo sperare che le avrebbe mostrato un po' di clemenza per le bugie che gli aveva raccontato. Dopotutto, lo aveva fatto per proteggere dei piccoli orfani... e se stessa.

«Presto dovremo trovare un riparo» annunciò lui.

Il sole cominciava a calare all'orizzonte. «C'è un fitto boschetto sulla prossima collina. Non solo betulle, ma anche querce. Ci ripareranno meglio di quello che abbiamo trovato finora.»

Robert la trafisse con lo sguardo, poi annuì e riprese a camminare. Gaira cercò di rallentare il battito del cuore dopo che si fu voltato dall'altra parte. Forte. Sì, quello era l'aggettivo più adatto, insieme a perspicace. Aveva sicuramente indovinato che la strada che avevano percorso prima non era affatto la più breve.

Ah, be', non c'era niente da fare. Lei gli aveva

mentito fin dall'inizio. Ma era preoccupata per i bambini e voleva saperli relativamente al sicuro nelle terre dei Colquhoun. Per il loro bene avrebbe corso qualsiasi rischio.

Sperava soltanto che Robert non li avrebbe abbandonati quando si fosse reso conto che lei aveva messo a repentaglio non soltanto la propria vita, ma anche la sua.

Non ci volle molto per accamparsi, cucinare il cibo e far addormentare i bambini. Perfino Creighton prese sonno in pochi istanti.

Gaira imprecò mentalmente contro tutti loro.

Senza almeno il pianto di Maisie, non aveva più barriere a separarla dall'uomo che sedeva vicino al fuoco.

Lui teneva le braccia appoggiate sulle ginocchia piegate, l'atteggiamento rilassato e paziente. Aspettava di parlare con lei.

Gaira controllò un'altra volta i bambini. Scrutò Maisie, sperando che il leggero tremolio delle palpebre volesse dire che stava per svegliarsi e che avrebbe avuto bisogno delle sue cure. Invece era solo il dolce fremito del sonno. Nient'altro.

Rimproverandosi per la propria vigliaccheria, girò senza far rumore intorno al fuoco e si sedette. Pensava di essersi sistemata abbastanza lontano da lui da non sentire gli effetti della sua vicinanza, invece si sbagliava. L'inglese avrebbe dovuto attraversare il mare perché lei non fosse consapevole della sua presenza.

«Ho bisogno di sentire da voi qualche verità.»

Lei non distolse gli occhi dal fuoco, limitandosi ad annuire.

«Siete davvero una Colquhoun?»

Se avesse visto i suoi fratelli, non avrebbe sprecato le domande. Ogni pollice di lei, dalla statura ai capelli rossi, proclamava la sua appartenenza a quel clan. «Sì.»

«Le loro terre sono a nord e lungo questa strada che stiamo percorrendo?»

«Vi ho detto che è così, e questa è la strada che porta là, vicino al fiordo del Clyde.»

Lui annuì lentamente. «E lungo questa strada c'è un villaggio o un posto dove possiamo comprare un cavallo e delle provviste?»

Lei lo guardò: Robert la stava fissando intensamente. Troppo intensamente. Volse di nuovo gli occhi al fuoco. Per ora le sue domande erano innocue e non c'era niente di male a rispondere.

«Sì, dovremmo raggiungerlo entro domani.»

«Perché prima abbiamo viaggiato in mezzo agli alberi?»

Si morse l'interno della guancia, riflettendo. Quella era una domanda alla quale non voleva rispondere. «Devo essermi sbagliata sulla direzione.» Continuò a guardare da un'altra parte. Non era brava a mentire e temeva che lui avrebbe insistito per sapere perché non era voluta uscire dal bosco.

L'inglese si mosse, girandosi con tutto il corpo verso di lei. «Parlatemi della vostra famiglia.»

Sorpresa, lei lo fissò. Preferiva parlare della strada che dei suoi. «La mia famiglia? Possedete veramente il senso dell'umorismo, Robert di Dent.»

Lui ignorò la frecciata. «Semplice curiosità.»

«Cosa c'è da dire?» Si strinse nelle spalle. «Mia madre e mio padre hanno avuto tre maschi e due femmine. In Scozia non è considerata una famiglia numerosa, ma la mamma morì di parto dando alla luce Irvette, e papà si ruppe il collo mentre addestrava un cavallo, quindi restammo noi cinque.» Si interruppe. Doveva impedire alla sua mente di ricordare troppo. «Adesso, con quello che è successo a Doonhill, siamo rimasti in quattro.»

Con la necessità di proteggere i bambini, non a-veva volutamente pensato a Irvette. E ora era basta-to nominarla perché delle lame affilate le trafigges-sero il cuore.

«I vostri fratelli erano gentili con voi femmine?» domandò lui.

Quella domanda la colse di sorpresa, ma non po-té fare a meno di sentirsi sollevata per l'opportunità di evitare di rivelargli la verità sul suo viaggio. Co-darda. «Oh, no. C'è sempre stata battaglia» rispose. «Con mia sorella erano affettuosi, invece credo che si dimenticassero spesso che ero una femmina, per via della statura e del mio carattere forte.»

Gli lanciò una rapida occhiata. Le stava fissando le gambe. Di colpo lei divenne consapevole della loro inusuale lunghezza, ma invece del solito imba-razzo, provò il desiderio di distenderle davanti a sé. Era il modo in cui lui la guardava... Le aveva fatto salire la temperatura, proprio come era successo quando l'aveva presa tra le braccia, nella valle. Poi però ricordò che lui l'aveva lasciata cadere come un topo. Imbarazzata, nascose le gambe sotto di sé.

«Io li ricambiavo con la stessa moneta» conti-nuò. «O almeno mi feci furba.» Rise piano. «A do-dici anni mi occupavo già del castello. I miei fratel-li non potevano più prendermi in giro, perché sape-vano che si sarebbero trovati dei sassi nel pane.»

Lui emise un suono che poteva essere preso per una risatina. «Non ho alcun dubbio sul vostro ca-rattere dispotico. Mi avete colpito con un caldero-ne.»

«Ve lo siete meritato» gli ricordò. «Crescendo, Irvette diventò molto bella e, anche se ero io la maggiore, gli uomini cominciarono a corteggiarla. Lei non aveva mai desiderato potere o ricchezze, e così quando Aengus Cathcart si presentò offrendole il sogno di una casetta in un luogo grazioso, si innamorò perdutamente di lui. I miei fratelli, troppo accondiscendenti quando si trattava di lei, non vollero scontentarla. Le diedero il permesso di sposarsi, sebbene il suo matrimonio non portasse alcun beneficio al clan.» Si strinse nelle spalle. «Ero contenta per lei e del resto ero ormai saldamente radicata nel clan. Mi prendevo buona cura dei ragazzi e credevo di sapere ciò che ci si aspettava da me e quali fossero i miei doveri.»

Si interruppe di botto, cercando di impedire ai propri pensieri di attraversarle il viso. Ma lui era troppo vigile perché gli sfuggissero la sua rabbia e il suo dolore. Gaira non voleva raccontargli del tradimento dei suoi fratelli.

«Poi è successo qualcosa» disse Robert.

Lei distolse di nuovo lo sguardo. «Sì. Irvette è stata uccisa, ecco cosa è successo.» Si alzò e si strinse le braccia intorno al corpo. «È questo il genere di informazioni che cercavate, inglese?»

La sua domanda voleva essere una sfida, un modo per distoglierlo da quella conversazione. Ma Gaira indovinò il momento in cui lui raccolse le sue parole e le considerò da una prospettiva diversa.

Robert era ancora seduto, ma lei colse il rapido guizzo sulla sua guancia e la luce che gli balenò negli occhi. Senza muoversi, aveva risposto alla sua sfida con un'altra sfida. Una sfida che le faceva palpitare il cuore e contrarre lo stomaco.

Gaira abbassò gli occhi, cercando di celare le sue emozioni.

«Dipende» rispose lui.

«Da cosa?»

«Da cosa mi state tacendo.»

Robert si alzò e le si avvicinò. Delicatamente, le accarezzò il profilo della mandibola fino al mento e lo sollevò.

Data la sua statura, Gaira non dovette alzare molto gli occhi per incontrare quelli di lui. «Mi rivelate troppo poco di voi.» Abbassò la mano, ma non indietreggiò. «E io sono un uomo dannatamente curioso.»

Lei si accorse che le pagliuzze scure dei suoi occhi erano diventate fredde, ma non per questo era meno caloroso nei suoi confronti. La freddezza era diretta verso se stesso. Robert di Dent la desiderava anche se non voleva. C'era una sola spiegazione per la sua riluttanza, ma non voleva essere lei a indovinare. Voleva che fosse lui a spiegarsi.

«Perché?» chiese, intrecciando le dita davanti a sé.

Sentì il ritmo del suo respiro mutare di colpo, e capì che la domanda lo aveva colto di sorpresa. Improvvisamente, non era più sicura di voler sentire la sua risposta. Ma se lui si riteneva dannatamente curioso, lei lo era altrettanto.

Robert le sfiorò con le dita il braccio, dal gomito alle mani giunte. Trovò il polso nudo e vi tracciò dei piccoli cerchi, una carezza che si fece sentire fino al centro di lei.

«A causa di chi sono.»

Sostenne il suo sguardo e lei avvertì l'attrazione che li legava, il desiderio di essere più vicini, e comprese che quel desiderio proveniva solo da lei.

Non poteva venire da lui, poiché era stato sul punto di confermarle quello che temeva. «Siete sposato» gli disse.

Lo stupore gli balenò negli occhi. «No! Dio, no, Gaira. Sono tanto vicino a voi che posso sentire il vostro respiro sulla pelle.»

«Questo non vi impedisce di essere sposato.»

«Sì, invece. Se fossi sposato, sarebbe per tutta la vita. La mia vita, il mio corpo... tutta la mia vita e tutto il mio corpo.»

Quelle parole fecero un folle girotondo nel cuore di lei. Robert di Dent era un fiume profondo, costante, vivificante. Ma se non era sposato, voleva dire che non aveva mai amato? Gaira si maledisse per quel bisogno di sapere.

«Non siete mai stato sposato?» indagò.

La mano di lui tornò contro il fianco. «No, non me ne sono mai dato la possibilità.»

Questo non significava che non avesse mai amato. Semplicemente che si era negato l'amore. Il suo cuore, già intenerito, le pugnalò l'anima.

«Dovremmo dormire, adesso.» Gaira fece un passo indietro. «Maisie si sveglierà presto e se non mi riposo domani non avrò le energie per occuparmi di lei.»

Robert non cercò di fermarla, ma la guardò mentre si avvicinava ai bambini, che giacevano ammucchiati in un groviglio di gambe e braccia. Era una notte calda e lo scialle di Gaira era allargato sopra di loro.

Rimase a osservarli ancora per qualche minuto, poi tornò dal suo lato del fuoco e arrotolò una coperta per usarla come cuscino. Il terreno era abbastanza asciutto e lui aveva troppo caldo per coprirsi.

All'inferno! Bruciava.

Lei non si era più fatta le treccine da quando glielo aveva chiesto; raccoglieva i capelli in una semplice, folta treccia, e l'effetto era quasi più devastante di quando erano sciolti. Non era difficile immaginare come sarebbe stato facile togliere il laccio di cuoio e lentamente districare quei riccioli morbidi. Poteva quasi sentire le lucide volute dei suoi capelli che gli si avvolgevano attorno alle dita.

Quando le era stato così vicino, aveva sentito come si modellavano bene le sue gambe contro le proprie, e si era reso conto di quanto poco avrebbe dovuto sollevarla per stringerla a sé.

Gaira aveva detto che i suoi fratelli l'avevano sempre trattata come se fosse un maschio. Lui invece non riusciva a smettere di pensare a lei come a una femmina, con tutte le curve e gli avvallamenti di una donna.

Rotolò bruscamente sul fianco. Non sarebbe riuscito a dormire se avesse continuato così.

Solo che non poteva evitare di pensare a lei. Doveva imporsi di concentrarsi sulle sue parole e non sul suo profumo o sulle sue invitanti labbra color pesca. O sulle gambe infinite che Gaira aveva raccolto sotto di sé.

Rotolò di nuovo sulla schiena e diede qualche pugno alla coperta che aveva sotto la testa.

C'era molto su cui riflettere riguardo a quello che lei aveva detto. Le aveva chiesto di essere sincera, ma lui aveva intuito molto più di quanto le sue parole avessero espresso.

Mentre raccontava della sua famiglia, era stato evidente che qualcosa la turbava profondamente, e Robert aveva capito che non si trattava solo della morte di sua sorella. La rabbia e il dolore per Irvette erano comprensibili, ma quella morte era avvenuta in un momento differente dai ricordi dei quali stava parlando. Il dolore di Gaira risaliva a prima di Doonhill.

Tanto per cominciare, non aveva spiegato perché avesse lasciato i suoi fratelli. Se presso i Colquhoun lei era necessaria come aveva detto, perché l'avevano lasciata andare?

Sono dannatamente curioso, le aveva confidato. Quello che le aveva taciuto e che non voleva ammettere neanche con se stesso, era il *motivo* per cui lo fosse. Perché lui non aveva nessun diritto di pensare all'esistenza di Gaira... o alle sue gambe.

In tutta la sua vita non aveva mai conosciuto una donna con tanto spirito e tanta forza di volontà. Quando lottava o quando provava un'emozione, lo faceva con tutta se stessa, con tutto il cuore. Meritava un uomo che avesse un cuore integro come il suo.

E quello di Robert aveva smesso di battere molti anni prima.

13

❖

Robert si svegliò avvertendo un respiro sul collo e un peso caldo sul petto. Alec era sdraiato sopra di lui, la guancia morbida e rosea schiacciata contro la sua tunica e le braccia grassocce sollevate sopra la testa per stringergli il collo.

«Così sembra diverso, non è vero?» sussurrò Gaira.

Era in piedi accanto a lui, con Maisie in braccio.

«Come ha fatto ad arrivare qui?» sussurrò lui.

«Immagino che si sia spostato nel cuore della notte. Prima del vostro arrivo soffriva di incubi.»

«Cosa devo fare?»

Con un sorriso enigmatico, lei si voltò. «Quello che volete.»

La guardò allontanarsi e a stento riuscì a trattenersi dal richiamarla indietro. Non sapeva come comportarsi con quei bambini, ma loro per lo più lo lasciavano in pace. Eppure, nel mezzo della notte, Alec lo aveva cercato e gli si era raggomitolato contro, per poi riaddormentarsi. Come se, in qualche modo, lui rappresentasse la sicurezza.

Abbassò gli occhi per guardare il bambino. Vide il leggero battito delle palpebre, le morbide ciglia, le labbra rosee dalle quali usciva il dolce respiro.

Rimase fermo, non solo per non svegliarlo, ma perché pensava che le sue gambe non avrebbero funzionato correttamente. La dimostrazione di fiducia da parte di Alec lo sconcertava. Non aveva fatto nulla per guadagnarsela. Era semplicemente sdraiato lì.

E questa era la cosa più strana di tutte: come aveva fatto il bambino a non svegliarlo? Forse, nel sonno, in qualche modo lui aveva saputo che era soltanto Alec?

Chiuse di nuovo gli occhi, fantasticando, pensando, e poi sentì dei colpetti leggeri sulle guance.

Alec, gli occhi castani spalancati, lo stava fissando.

Guardandolo a sua volta, Robert sentì qualcosa sfiorargli il cuore. «Buongiorno» disse, burbero.

Improvvisamente, la manina del bimbo lo schiaffeggiò. Lui scattò immediatamente a sedere, battendo le palpebre. Ridacchiando, Alec gli scivolò in grembo.

«Oh, ti sembra un bello scherzo?» ringhiò Robert. «Vediamo cosa ne dici di questo!»

Alzandosi in piedi, lo afferrò per la cintola e lo tenne a testa in giù come un pesce. Il bambino si dibatté proprio come se fosse stato preso all'amo.

«Fareste meglio a metterlo giù, se non volete che succeda qualche incidente ai vostri vestiti» disse Gaira mentre finiva di sistemare Maisie. «Non ha ancora fatto pipì.»

Con un rapido movimento, Alec venne raddrizzato e deposto a terra.

Lei sorrise e Robert scoprì che desiderava ricambiare quel sorriso. Si girò dall'altra parte prima di farlo.

Erano anni che non sorrideva per davvero. Parte della sua reputazione era dovuta alla sua espressione perennemente truce. La sua reputazione...

Di colpo gli passò la voglia di sorridere.

Gaira aveva detto che avrebbero raggiunto il villaggio più vicino entro la fine della giornata. Anche se era più a nord di quanto fosse mai stato, non poteva rischiare di venire riconosciuto. Non avrebbe messo in pericolo solo se stesso, ma anche tutti gli altri.

Si toccò la barba, si infilò le dita tra i capelli. Non aveva altri abiti da indossare, ma poteva fare qualcosa per modificare il suo aspetto. Erano passati anni dall'ultima volta che si era rasato e tagliato i capelli.

Prendendo dalla borsa il pugnale e un pezzo di sapone, si avviò verso il torrente che scorreva tra gli alberi.

Quando tornò alla radura, i bambini e Gaira lo stavano aspettando. Lei era seduta e parlava con Flora; le teste chine, stavano scegliendo dei lunghi fili d'erba che poi intrecciavano insieme. In piedi accanto a loro, Maisie sventolava dei ciuffi d'erba nell'aria, mentre Creighton, con dei sassi in mano, sedeva su un tronco e le guardava.

Era passata circa una settimana da quando Gaira e i bambini avevano iniziato quella convivenza, ma già si comportavano come una famiglia. Una famiglia unita dal destino e dal dolore. Eppure sembravano contenti della reciproca compagnia.

Durante tutti gli anni in cui lui aveva combattuto per Re Edoardo, non aveva mai trovato la pace che quel gruppetto si era costruito in pochi giorni.

Gaira alzò lo sguardo. Gli occhi si posarono brevemente su di lui prima di tornare alla catenella di erba che teneva in grembo. Con un movimento quasi comico, rialzò di scatto la testa, spalancò gli occhi e aprì la bocca. Disse qualcosa a Flora e anche la ragazzina lo guardò.

Robert si avvicinò. «Pronti a rimettervi in viaggio?» chiese.

Gaira non disse niente. C'era una strana scintilla nel suo sguardo. Di sorpresa, ma anche di qualcos'altro che gli fece correre più veloce il sangue.

«Miss Flora, siete pronta a partire?» chiese allora.

«Cosa è successo alla vostra faccia?» La ragazzina si mise di scatto una mano sulla bocca e le sue guance diventarono di un rosso acceso.

Lui aprì la bocca. La richiuse. Non poteva certo dirle la verità. Avrebbe dovuto cavarsela in qualche modo. Con un gesto esagerato si mise le mani dietro la schiena.

«Mi sono reso conto che il mio aspetto non era adatto alla vostra augusta compagnia, madamigella. Così, per apparire più rispettabile, mi sono tagliato barba e capelli.»

Fece una pausa prima di incontrare lo sguardo di Gaira. Ancora, oltre allo stupore vide dell'altro nei suoi occhi, e questa volta lo riconobbe: desiderio.

Aveva creduto di essere il solo a provarlo. Il fatto che Gaira reagisse nello stesso modo a lui era troppo... allettante.

Non aveva bisogno di tentazioni, né di complicazioni. E quella donna rappresentava entrambe. Robert riteneva di essere maledetto solo per la curiosità che provava nei suoi riguardi, ma la curiosità non era nemmeno paragonabile al desiderio. Se avesse ceduto, la sua anima insanguinata sarebbe stata dannata in eterno.

Eppure la voleva. Nonostante i suoi obblighi verso la Corona inglese. Obblighi che stava trascurando da quando era giunto a Doonhill. Era via da troppo tempo. Ormai Hugh doveva avere allertato Re Edoardo.

Probabilmente pensavano che li avesse abbandonati. E come avrebbe fatto a spiegare la sua assenza? Si stava comportando come un pazzo infatuato, non come un guerriero temprato dalle guerre. Doveva concludere quel viaggio, il più presto possibile.

«Partiremo appena avrò rifatto i bagagli» annunciò. In collera con se stesso, si voltò con foga e andò a prendere la sua borsa, la coperta e la lunga spada.

Mancava qualcosa. La coperta e la borsa erano per terra, dove le aveva lasciate, ma non l'arma. Si volse verso il suo cavallo. La sella era per terra, la spada a doppio taglio e le sacche ancora attaccate. Si guardò intorno. Non mancava soltanto la sua spada lunga.

«Gaira!» chiamò. «Dov'è Alec?»

Lei lo guardò e un sorriso si allargò sul suo viso. «Oh, Robert, se poteste vedere la vostra faccia! Avete l'aria di uno che è finito dentro un pantano. Alec vi ha rubato qualcosa?» Cominciò a ridere, e accennò agli alberi. «Credo sia andato da quella parte.»

Lui non capiva cosa tenesse i suoi piedi piantati a terra, se la meravigliosa risata di Gaira, o il fatto che un bambino di cinque anni avesse rubato una spada che avrebbe potuto tagliargli un braccio con il minimo tocco.

Lei smise di ridere e un'espressione preoccupata prese il posto dell'allegria. «Cosa c'è che non va?»

«La mia spada.» La voce gli venne meno. «Gaira, Alec si è portato via la mia spada.»

Ogni traccia di risata e di colore defluì dal viso di lei. Si alzò in fretta, lasciando cadere a terra, dimenticate, le coroncine d'erba. Afferrandolo per un braccio, lo trascinò fino a quando lui si riscosse.

Buon Dio, in battaglia non aveva mai avuto la minima esitazione. Gli sarebbe costata la vita. Ma il solo pensiero che Alec si ferisse lo stordiva.

Ora sapeva cosa volevano dire i suoi soldati quando raccontavano dei sudori freddi e dei piedi ghiacciati. Ora sapeva cosa si provava a essere colti da un panico rapido e tagliente. E non gli stava succedendo perché era impegnato in uno scontro con pochissime probabilità di vittoria, o perché uno scozzese brandiva una scure bipenne sulla sua testa... No, succedeva a causa di un bambino di cinque anni.

Quando aveva cominciato ad affezionarsi a tutti loro?

Nel bosco, Gaira cominciò a correre sulla sua destra. Gli alberi non erano fitti, ma il terreno era tutto un sali e scendi e Alec era piccolo. Un bambino. Esaminando il suolo, Robert trovò delle tracce, non di piedi, ma di qualcosa che era stato trascinato: la spada era troppo pesante per Alec.

«Da questa parte» gridò a Gaira. Seguendo le tracce, corse giù per la collina.

E finalmente lo scorse. Alec stava sollevando un grosso pezzo di legno sopra la sua testa, le ginocchia piegate non per le dimensioni e il peso del legno, bensì per la posizione della spada, che aveva incastrato tra due alberi. Se fosse scivolato mentre abbassava il pezzo di legno, la lama lo avrebbe decapitato.

Robert avrebbe voluto gridargli un avvertimento, ma non poteva permettersi di spaventarlo. Eppure, se non lo avesse avvisato... Corse più veloce.

Gaira era ancora alla sua destra e lo precedeva di poco. Si stava precipitando giù per il pendio verso Alec. Doveva aver visto quello che il bambino voleva fare, perché i suoi occhi erano spalancati per la paura, la sua corsa frenetica.

«Fermati!» gridò. «Alec, fermati!»

A causa della caviglia ancora dolorante e del terreno fangoso, scivolò e inciampò. Cercando di correre e di recuperare l'equilibrio allo stesso tempo, proseguì verso Alec.

E la spada.

Lei barcollava e, a giudicare dall'angolazione dell'arma, tempo pochi istanti si sarebbe impalata sulla sua punta.

Un incubo. Il peggiore.

«Gaira!» urlò Robert. «Cambiate direzione!»

Alec alzò lo sguardo, il legno ancora in mano. Sorrise nel vedere Gaira, ma poi cominciò a urlare.

Al grido del bambino, lei smise di tentare di riprendere l'equilibrio e accelerò l'andatura. Non sapeva di essere lei quella in pericolo. Scivolò di nuovo, con le braccia che si agitavano in tutte le direzioni, e cadde a capofitto giù per la china fangosa.

Robert si slanciò in avanti e la spinse lontano dalla traiettoria della spada. Ma lui era troppo grosso e troppo vicino. La lama gli squarciò senza sforzo la tunica e la cassa toracica.

Nel provare quel dolore lancinante, il terrore di Robert si tramutò in rabbia.

14

Gaira non gli rivolse nemmeno un'occhiata, ma si rialzò e corse a prendere tra le braccia il bambino singhiozzante.

«Adesso è tutto a posto, piccolo, è tutto a posto.» Lo strinse più forte a sé e i singhiozzi, da isterici che erano, si tramutarono in grandi boccate d'aria e lacrime. «Va tutto bene ora. Non ti sei fatto male, vero?» Con le mani e con gli occhi esaminò in fretta i vestiti e il corpo del bambino.

«*Lui* sta bene.» Robert afferrò l'elsa della spada e si rialzò dal fango.

Gaira stava cullando il volto di Alec, le mani tremanti che gli asciugavano le guance con gesti bruschi. «Però si è spaventato a morte. Non è vero, piccolo?» chiese annuendo con enfasi.

Alec annuì con lei.

Robert sollevò la lama. Soddisfatto di trovarla soltanto infangata e non scalfita da un sasso o, peggio ancora, dall'impatto con il bambino, disse: «È giusto che sia spaventato. Ha rischiato di ferire se stesso e voi».

«Me? Niente affatto. Sono solo scivolata un po', ma la caviglia non mi fa male.»

Robert cercò il fodero. «Non sto parlando della

vostra dannata caviglia. Alec avrebbe potuto deca-
pitarsi con questa spada... E voi!» La sua rabbia era
al culmine. «Avete corso il rischio di impalarvi sulla lama nella fretta di raggiungerlo.»

Lei chiuse le orecchie di Alec con le mani. «Cosa avete intenzione di fare, di spaventarlo ancora di
più? È un bambino. Non ha bisogno di certe stupide descrizioni.»

«Stupide?»

Le sopracciglia di lei si erano pericolosamente
avvicinate al centro della fronte e la sua espressione era... cocciuta. Era davvero convinta di quello
che stava dicendo.

«Stava solo cercando di aiutarci. Non avete capito che tentava di spaccare della legna per accendere
il fuoco?»

Finalmente Robert trovò il fodero. Era umido per
essere rimasto nell'erba e lui vi appoggiò accanto la
spada. Avrebbe dovuto ripulire l'uno e l'altra prima
di rimetterli insieme. «Non mi interessa quello che
stava cercando di fare, ha sbagliato.» Si avvicinò a
loro e si accucciò, gli occhi quasi alla stessa altezza
di quelli del bambino. «Capisci che è sbagliato
prendere qualcosa che appartiene a un'altra persona
senza prima chiedere il permesso?»

Alec lo guardò con i suoi enormi occhi castani e
non disse nulla. Il cipiglio di Robert si fece più se-
vero. Il bambino non capiva.

«Mai. Non farlo mai più. Avresti potuto uccider-
ti. Morire.»

Alec aveva ancora gli occhi sgranati, ma continuava a tacere. Gaira stava fulminando Robert con
lo sguardo, ma a lui non importava.

La sua rabbia era così intensa, ora, che sarebbe
bastato un ulteriore, minimo motivo di irritazione
per farla divampare. Non aveva mai perduto la calma e il fatto di esserci tanto vicino, e che fosse un

bambino di cinque anni a spingerlo verso il limite, peggiorava il suo stato d'animo.

Si alzò e cercò di mettere una certa distanza tra di loro. Aveva già dato ad Alec una spiegazione sulla morte e sul concetto di proprietà, anche se non dava segno di aver capito. Adesso era costretto a pretendere le sue scuse. Da un bambino di cinque anni. Se Re Edoardo avesse potuto vederlo in quel momento...

Puntò il dito contro il bambino. «Esigo che tu mi spieghi perché hai preso la mia spada e spaventato a morte Gaira...»

«Mi dispiace» squittì Alec.

Robert si bloccò.

Il bimbo guardava preoccupato prima Gaira poi di nuovo lui. «Non lo farò più.» Scosse la testa, in fretta. «Non voglio che zia Gaira si spaventi.»

Dunque si era scusato. Ma con lei. Ecco. In quella famiglia improvvisata erano tutti pazzi. E il fatto che lui avesse accettato di viaggiare con loro dimostrava una grave mancanza di discernimento da parte sua.

Gaira si alzò in piedi e diede un colpetto sulla schiena ad Alec. «Perché non torni al campo? Là troverai qualcosa da mangiare.»

Strascicando i piedi nell'erba, il bambino risalì il pendio e scomparve oltre la sommità.

Lei si rivolse a Robert. «Guardate cosa avete combinato! C'era proprio bisogno di gridare? È solo un bimbo.»

«Io non ho gridato.»

«Sì, lo avete fatto, e lo avete spaventato a morte con tutto quel parlare di farmi del male. Ha già perso i suoi genitori, non deve avere paura di perdere anche me!»

Quindi era quello il motivo per cui il bambino aveva chiesto scusa, ma comunque non cambiava la realtà dei fatti. «Ha rischiato di farvi del male! Per poco non vi ha ucciso.»

«È ridicolo.» Lei fece un piccolo sbuffo. «Come avrebbe potuto? Siete stato voi a spingermi nel fango.»

Robert avanzò di un passo e indicò la spada. Lui non era dalla parte del torto. Non riusciva a credere di sentire il bisogno di difendersi. «Stavate correndo verso una spada puntata dritta al vostro cuore. Vi ho spinto via per evitare che vi si conficcasse nel petto. Vi ho salvato la vita!»

A giudicare dalla sua espressione, lei non si era accorta del pericolo. Era stata così concentrata sul ragazzino da salvare, che aveva ignorato la propria sicurezza. Robert non avrebbe dovuto meravigliarsi. Da quando la conosceva, lei non aveva fatto altro che sacrificarsi per gli altri.

Raddrizzandosi in tutta la sua statura, Gaira si protese verso di lui. «Anche se è andata come dite voi, non è certo per colpa del bambino. Non si merita che ve la prendiate con lui.»

Robert non credeva alle proprie orecchie. Il solo pensiero di ciò che sarebbe potuto succedere trasformava di nuovo la sua rabbia in terrore. «Non è colpa sua?» Se ora gridava, era solo perché quella donna si ostinava a non voler vedere la realtà. «È *tutta* colpa sua. Ha preso la mia spada. Si è nascosto nel bosco. Ha usato dell'acciaio affilato come se fosse una scure. Avrebbe potuto tagliarsi la testa! E tagliarla a voi!» Prese un rapido respiro. «E voi siete stata altrettanto sconsiderata! Vi siete messa a gridare, avete corso nel fango, siete scivolata dritta verso la punta della spada. Potevate finire tagliata in due!»

I suoi occhi si incendiarono, lei arrossì e lo colpì al petto. «Ah, sarei io la sconsiderata, stupido prepotente? E voi, che avete incautamente abbandonato la vostra spada con dei bambini in giro?»

Lui sentiva la rabbia che le crepitava in ogni fibra del corpo, la vedeva nel fremito dei suoi capelli, nella luce dei suoi occhi. Ma Gaira era in piedi, proprio di fronte a lui, ed era tutta intera.

«Sciocca sventata!» La afferrò per le braccia e la attirò a sé. «Vi faccio vedere io quanto siete sconsiderata!»

Vide soddisfatto che lei sgranava gli occhi e socchiudeva le labbra. Ma la soddisfazione venne rapidamente cancellata da una sensazione più forte, quella del corpo di Gaira contro il suo. Snella e alta, si fondeva con lui.

Se lo avesse spinto via, se avesse protestato, se avesse continuato a mostrarsi arrabbiata, forse Robert ce l'avrebbe fatta a tirarsi indietro. Ma i suoi occhi assunsero il colore del whisky torbido e lui non ebbe più alcuna possibilità.

Gaira aveva già sentito il suo corpo maschile e duro quando gli era accidentalmente finita addosso; conosceva già la sensazione delle sue braccia che la sostenevano. Ma non aveva mai avvertito il suo desiderio, che la travolse a grandi ondate, e comprese che sarebbe annegata se lui non l'avesse stretta a sé.

Poi le sue labbra le catturarono la bocca e lei si sentì affondare in un calore liquido. Caldo, selvaggio e bramoso.

Gli passò le braccia intorno alla vita e si strinse ancora di più a lui. Avvertiva il suo respiro, la pressione decisa della sua bocca, la richiesta insistente che lei schiudesse le labbra. Lo accontentò.

La sensazione seducente della lingua di Robert che le tracciava l'interno delle labbra con una leggera, umida carezza, si concentrò nel suo cuore e poi più in basso. Si avvinghiò a lui, avvicinandosi quanto più possibile.

Robert la esaudì. Sollevandola, curvò le mani intorno a lei, stringendola contro il proprio corpo. Gaira rimase senza fiato per l'ondata di calore al seno e gli affondò le dita nei fianchi.

Lui la respinse con un ringhio. Un respiro ansimante le riempì il petto, sentì l'aria fredda sul seno e qualcosa di caldo, umido e appiccicoso sotto la mano destra.

Guardandosi le dita, la vista ancora annebbiata, batté le palpebre nel notare che erano ricoperte di un rosso brillante.

«Sembra peggio di quello che è in realtà» disse Robert.

«Siete ferito!»

«In più di un modo.»

Lei gli afferrò la tunica e spinse via il suo braccio senza tanti complimenti.

«Non voglio subire altre ferite» aggiunse lui.

«Oh!» Gaira lasciò ricadere il suo braccio. «Vi fa male?»

«Adesso sì.» Le posò una mano sulla spalla. «Ma credo che sia perché la mia mente ora si è concentrata sulla ferita, invece che su... altro.»

Lei sentì le guance infiammarsi.

Robert fece un passo indietro. «Non avrei dovuto.»

Gaira deglutì per nascondere l'improvviso groppo in gola. «Sì, be'... La lezione che avete impartito ad Alec non è stata troppo delicata, ma è un bambino e si sarà già ripreso.»

L'inglese la guardava. Il calore era sparito dai suoi occhi e il suo sguardo era freddo e distante, ma lei vide qualcosa vorticare nelle scure profondità prima che lui girasse la testa dall'altra parte. Rabbia?

«Non era quello che volevo dire.»

Lei annuì. Lo sapeva, ma non desiderava parlare

del perché non avrebbe dovuto baciarla. *Voleva* essere baciata. Quello che non voleva era sentirgli dire che non l'aveva desiderato anche lui. «Dovremmo occuparci della vostra ferita.»

«Ho con me del filo per cucire e delle bende pulite. Starò bene.»

«Vi aiuterò.»

«No, l'ho già fatto e non mi ci vorrà molto.» La sua voce era neutra e terribilmente distaccata. «Se mi serviranno altre cure, troverò qualcuno al villaggio.»

«Ma potrebbe venirvi la febbre. Almeno lasciatemi stare con voi fino a quando saremo sicuri.»

«Non ne avremo il tempo.» Si girò e prese la spada e il fodero. «Questo graffio non cambia nulla. Una volta che vi avrò procurato un cavallo e delle provviste, me ne andrò.»

Quindi aveva ancora intenzione di lasciarli, nonostante il bacio. Aveva soltanto immaginato che provasse qualcosa per lei quando l'aveva abbracciata? E Alec? Aveva creduto che Robert fosse stato sinceramente in pena per la sicurezza del bambino.

Ma lui non si voltò neppure indietro per vedere se lo stesse seguendo su per la collina. Era come se fosse già pronto a lasciarli.

Come poteva cambiare maschera tanto in fretta? Lei barcollava ancora per l'effetto del suo bacio mentre lui si allontanava come se non provasse nulla.

Gaira serrò le labbra e le sentì tenere e gonfie. L'aveva baciata rudemente, con le braccia e le mani l'aveva premuta contro di sé, come se fosse stata la sua aria, il suo nutrimento, il suo riparo.

Non se lo era immaginato. Come non aveva immaginato la sua preoccupazione quando era corso giù per la collina e aveva rimproverato Alec. Era stato in pena per il bambino, in pena per lei.

Nel profondo lei sapeva che il suo cuore non era freddo e distante perché non sentiva niente. La verità era che *non voleva* provare delle emozioni per un bambino di cinque anni e nemmeno per una donna con le gambe come stecchi.

Emozioni che aveva mostrato pochi istanti prima.

Di colpo si sentì più leggera. Gettandosi la treccia dietro la spalla, seguì Robert verso il campo.

15

Era tardi quando giunsero al villaggio. Robert aveva avuto bisogno di tempo per pulire e cucire la ferita e ancora di più per risistemare la sua spada e il
fodero. Gaira avrebbe voluto aiutarlo, ma lui non le
aveva permesso di toccarlo.

La strada che portava dentro il centro abitato era
larga a sufficienza per far passare i due cavalli, e in
un primo momento loro non videro altro che qualche casupola di contadini con il giardinetto intorno.
Quando il sentiero si restrinse ulteriormente, però,
le casupole lasciarono posto a edifici addossati l'u-
no all'altro.

Prendendo le redini del cavallo di Creighton e
Flora, Robert procedette lentamente in mezzo a
passanti e animali da cortile, fino a una piazza. L'e-
dificio più frequentato, un po' più alto degli altri, al
posto delle finestre aveva delle feritoie scure; le
porte erano aperte e un frastuono di voci risuonava
all'esterno.

«Questo è più di un villaggio» osservò Robert.
«Avete alloggiato qui?»

«No.» Gaira allentò la presa sulle redini. In effetti, era più una cittadina. E lei, quando era fuggita,
aveva evitato quel posto troppo affollato. Ma ora il

pensiero di poter trovare un alloggio era confortante. Nubi di tempesta filavano veloci dal nord e a loro serviva un riparo.

Lui accarezzò il collo del suo cavallo. «Credevo che foste passata di qui all'andata.»

«Non avevo tempo per riposarmi.»

Robert la fissò per un momento e si strinse nelle spalle. «È tardi. Sarà una fortuna trovare delle camere libere per la notte.»

Sollevata, Gaira disse in fretta: «Ci penso io. Nonostante conosciate la nostra lingua, siete pur sempre inglese. Nella migliore delle ipotesi ci chiederebbero un prezzo più alto, nella peggiore vi mozzerebbero la testa».

Robert rispose in gaelico: «Ma siete una donna e non è sicuro che andiate da sola».

Lei sorrise. «Non avete alcuna possibilità con quella pronuncia.»

«Ciononostante, ritengo che...»

Delle risate rumorose provennero dalla locanda. Tre scozzesi grandi, grossi e parecchio allegri ne uscirono barcollando.

Uno di loro agitò un braccio. «Oh, oh, salute. Benvenuti, benvenuti in un giorno così felice!»

Gaira rise e inclinò la testa. «Con una simile accoglienza, è davvero un giorno felice.»

Uno degli uomini inciampò e un altro lo agguantò per la vita. Quello più sobrio, ma non per questo più stabile, rispose: «Ah, ragazza, è un giorno felice grazie al vostro bel viso, ma abbiamo una grande notizia!».

«Una grande notizia!» ribadì uno dei suoi compagni.

Il cavallo di Gaira scartò. «E quale sarebbe?»

«Non avete sentito?»

«Siamo appena arrivati» spiegò lei.

«Black Robert è morto!»

129

«Morto! Morto, morto...» Lo scozzese inciampò e cadde a terra come un sacco tirandosi dietro il suo compagno.

«Moto!» Maisie batté le manine. Alec ridacchiò contro la schiena di Gaira.

I due amici non riuscivano a rialzarsi. Erano entrambi grossi come buoi e altrettanto impacciati. Lei rivolse l'attenzione all'unico ancora in piedi.

«Black Robert?» chiese.

«Non conoscete quel lurido inglese? Combatte come se fosse posseduto. Deve avere venduto l'anima al diavolo. È nero come la notte, più grande di qualsiasi scozzese e i suoi occhi ardono.... Gialli. La cosa peggiore è che si è impadronito del braccio destro di noi scozzesi, la spada a doppio taglio, e riesce a maneggiarla con solo la... punta delle dita.» L'uomo si massaggiò la grossa pancia. «Troppi bravi scozzesi sono stati sventrati da quel flagello inglese.»

«Capisco» rispose Gaira. Non sapeva cosa dire. Per essere gentile, aggiunse: «Come è successo?».

«Non lo so per certo, bella ragazza. Non c'ero. Era troppo lontano, a oriente. Quel cane del re inglese e il suo esercito erano là, e...» Ruttò. «Mi spiace dirlo... molte perdite... non ci sono stati vincitori. Ma abbiamo ricevuto delle notizie di vitale importanza. Gli uomini di Black Robert erano là, ma non lui. La battaglia è andata avanti per un paio di giorni, ma non ha mai... mostrato... la sua barba.»

«E dopo non è stato trovato?» chiese Gaira. «Sapete...» Accennò ai bambini, sperando che lo scozzese non si dilungasse in dettagli.

L'uomo ondeggiò, l'equilibrio precario. «No, nessun corpo. Ma lui non aveva mai perso... una battaglia, sapete? Se ci fosse stato, lo avrebbero visto accanto... a Re Edoardo.» Fece un largo sorriso. «È morto. Sicuro.»

I suoi compagni riuscirono finalmente a rialzarsi e si allontanarono barcollando lungo la strada.

Quello che parlava con lei fece un cenno con la testa, vacillò e il suo sguardo divenne vacuo. «Oh, oh, a casa se ne vanno!» gridò. Le rivolse un sorriso sfacciato e le strizzò l'occhio. «Non reggono la birra. Oh, proprio no.» Fece un passo, inciampò, si raddrizzò e si incamminò dietro ai suoi amici.

Gaira rivolse l'attenzione a Robert, Creighton e Flora. I gemelli osservavano gli uomini con aria rapita, ma lui era girato dall'altra parte e le sue nocche erano bianche come se stesse stritolando le redini.

Quando i tre ubriachi scomparvero, il frastuono che usciva dalla locanda li investì di nuovo. Gaira avvicinò il cavallo a quello dei suoi compagni. Protendendosi, sussurrò: «Almeno sappiamo cosa pensano degli inglesi, visto che festeggiano la morte di uno di loro. Adesso siete d'accordo che è meglio che entri io a chiedere se hanno delle camere libere?».

«Andate» rispose lui in gaelico, nello stesso tono. «Andate a vedere se c'è una stanza. Ma io parto questa sera.»

Lei sbuffò. «Ah, non c'è ragione di avere paura. Vi proteggerò io, sicuro. Dovreste restare.»

Robert alzò lo sguardo verso di lei, gli occhi fiammeggianti per un'emozione cui Gaira non riusciva a dare un nome. «No.»

Con uno sforzo, lei distolse lo sguardo. Si comportava in modo troppo strano per mettersi a discutere con lui. Senza dire una parola, gli porse Maisie e aiutò Alec a smontare.

Quando uscì dalla locanda, Robert stava tenendo le redini dei cavalli mentre Alec e Maisie ridevano e saltellavano davanti a lui per richiamare la sua attenzione. Tuttavia, lui aveva lo sguardo fisso altrove e Gaira non capì cosa stesse pensando.

Si guardò intorno nella piazza. Creighton e Flora erano dall'altra parte e osservavano il fabbro al lavoro.

Robert, le spalle curve, il viso abbassato, non guardava nessuno. Forse era innervosito dai festeggiamenti degli scozzesi. Gaira non sapeva cosa gli fosse preso, però tutti loro avevano ancora bisogno della sua protezione. Sebbene le avesse ribadito che li avrebbe accompagnati solo fino al villaggio più vicino, lei aveva sperato che cambiasse idea.

Non osava dirigersi più a ovest perché si sarebbe avvicinata troppo al castello di Busby. Per evitarlo, sarebbero dovuti andare a est e attraversare le terre dei Buchanan, ma siccome questi ultimi e i Colquhoun erano nemici dichiarati, lei non sarebbe stata la benvenuta nelle loro terre. Lui avrebbe potuto proteggerli.

«Buone notizie.» Gaira scompigliò i capelli di Alec. «L'oste dice che c'è una camera libera abbastanza grande per tutti noi. Con i bambini ci servirebbe comunque una sola stanza.»

Robert non alzò la testa.

«È troppo buio per rimettersi in viaggio adesso, e sta per cominciare a piovere» aggiunse lei.

Finalmente lui si girò a guardarla, il volto implacabile, i lineamenti freddi. Quasi quasi Gaira preferiva la rabbia di prima, o almeno la sua ruvidezza. Questo era un Robert che non conosceva.

«Partirò alle prime luci» dichiarò. «Dovrete procurarvi da sola le provviste. Non mi tratterrò più a lungo.»

Ecco, era il momento peggiore per chiedergli un favore, ma del resto lei da settimane stava vivendo i momenti peggiori possibili. «Avrò lo stesso bisogno del vostro denaro. Io non ne ho.»

«L'avrete.» Le sue labbra si incurvarono un po- co, ma non per allegria. «Non è forse la ragione per cui mi avete convinto a fare questo viaggio?»

La derideva. Come poteva spiegargli che aveva pensato al denaro solo dopo che si erano messi in viaggio? In realtà erano il suo cavallo e la sua pro- tezione che le interessavano. A disagio, rispose: «Non ho...».

Nello stesso istante, Robert disse: «Perdonate- mi». Afferrò la mano di Maisie e la tirò su da terra. «Non volevo mettervi in imbarazzo.»

Aveva chiesto scusa. Non era da lui. Gaira non lo capiva. Se lui avesse mostrato prima quella fred- dezza glaciale, non gli avrebbe mai chiesto di ac- compagnarli. Sembrava più pericoloso di quanto lei avesse potuto immaginare. In quel momento non riusciva a credere di poterlo desiderare... figuria- moci baciare. Le sue guance si colorirono.

Da quando erano arrivati al villaggio, lui aveva tenuto un comportamento strano, ma doveva am- mettere che anche lei agiva in modo insolito da quando lo aveva incontrato. Aveva desiderato e ba- ciato un estraneo, chiedendo la sua protezione e il suo denaro. Volendo... *lui*.

«No, sono io che devo scusarmi» dichiarò. «Non avevo davvero intenzione di...»

«Basta» la interruppe. «Questo viaggio è costel- lato di azioni e reazioni involontarie. Vediamo cosa ci offrono.»

Nel momento in cui aprirono la porta, l'oste si fe- ce loro incontro. Gaira afferrò la mano di Alec e si rivolse all'uomo panciuto. «Siamo pronti, se lo sie- te anche voi.»

«Sì, ragazza, mia moglie ha preparato il letto per voi e io troverò un riparo per i cavalli sul retro.»

Gaira chiamò Creighton e Flora e insieme seguirono il locandiere. I suoi occhi dovettero adattarsi alla luce fioca mentre l'uomo li precedeva in mezzo ai tavoli e ai clienti che schiamazzavano nella sala dalle pareti imbiancate a calce.

La stanza era dietro la sala. Un ambiente semplice, quasi rozzo, con un caminetto basso, un letto e uno sgabello minuscolo. Di spazio proprio non ce ne era.

Lei aveva accettato di prendere la camera perché l'oste le aveva assicurato che era abbastanza grande per loro. Invece nel letto avrebbero potuto stringersi a malapena due persone, certo non sei, e dalle pareti sottili filtravano le voci.

Anche se avesse messo i bambini nell'unico letto, lei e Robert non avrebbero avuto un posto per dormire. C'era spazio sufficiente per una sola persona davanti al fuoco. Poteva essere adatto per una coppia sposata, ma non per un uomo e una donna quasi estranei. Impossibile stare lì.

16

Girandosi, Gaira si fissò un sorriso luminoso sul volto. L'oste e Robert non avrebbero capito il suo improvviso ripensamento. I suoi sentimenti per quell'uomo erano troppo confusi per sostenere la prova di una vicinanza forzata in uno spazio tanto ristretto. E se avesse fatto qualcosa di stupido, come per esempio... desiderarlo di nuovo?

Lo schianto di un tuono la fece sobbalzare e gli scrosci di pioggia cancellarono il suo sorriso. La tempesta li aveva raggiunti. Non poteva portare fuori i bambini.

Robert, almeno, sarebbe stato felice di avere un riparo per la notte. Non gli piaceva bagnarsi. Per poco non si mise a ridere pensando alla segreta debolezza dell'inglese.

Si sforzò di sorridere all'oste. «Non abbiamo ancora mangiato. Avete del cibo?»

«Sì, montone marinato nella birra e pane.»

Gli sorrise di nuovo, sincera e grata questa volta. «Allora montone e pane per tutti.»

«E miele!» cinguettò Alec.

«E birra» rincarò Robert.

Gaira gli lanciò un'occhiata, ma lui la ignorò. Allora si rivolse all'oste. «Avete per caso del miele?»

«Birra sì, ma niente miele.»

«Il vostro stufato sarà di sicuro delizioso e prendiamo la birra. Grazie.»

L'oste aprì la porta. Grandi risate e chiacchiere sguaiate riempirono la stanza.

Gaira aspettò prima di voltarsi verso Robert. «Avete parlato!»

«Non è la prima volta, sapete?»

Lei si mise le mani sui fianchi. «Credevo fossimo d'accordo che non avreste aperto bocca.»

«Non potevo correre il rischio che non ordinaste della birra per me.»

«Vale la pena rischiare la vita per della birra?»

«In certi casi.»

«Adesso?» Non credeva alle sue orecchie. «*Adesso* è uno di quei casi?»

«Essere chiuso in una stanza con quattro bambini che dormono e voi, Gaira, richiede che io mi inebetisca con l'alcol» replicò lui. «Spero solo che l'oste ne porti a sufficienza.»

Busby non credeva alla sua buona sorte. Proprio quando pensava di stare sprecando il suo tempo a bere in quella locanda per far riposare il suo ronzino, aveva visto entrare lo scopo del suo viaggio.

I capelli rossi erano inconfondibili. Un uomo avrebbe potuto usarli come faro nella più nera notte scozzese. Ma il resto di lei era così diverso che dovette osservarla bene quando entrò per la seconda volta nella sala prima di essere sicuro.

Era ancora troppo alta e secca e zoppicava un po'. Strano, non ricordava che zoppicasse. Ma non era quello che la faceva apparire diversa. Era il suo viso, non più rosso e gonfio, bensì affilato, ben disegnato, e i suoi occhi... non erano affatto brutti. In effetti non sarebbe stato tanto male portarla a letto.

Bene. Fortuna e destino erano dalla sua parte. Il

destino aveva fatto sì che la sua promessa sposa entrasse proprio in quella locanda, e la fortuna che lui fosse in un angolo abbastanza buio perché la rossa non lo vedesse, mentre parlava fitto fitto con l'oste.

Ma a quanto pareva, il destino aveva in serbo un'altra sorpresa. Lei non era sola. Quattro bambini e un uomo la seguivano come anatroccoli con la protettiva madre.

Busby tenne gli occhi sull'uomo, che si muoveva con sicurezza. Camminava a capo chino, ma i suoi occhi scrutavano guardinghi la sala. Lui non temeva di essere riconosciuto perché non lo aveva mai visto prima.

Tenendo il boccale davanti al volto, li guardò andare verso le camere sul retro. Quando la porta si aprì di nuovo, lui girò per precauzione la testa, ma ne uscì solo l'oste.

Ordinò allora un'altra birra e attese. Il locandiere prese del cibo e si diresse verso il retro.

Quindi il gruppo di Gaira avrebbe trascorso lì la notte ma non avrebbe cenato nella sala. Tanto meglio per lui. La fortuna aveva pareggiato i conti.

L'unica sua preoccupazione era l'uomo con la spada. Anche se non era grande e grosso come lui, poteva essere ugualmente pericoloso.

Busby non voleva correre rischi. Avrebbe usato l'elemento sorpresa. E avrebbe vinto, per se stesso e per i suoi figli.

Al pensiero dei figli, provò la familiare fitta di orgoglio. Non poteva deluderli. Avrebbe preso la ragazza e le avrebbe dato una lezione perché non voleva essere la loro madre. I marmocchi che aveva al seguito non erano una sua responsabilità e la loro sorte non lo riguardava. Il suo obiettivo era lei.

Pienamente soddisfatto della piega presa dagli eventi, bevve un lungo sorso dal boccale. Ora che lei era lì, non aveva più bisogno di inseguirla. Doveva solo catturarla e uccidere chiunque si fosse messo in mezzo.

«Lo stufato era squisito» disse Gaira ad alta voce per farsi sentire sopra il rumore della pioggia che martellava sul tetto. «Il locandiere deve avere usato un goccio di idromele per dargli il tocco finale.» Si avvicinò allo sgabello e guardò Robert, poi girò sui tacchi e cominciò a camminare verso la parete di fronte. «Mi sarei aspettata che avrebbe reso lo stufato troppo dolce, invece era buonissimo.»

Lui si appoggiò alla porta e bevve un sorso di birra.

«L'oste deve avere aggiunto l'idromele dopo che Alec ha chiesto il miele» proseguì Gaira. «O secondo voi cucina il piatto sempre in questo modo?»

Robert fece roteare la birra nel boccale, ma non rispose.

Lei tornò allo sgabello e ci girò attorno. «Questa serata non passerà più in fretta se restate sempre zitto.»

L'inglese si strinse nelle spalle. «È più facile.»

Gaira si mise le mani a pugno sui fianchi. «Cosa è più facile?»

Lui guardò con intenzione i quattro bambini che dormivano nel letto. Quando riportò lo sguardo su di lei, i suoi occhi indugiarono sulle labbra, sui seni, sui fianchi e poi lentamente, molto lentamente, scesero giù fino alle gambe.

Gaira avvertì il percorso del suo sguardo su di sé, più efficace di una lunga spiegazione. «Oh!»

Lui bevve un altro sorso.

«Perché non andate fuori a bere?»

«Me lo sto chiedendo anch'io.»

Lo guardò perplessa. Non capiva perché non volesse uscire dalla stanza.

«Siete allo stesso piano degli uomini là fuori»

spiegò infine lui. «Questa porta non ha la serratura. Se esco da qui, gli uomini nella sala la vedranno come una sfida e sono troppo ubriachi per capire che non dovrebbero combattere con me. Perciò resto qui e, quando mi riposerò, lo farò con la schiena appoggiata contro l'uscio.»

Lei studiò il suo viso, imperscrutabile, e notò che la sua schiena era ben dritta, nonostante tutta la birra che aveva ingerito. Nessuno dei due si era seduto sullo sgabello. Lei aveva preso a camminare avanti e indietro, lui si era appostato presso la porta.

Eppure non stava fermo. Ogni qual volta Gaira gli passava vicino, si spostava. Un passo di qua, un passo di là, ma lo scopo era sempre tenere le distanze da lei.

Ecco la conferma che l'inglese provava dei sentimenti. Lo sguardo arrogante che aveva lanciato al suo corpo era stato una difesa. Un modo per metterla in difficoltà, per ispirarle cautela.

E lei era stata cauta. Per un attimo.

Ma forse a causa della pioggia battente, o per le risate degli uomini là fuori, o magari perché le sembrava di avere troppa energia per quella stanza tanto piccola, la prudenza si dissolse.

Fece un paio di passi verso di lui. Stava per porre un'altra domanda. Ma Robert si era comportato in modo strano da quando erano arrivati in città e lei doveva sapere. Forse lui aveva dimenticato il bacio, mentre lei non ci riusciva.

L'inglese non si mosse, ma abbassò il boccale tenendo gli occhi fissi su di lei.

La luce del fuoco metteva in risalto i suoi bei lineamenti. Si era rasato la barba e tagliato i capelli. Cose tanto semplici e che tuttavia avevano notevolmente trasformato il suo aspetto. Gli occhi, che già lei trovava irresistibili, non erano più nascosti dietro i ricci indisciplinati; le guance e la mascella erano forti e squadrate; una guancia era punteggiata di cicatrici piatte e solo un po' più chiare della sua pelle. Ce ne erano tante e proseguivano sotto la tunica, ma non nascondevano quello che la barba aveva celato.

Robert di Dent era un bell'uomo.

Da quando era tornato dal fiume, lei lo aveva guardato più volte di sottecchi. Non poteva farne a meno. Se per qualche inspiegabile motivo prima era stata attratta da lui, ora, con i lineamenti bene in vista, ne era... ammaliata.

Fece un altro passo avanti e lui cominciò la manovra per allontanarsi.

Era diffidente. Lei fu sul punto di sorridere. «Cos'è che vi fa tanta paura?»

La sorpresa balenò solo per un istante nei suoi occhi. «Credevo di avervelo spiegato» rispose.

Fece un altro passo avanti. «No, non siete preoccupato per gli uomini di là nella sala. C'è qualcos'altro.»

«Nient'altro» negò lui.

Gaira non riuscì a controllare quella parte curiosa o sciocca del suo cuore che la spingeva a rischiare. «Sono io.»

Vide il gesto brusco della sua mano prima che Robert si portasse di nuovo il boccale alle labbra per celare quello scatto rivelatore. Bevve un lungo sorso vuotando il boccale e lo abbassò. «Sì, ci siete voi e i bambini e questo dannato viaggio nel quale mi avete coinvolto.»

«Sareste stato dannato se non foste venuto.»

«Continuate a dimenticare che io domani mattina me ne andrò.»

«Non penso ad altro. Avevo sperato...» Si interruppe, incerta se fargli quella domanda. D'altronde, era necessario. «Avevo sperato che sareste venuto con me e i bambini fino a destinazione.»

Lui sembrò sbalordito. Anzi, terrorizzato. La sua reazione le fece male. Forse non era il momento di domandarglielo, ma le circostanze esigevano che lo facesse di nuovo.

Gaira sollevò il mento. «Aspetterete almeno fino a quando mi sarò procurata tutto quello che ci serve?»

Robert si chinò e depose il boccale sul pavimento accanto alla porta. «Un'ora in più o in meno a questo punto non cambierà niente. Il danno è fatto.»

Si voltò a guardare i bambini. Erano tutti raggomitolati, tranne Alec che, in mezzo, era sdraiato con le braccia spalancate, una sulla faccia di Maisie, l'altra sul petto di Creighton. Dormivano sapendo che erano al sicuro. Robert, sia pure a malincuore, garantiva la loro sicurezza.

«Non vedo alcun danno» osservò Gaira.

«No, non potete vederlo.» Ora fu lui a fare un passo avanti. «Ma non avete mai chiesto se mi avrebbe arrecato qualche danno aiutarvi in questo viaggio, vero?»

Il rimorso la investì. Lui rischiava la vita addentrandosi tanto in terra scozzese, questo lo sapeva, ma non aveva previsto che il viaggio avrebbe potuto danneggiarlo in qualche altro modo. E come? Era solo uno delle migliaia di soldati che combattevano per Re Edoardo.

Lei invece era quella che doveva portare in salvo i bambini attraverso territori ostili. Era legittimo chiedere il suo aiuto. Il rimorso venne rapidamente sostituito dalla frustrazione. «Vi ho chiesto di venire solo per la nostra sicurezza.»

«Sì! Eravate preoccupata per la *vostra* sicurezza, per quello che faceva comodo a *voi*» proseguì l'inglese. «E che io sia dannato per aver ceduto al senso di colpa.»

141

La rabbia la sopraffece, cancellando anche la frustrazione. Come osava parlarle in quel modo! «Non è vero! Ritornando dai miei fratelli, sono io che dovrò soffrire!»

Gli occhi scuri si socchiusero. «Cosa significa?»

Maledetti il suo temperamento e la sua lingua lunga. «Niente.»

«In che razza di pericolo ci avete messo portandoci qui, Gaira?»

Lei assunse un'aria risentita. «Non ho messo in pericolo né voi né i bambini.»

«E voi?»

Si girò, ma non poteva andare da nessuna parte e non c'era modo di eludere la domanda. «I miei fratelli potrebbero non essere felici di vedermi quando arriverò a casa.»

«Come mai?»

Oh, non voleva raccontargli quella verità umiliante, ma era una pessima bugiarda. «Sono scappata per raggiungere mia sorella.»

«Perché?» insistette Robert.

Odiava la sua tenacia. «Cosa importa?» Si voltò verso di lui. «La cosa riguarda me, non voi. Come continuate a ripetere, partirete domani mattina per la vostra preziosa Inghilterra.»

«Ho dei motivi per tornare.»

«Dei segreti, volete dire. Perché mi tormentate affinché vi dica tutto, quando in realtà voi nascondete chissà cosa?»

«Dobbiamo discuterne di nuovo?» Robert sembrava esasperato. «Credevo non importasse chi sono e quali obblighi ho, ma solo che mi mettessi a vostra completa disposizione.»

Il tono neutro non celava la sua rabbia. Ma la sua rabbia non era paragonabile a quella che animava lei in quel momento, che rotolava schiumando come le onde del Clyde.

«Io...» Si indicò il petto, sussurrando, la voce resa aspra dalla voglia di urlare. «... farei qualsiasi cosa per portare al sicuro questi bambini. Anche chiedere aiuto a un inglese rozzo e assassino di scozzesi!» Fece un passo avanti e lo fissò nei profondi occhi marroni. «Non ve l'ho chiesto perché volevo la vostra compagnia. L'ho chiesto perché il destino, Dio o il diavolo non mi hanno dato altra scelta.» Fece un respiro profondo. «L'ho chiesto a voi perché nessun altro è passato da là!»

Il ritmo del respiro di lui cambiò, gli occhi si offuscarono fino a diventare di un nero terribile e nelle loro profondità il calore lottò con la rabbia.

«Sì, sono passato da là.» Si avvicinò, abbassando la voce. «Sì, ho accettato. Dio sa che non seguirò mai più un simile impulso in futuro. Mi è già costato troppo.»

«Non parlatemi di quanto è costato.» Voleva fare quel passo che li separava per poterlo colpire. «Ho pagato il doppio di qualsiasi prezzo sia toccato a voi. La morte di Irvette e prima ancora il...»

Si interruppe, trattenendosi prima di dire troppo. Le bastava il pensiero della sorella per alimentare il suo bisogno di fare male, di pugnalare, di liberare l'improvvisa frustrazione.

Gaira vide gli occhi di lui percorrere in fretta i suoi lineamenti e cogliere le sue emozioni represse.

«Non fate un altro passo» le disse, il respiro irregolare.

Lei comprese che la rabbia non riusciva più a tenerlo fermo. Il desiderio aveva vinto e lo stava consumando.

Le aveva chiesto di non fare un altro passo, ma lei sapeva che il calore avrebbe sprigionato i suoi sentimenti. E *voleva* sentire quel calore.

«No» le ordinò con asprezza. «Qualunque cosa proviate in questo momento, non dategli seguito.

Quel poco di controllo che ho mi tiene inchiodato qui, ma svanirà se farete anche solo il gesto di protendervi verso di me. Nemmeno i bambini farebbero differenza.»

I bambini.

Gaira indietreggiò barcollando. «Io non volevo dire...»

«Non parlate!» Lui lasciò uscire il respiro quasi con violenza e si strofinò la nuca. «Avete fatto bene a chiedere il mio aiuto.» Abbassò il braccio. «Sono io che devo scusarmi. Non ho il diritto di essere arrabbiato o di farvi sentire in colpa per decisioni che sono soltanto mie.» Allungò la mano per toccarle il volto, ma poi chiuse le dita e la lasciò ricadere lungo il fianco. «Non volevo farvi del male. Avete perso molto a causa di una guerra che non avete voluto voi.» Fece un sorriso ironico. «Io, almeno, dovrei pagare il fio delle mie azioni. Se questo significa fare in modo che voi e i bambini abbiate ciò che vi occorre per il resto del viaggio, così sia. Non proseguirò con voi, ma aspetterò che abbiate acquistato tutti i rifornimenti.»

Gaira non poteva restituirgli il sorriso, ma si sforzò di assumere almeno un tono leggero. «Non datevi pena, inglese, approfitterò della vostra borsa. Ho grandi progetti per l'acquisto di un bel destriero per Alec.»

17

Era ancora buio quando Gaira fu svegliata da suoni leggeri e soffocati che provenivano dal letto.

Si mosse e le sue gambe sfregarono contro qualcosa di molto più grosso e irsuto. Raggelò. Si era addormentata accanto al fuoco prima di Robert, ma ora gli era abbastanza vicino da toccarlo; i suoi piedi erano caldi e appoggiati a quelli di lui.

Un altro suono leggero la distrasse dalla sensazione della pelle di Robert contro la sua.

Si spostò lentamente per non svegliarlo. Quando vide che rimaneva immobile, si alzò dal pavimento e andò senza far rumore da Flora, i cui singhiozzi erano diventati più tremuli.

Gaira si inginocchiò accanto al letto e le mise la mano sul braccio. «No, non trattenere le lacrime» le sussurrò. Avrebbe voluto abbracciarla e tenerla stretta, ma così avrebbe svegliato gli altri bambini. «Tirarle fuori aiuta.»

Flora si girò. Dalla finestra entravano i raggi sottili dell'alba e Gaira poté vedere che i suoi occhi erano bagnati e cerchiati di rosso; le occhiaie nere disegnavano un'ombra sulle guance pallide.

La bambina tirò su con il naso. «Non vi ho mai sentito piangere.»

Lei non sapeva come rispondere. Non aveva pianto per la morte di sua sorella, neppure una volta. Il dolore al petto non glielo permetteva. Ma Flora aveva bisogno di vedere il suo dolore, di vedere che anche Gaira aveva amato e perduto, esattamente come lei.

«Io soffro, Flora. Ma non lo dimostro perché il dolore è bloccato qui.» Si strofinò il petto, sul cuore. «Non ho voluto ferire voi bambini con la mia sofferenza, così non ne ho parlato. Ma credo che non sia stata una buona idea, dopotutto.»

Gli occhi di Flora cominciarono ad asciugarsi e in quel momento Alec e Maisie si mossero. Anche loro stavano ascoltando.

Gaira scostò le sottili ciocche di capelli incollate alle guance e alla fronte della bambina. «Mi manca molto mia sorella, Flora, e immagino che anche tu senta la mancanza dei tuoi genitori.»

«Io... sì.»

Il fruscio di qualcosa che si stiracchiava unito a un rumoroso sbadiglio dietro di lei la informò che anche Robert si era svegliato. Si chiese da quanto tempo fosse in ascolto.

Gaira alzò gli occhi al cielo e Flora ridacchiò.

Rialzandosi, si voltò a guardarlo. «Buongiorno, Robert.»

«Ho disturbato tutti?»

«No. Stavo appunto svegliando i bambini.» Gaira sollevò Maisie. Alec balzò in piedi con la solita vivacità, colpendo Creighton al petto con il gomito quando saltò fuori dal letto.

«Creighton, è ora di alzarsi.»

Il bambino non rispose. Aveva ancora la coperta tirata sopra la testa.

Gaira, con in braccio una Maisie molto assonnata, marciò dalla sua parte di letto. «Creighton, anche per te è ora di svegliarsi.» Baciò Maisie sulla testa e la mise giù con attenzione prima di allontanare con forza la coperta dalla spalla del bambino.

Un movimento improvviso e violento la sorprese. Il braccio la colpì dritto al basso ventre, ma lei non riuscì a muoversi e scostarsi. Creighton non si fermò e continuò ad agitare i pugni in aria. Prima di fare qualcosa Gaira doveva riprendere fiato, ma i pugni del ragazzo volavano verso di lei e così cercò di indietreggiare.

Fu Robert a reagire. Con due rapidi passi, sollevò il bambino dal letto e, bloccandogli le braccia, lo tenne contro il suo petto. Creighton aveva nove anni e il suo corpo stava già diventando quello di un ragazzo, ma accanto a Robert sembrava piccolo come Maisie.

Sempre muto, gli occhi sfocati, continuava a dimenare i pugni, le braccia e i piedi.

Quando il dolore si attenuò abbastanza, Gaira si raddrizzò. Flora le stava aggrappata, Alec era accasciato sul pavimento, Maisie piangeva, ma lei poteva solo stare a guardare.

Robert canticchiava una canzone mentre riceveva i pugni di Creighton nella schiena e i suoi calci negli stinchi. Gaira non riconobbe il motivo, ma la sua voce era confortante e la melodia ripetitiva.

Quando il bambino finalmente si svegliò, pugni e calci si fermarono subito, ma la rabbia arse nei suoi occhi quando si rese conto di dove si trovava. Spinse con tutte le forze per liberarsi dalle braccia dell'uomo.

Lui lo mise giù immediatamente e Creighton si sistemò i vestiti. Robert non gli disse nulla né guardò Gaira. Semplicemente, andò alla porta e mise la mano sulla maniglia per aprirla.

«Vado a vedere cosa hanno per colazione.»

Quando la porta si richiuse, Maisie piangeva ancora e lei si precipitò a calmarla. Flora dava dei timidi colpetti sulla schiena del gemello. Creighton non stava guardando nessuno di quelli che si trovavano nella stanza e Gaira non sapeva cosa dirgli. Ma non poteva stare zitta.

«Ero io, Creighton. Non intendevo svegliarti di soprassalto. Tu stavi dormendo. Tutti sanno che non eri cosciente di quello che facevi.»

Lui alzò lo sguardo. I suoi grandi occhi azzurri erano colmi di rimorsi, ma non disse nulla.

Lei asciugò il viso di Maisie e le diede un rapido abbraccio prima di mettersi in ginocchio davanti a Creighton e Flora.

«È un viaggio difficile per tutti noi e, dato ciò che abbiamo passato, non c'è da stupirsi. Avremo bisogno di un po' di tempo.»

Flora appoggiò la testa sulla spalla del fratello, il quale annuì. Non era esattamente una risposta affermativa, ma era qualcosa. Gaira sperava solo che con il tempo tutti loro sarebbero guariti.

«Sapete cosa c'è di straordinario?» Rivolse ai bambini un largo sorriso complice. «Chi avrebbe mai detto che quel burbero inglese sapeva cantare?»

Gaira raccolse tra le braccia i vari pacchi e si diresse verso l'ombra degli alberi accanto alla locanda. Il sole della tarda mattinata stava asciugando rapidamente il terreno bagnato e l'aria era calda e densa di umidità. Non vedeva l'ora di mettersi in viaggio per respirare una brezza più fresca.

Robert stava sistemando i finimenti del nuovo cavallo. Lei depose a terra i fagotti e spostò la treccia dietro la spalla.

«Con i soldi che mi avete dato ho comprato gallette sufficienti per tre viaggi.»

«Vi servirà anche della carne fresca. Ma le provviste secche saranno utili.» Guardò i bambini che accarezzavano il nuovo cavallo e gli parlavano. «Sembra che l'acquisto sia stato approvato.»

Anche se era stato maltrattato dal precedente proprietario, l'animale era il più mansueto che lei avesse mai visto. Perfino Flora aveva scordato i suoi timori e lo accarezzava sul muso vellutato.

Gaira sorrise. «Per noi è più che sufficiente. Credo si renda conto che sta per essere trattato come un cucciolo.»

Robert continuò a sistemare le borse. Lei amava i movimenti sicuri e leggeri delle sue mani.

L'animale scartò nervosamente quando lui tirò. «Non credo che voi gli piacciate, tuttavia.»

Lui si voltò. «Non ce n'è bisogno. Deve fare soltanto il suo dovere.»

Tipico di quell'uomo dire una cosa del genere. «È un cavallo» puntualizzò lei.

«Ciascuno di noi è qualcosa.» Si spostò per occuparsi del suo destriero. «Questo non esclude che dobbiamo fare il nostro dovere.»

E così, semplicemente, il fiume rivelava qualcosa dei suoi fondali. Gaira finalmente cominciava a capire qualcosa di ciò che muoveva Robert, di ciò che faceva di lui l'uomo che era. Aveva parlato di dovere, ma lei aveva intuito che non c'era soltanto quello.

Ormai il tempo stava per scadere. Lui non aveva accettato di accompagnarli oltre, invece era necessario. Forse, solo forse, se avesse capito meglio le sue motivazioni, sarebbe riuscita a convincerlo. Perché quello che muoveva lui, muoveva anche lei.

«È per questo che siete venuto qui?» lo interrogò. «Ed è per questo che state per lasciarci? Per dovere?»

Lui fece un paio di passi per allontanarsi dal cavallo e dai bambini. «È quello che guida le azioni della maggior parte degli uomini.»

«Ma non voi» obiettò Gaira. «Oh, si vede nelle cure che dedicate alle vostre armi e al vostro cavallo, ma non spiega perché siete venuto a Doonhill, perché ci avete aiutato, o perché adesso ve ne andate.»

I suoi occhi erano diventati diffidenti. Lei si stava avvicinando alla verità. Lo sentiva.

Un grido forte e gutturale infranse la pace della piazza.

Gaira, sorpresa, guardò oltre le larghe spalle di Robert e urlò.

Lui si girò di scatto e d'istinto si accucciò. Appena in tempo per schivare la spada che sibilò nell'aria sopra la sua testa.

Lei sentì le ginocchia molli. Non si era chinata e la punta della spada le era passata molto vicino.

«Prendete i bambini!» le gridò Robert.

Lei si mise a correre. I bambini, in piedi dietro i cavalli, non avevano visto niente. Li spaventò afferrandoli per allontanarli da lì.

E da Busby di Ayrshire.

Avrebbe riconosciuto ovunque quel gigante.

Il suo promesso sposo li aveva trovati. E voleva uccidere Robert. I suoi occhi azzurri sprizzavano collera e aveva i capelli neri irti sulla testa. Stava facendo oscillare di nuovo la spada.

Robert era disarmato. Spostandosi in fretta per proteggere lei e i bambini, si era allontanato dai cavalli e dalle sue armi.

Non aveva alcuna possibilità di cavarsela.

Gaira strinse il braccio di Creighton perché la ascoltasse. «Rimani qui!»

Correndo al cavallo dell'inglese, guardò le due spade nei loro foderi e tirò la più grande. Era bloccata.

Un altro urlo di rabbia di Busby... seguito da un breve grido di Robert. Oh, Dio, era già morto? Non riusciva a estrarre la sua spada. E non aveva il coraggio di voltarsi a guardare. Tutta la sua concentrazione era sull'arma.

Tirò di nuovo. Il fodero oscillò, ma la spada era saldamente conficcata nella guaina di cuoio.

All'improvviso Creighton apparve accanto a lei e le sue dita sciolsero in fretta il laccio del fodero. La spada cadde con fragore a terra. Il cavallo batté gli zoccoli per il movimento improvviso, ma lei non esitò a lasciarsi cadere in ginocchio lì accanto.

Con le dita tremanti tirò fuori l'arma pesante. Un po' trascinandola, un po' sollevandola, si voltò verso i due uomini che combattevano.

E subito desiderò di non dover guardare.

Robert stava lottando per salvarsi la vita. Lei non aveva nemmeno visto il pericolo arrivare. Un momento stavano sellando i cavalli e quello successivo aveva scorto Busby che usciva dal boschetto accanto a loro.

Robert aveva impugnato un grosso ramo, ma come arma era troppo corto e come scudo praticamente inutilizzabile. Il suo avversario era già riuscito a spaccarlo facendolo diventare ancora più piccolo.

Questi le voltava la schiena, ma Robert vide lei e la spada. Un lampo di trionfo gli balenò negli occhi. Lei non era altrettanto certa di poter esultare. Non sapeva come fare ad avvicinarsi a lui, perché Busby si frapponeva tra loro, brandendo la spada con tutta la sua forza.

Robert fece una finta in basso a destra. L'altro alzò la spada per rotearla, dandogli l'occasione per tuffarsi verso Gaira, ma tra loro c'era troppa distanza e Busby si stava già riprendendo dal colpo non andato a segno. Lei allora spinse la spada davanti a sé con tutte le forze e Robert atterrò, afferrando la lunga elsa con entrambe le mani.

Il grido di euforia di Gaira venne interrotto da un ansito di paura.

Busby era ormai sopra il suo avversario. La sua spada, impugnata con entrambe le mani, si sollevò per colpirlo.

Robert era ancora sdraiato bocconi. Girandosi agilmente, riuscì a bloccare il movimento dell'arma. Lo scontro delle lame echeggiò nella piccola piazza.

Busby era in vantaggio e caricò il colpo con tutto il suo notevole peso. Robert oscillò da una parte all'altra per terra con l'intenzione di fargli perdere l'equilibrio, ma non funzionò e lui cominciò a tremare.

In quella posizione non poteva fare forza. E come avrebbe fatto a rotolare via abbastanza in fretta dalla spada incalzante dell'altro?

Senza riflettere, lei urlò e cominciò a saltare su e giù, sperando di distrarre Busby. Questi si girò subito a guardarla e Robert ne approfittò per rotolare via. L'altro, perdendo l'equilibrio, cadde in avanti con tutto il peso.

L'euforia di Gaira salì alle stelle, ma poi si sgonfiò quando Busby si rialzò e si voltò per affrontare Robert.

Ora però lui era pronto.

Benché fosse grande e grosso, era più basso del suo enorme avversario di tutta la testa. Ma avevano spade uguali per lunghezza e larghezza. Entrambi le impugnavano con tutt'e due le mani. Lei le osservò meglio. Erano *claymore*, spade scozzesi.

Infuriato, Busby riprese a menare fendenti per uccidere, la sua mira imprecisa come un martello, ma altrettanto implacabile.

Robert parava, affondava, bloccava le mosse dell'avversario. Piegato sulle gambe, si muoveva continuamente per mantenere la distanza dall'altro.

Funzionava. La maggior parte degli attacchi di Busby colpiva soltanto l'aria. Se incontravano la spada di Robert, questi riusciva a respingerlo.

Era davvero abile con la *claymore*. Gaira aveva avuto dei problemi a sollevarla, lui invece la faceva danzare. Usava velocità ed equilibrio come arma per contrastare la mole e la forza di Busby. I suoi piedi restavano vicini a terra e il terreno fangoso era per lui un'ulteriore arma.

Gaira aveva tre fratelli che si esercitavano tutti i giorni. Avevano la fama di spadaccini abili e forti, eppure lei non aveva mai visto un uomo combattere come Robert.

La spada era come un prolungamento del suo corpo, i suoi movimenti fluidi. Lui usava l'abilità, Busby la forza.

Cosa dicevano i suoi fratelli? *La forza finisce sempre per esaurirsi, l'abilità mai.*

Robert, vestito come al solito di nero, era come l'ombra del suo avversario.

Non c'era alcun dubbio che fosse un formidabile guerriero inglese.

Gaira sussultò come se improvvisamente fosse stata immersa nell'acqua gelida.

Nero. *Claymore*. Robert. Guerriero.

Le sue gambe cedettero di colpo e lei rischiò di cadere. Si guardò intorno. Era stata così preoccupata per Robert che non si era accorta della folla che si era radunata. Riconobbe le facce dell'oste e del fabbro. C'erano anche i tre scozzesi che avevano parlato con loro il giorno prima, quelli che avevano festeggiato la morte di Black Robert.

Prendendo un profondo respiro per calmarsi, cercò con gli occhi i bambini, che si erano seduti per terra e non guardavano. Se anche lo avessero fatto, non avrebbero comunque potuto giungere alle sue stesse conclusioni.

C'era da dire che non doveva più preoccuparsi per la sicurezza di Robert.

Perlomeno, non doveva temere niente da parte di Busby.

Ma erano nel centro della cittadina, circondati da orde di scozzesi che odiavano gli inglesi e in particolare uno di loro che credevano morto.

Si chiese come avrebbero fatto a lasciare la città senza che gli abitanti si rendessero conto di quello che avevano sotto gli occhi.

Black Robert era vivo.

18

❖

Il suo avversario cominciava a stancarsi. Il braccio che teneva la spada iniziava a incurvarsi e lo spostamento del peso da una gamba all'altra era più pronunciato. Robert usò più volte la spada per ferirlo alle gambe. I tagli non erano sufficienti a farlo cadere, ma lo indebolivano facendogli perdere sangue.

Robert era concentrato sulla propria forza. Non poteva permettersi di sbagliare. Era molto più abile di quel gigante, ma sarebbe bastato un passo falso, un errore di valutazione, e sarebbe stato ucciso.

Allora Gaira e i bambini non avrebbero più avuto nessuno a proteggerli.

Non aveva nemmeno provato a ricondurre alla ragione l'uomo che stava cercando di ridurlo a brandelli. Chi fosse e da dove venisse restavano un mistero. Magari era semplicemente uno pieno di rancore per una vecchia battaglia, oppure aveva scoperto che lui era inglese. Non lo sapeva e non se ne curava. Dopo la sua prima battaglia, Robert aveva smesso di guardare in faccia i suoi avversari. In quel modo uccidere diventava più facile.

Lo ferì di nuovo a una gamba. L'uomo inciampò. Era l'occasione che aspettava. Robert si lasciò ca-

155

dere a terra e conficcò la spada in profondità nei suoi stinchi, facendogli perdere l'equilibrio, poi con un'agile torsione si sollevò e gli tagliò il collo, in un unico movimento fluido. Infine rotolò via per evitare che il cadavere gli cadesse addosso.

Si rialzò in piedi. L'ultimo sforzo lo aveva lasciato senza fiato e dovette asciugarsi il sudore per poter vedere.

Tutto attorno c'era una gran ressa. Dov'erano Gaira e i bambini? «Qualcuno conosce quest'uomo?» domandò.

Gli astanti lo fissarono. Nessuno piangeva, o urlava, o gridava all'assassinio. Alcuni scossero la testa, ma nessuno parlò, nessuno si fece avanti.

O erano spaventati o il morto era un estraneo anche per loro. Robert guardò l'uomo con il sangue che gli scorreva dalla ferita al collo. Si era battuto per ucciderlo. Dalla sua rabbia, lui aveva intuito che si trattava di un fatto personale, eppure non lo aveva mai visto in vita sua.

Si chinò, gli scostò la tunica e cercò un sacchetto, qualcosa. L'uomo non portava nulla.

Lo aveva attaccato a tradimento. Nessun testimone avrebbe affermato che Robert era stato in torto. Quello che avrebbero fatto del suo corpo, non gli interessava.

Asciugò la spada sulla tunica del morto. Infilando le dita nella piccola borsa attaccata alla cintura, prese qualche moneta e la gettò sul corpo. L'uomo era uno sconosciuto, ma non poteva negargli la sepoltura.

Raddrizzandosi, cercò di nuovo tra la folla fino a quando vide Gaira e i bambini molto dietro ai cavalli.

Lei era così pallida che il suo viso quasi si confondeva con le betulle che le facevano ombra. Aveva gli occhi spalancati per l'ansia, ma non lo stava guardando. Scrutava le persone che li circondavano, fissando ogni faccia come un bambino smarrito alla ricerca di un viso conosciuto tra la folla.

I presenti si divisero e mormorarono, ma Robert non ci fece caso. Attese che Gaira si accorgesse di lui, ma lei lo notò solo quando le si fermò proprio davanti. Agitata, lo prese per un braccio e tirò.

«Ro...» Si interruppe, guardandosi attorno, e abbassò la voce. «Dobbiamo andarcene. Adesso. Venite con noi. I bagagli sono sui cavalli e i bambini sono pronti.»

Sembrava traumatizzata. Il panico era inciso sulla sua fronte e intorno agli occhi; le mani che gli teneva sul braccio tremavano.

Aveva assistito al combattimento. Robert non ci aveva pensato, ma aveva ucciso. Davanti a lei. Non avrebbe dovuto permettere che vedesse quella brutta scena.

«Gaira, mi dispiace. È sbucato dal nulla. Non pensavo che voi o i bambini avreste...»

Lei tirò più forte. «Andiamocene!»

Era terrorizzata. Forse non aveva visto che il duello era finito. «Va tutto bene, Gaira. Quell'uomo è morto. I bambini sono al sicuro.»

Alzò la voce. «Lo so, lo so... Ma è per *voi*!»

Ora nella sua voce non c'era panico, bensì frustrazione. Qualcosa gli sfuggiva. «Cosa c'è che non va?»

Guardò i bambini. Creighton lo fissava come se lo vedesse per la prima volta; Flora più che spaventata sembrava pensierosa; Alec e Maisie, beatamente inconsapevoli, giocavano con dei sassolini. Nessuno di loro gli dava alcun indizio su ciò che preoccupava lei.

«Gaira?»

«Per favore, Robert, partite con noi. Adesso.» Lo strattonò di nuovo per la manica. «Quando saremo abbastanza lontano, prometto che vi spiegherò tutto.»

Un'idea terribile si affacciò alla sua mente. «Voi conoscevate quell'uomo?»

«Robert, per favore!»

Liberò il braccio con un gesto brusco. «Rispondete.»

Gaira fece un respiro profondo e si fermò. Poi annunciò precipitosamente: «Era il mio promesso sposo».

«Cosa?» ruggì lui. «Spiegatevi!»

Guardando rapidamente a sinistra e a destra, lei sibilò: «No, Robert. Non qui. Non è sicuro, stupido imbevuto di birra! Vi siete battuto con una *claymore*!».

«È la spada che mi avete gettato!»

«Ma, Robert, voi siete inglese e avete combattuto con una spada scozzese. Se io so chi siete veramente, quanto tempo credete che ci vorrà prima che questa gente giunga alla stessa conclusione?»

Seguì un silenzio assoluto. Poi Robert proruppe in un torrente di improperi.

Gaira non riusciva a calmare il cuore che le galoppava ancora nel petto. Erano fuori città, ma ancora sulla strada principale. Ogni pochi istanti si voltava indietro, sicura di sentire un fragore di zoccoli.

Non osava guardare Robert, che cavalcava con Alec in grembo. Lui non aveva più aperto bocca da quando erano montati a cavallo e il suo comportamento non incoraggiava la conversazione. Perfino il bambino se ne stava buono buono.

Da un momento all'altro lui avrebbe annunciato che le loro strade si sarebbero separate. L'unico motivo per cui era andato tanto avanti con loro era che lei glielo aveva chiesto.

Gaira si voltò indietro un'altra volta.

Il terzo cavallo permetteva loro di procedere più velocemente, ma Creighton e Flora cavalcavano per conto loro e non avrebbero potuto galoppare se gli abitanti della città avessero cercato di inseguirli. Gaira non riusciva a credere che non ci fosse un'orda di gente alle loro calcagna. Avevano appena festeggiato la morte di Black Robert.

Ma forse era una benedizione. Se avessero pensato che era vivo, chiunque lo avesse visto combattere quel giorno avrebbe capito chi era. Un soldato inglese, tutto vestito di nero, che maneggiava la *claymore* come se fosse nato per farlo.

Una risatina isterica le salì lungo la gola. Era stata in compagnia di Black Robert e non lo sapeva. Non aveva avuto alcun sospetto nemmeno quando lo scozzese ubriaco aveva dato una descrizione dettagliata di lui.

Come avrebbe potuto riconoscerlo? In quei giorni non aveva mai visto Robert usare la spada. Lui non era sembrato un guerriero, una leggenda, un assassino dei suoi connazionali, ma solo... un uomo.

Un uomo che dichiarava che la sua unica motivazione era il dovere, anche se lei sapeva che c'era dell'altro. Lui aveva seppellito i loro morti. Li aveva portati in città per comprare delle provviste. Aveva impedito che Alec si ferisse gravemente con la spada e aveva tenuto stretto Creighton mentre lottava con i suoi demoni.

Nessuna meraviglia che non lo avesse riconosciuto dalla descrizione dello scozzese ubriaco. Il suo Robert non collimava affatto con quell'immagine.

Il suo Robert.

Azzardò un'occhiata. Aveva il viso duro, gli occhi fissi davanti a sé. Non l'aveva delusa, come Busby, o tradita, come i suoi fratelli. Aveva fatto tutto quello che era possibile per aiutarli. A malincuore, certo, ma ora poteva capire la sua riluttanza, almeno in parte.

Si voltò a guardare per l'ennesima volta.

Aveva appena visto Robert uccidere il suo promesso sposo. Che Busby non le piacesse non aveva importanza. Adesso era morto e lei cavalcava con l'uomo che gli aveva tagliato il collo e ripulito la lama sui suoi vestiti. La verità più difficile da accettare era che non provava un briciolo di orrore o di repulsione per ciò che lui aveva fatto al suo connazionale. No, non al suo connazionale. A Busby, che lo aveva assalito alle spalle. Aveva attaccato da vigliacco. Semplicemente, Robert non aveva avuto scelta.

Ma che dire della sua reputazione? L'ubriaco aveva affermato che Black Robert aveva ucciso molti scozzesi. Uccideva come i soldati che avevano massacrato sua sorella? Era quello il tipo di uomo con il quale stava viaggiando?

Cercava di capire i suoi sentimenti, ma erano troppo confusi. Si guardò intorno, dimenticando per un istante dove erano diretti. Sicurezza. Doveva portarli tutti in salvo.

«Dobbiamo fermarci.»

Aveva parlato più forte di quanto intendesse. Tutti la fissarono per quell'uscita improvvisa. Niente di sorprendente; erano in viaggio da ore e nessuno aveva proferito verbo. Non che lei *volesse* fermarsi. Era ancora terrorizzata dalla possibilità che venissero catturati, ma dovevano fare una sosta: Maisie aveva cominciato a dimenarsi.

«A Maisie serve una pausa» aggiunse.

Robert condusse il cavallo sul ciglio della strada e smontò. Prese Alec e lo depose a terra, poi fece la stessa cosa con la piccolina. Infine le si avvicinò.

«Volete che vi aiuti a scendere?» le chiese.

Per quanto restia ad ammetterlo, lei comprese dal torpore delle gambe che da sola non ce l'avrebbe fatta. «Sì.»

Lui le tese una mano. Gaira la prese e sentì che era calda e callosa. Si appoggiò alle sue spalle. Quando si mosse, il dolore lancinante alle gambe le tolse il respiro.

«Avete cavalcato troppo tesa.» Robert tolse le mani dalla sua vita.

L'aria fredda le colpì i fianchi e lei avvertì la mancanza del suo tocco, ma lui rimase lì, in attesa. Sentiva il suo sudore, ma anche quel profumo che era soltanto suo. Desiderò disperatamente di poter posare la testa contro il suo petto e passargli le braccia intorno al collo. E voleva anche sentire le sue braccia che la cingevano, che la stringevano fino a cancellare tutte le preoccupazioni e lo smarrimento. Invece, si raddrizzò e fece qualche movimento con le gambe.

Senza dire una parola, Robert si diresse verso il bosco e lei rivolse l'attenzione ai bambini.

Creighton, Flora e Alec si erano già avviati nella direzione opposta. Gaira prese Maisie per mano e raggiunse una vicina radura tappezzata di erba fitta.

«Vediamo un po' cosa abbiamo qui.»

Le tolse i pannicelli e fece un sussulto esagerato, sventolandosi la mano davanti al naso. «Ah, non sapevo che avessi armi più potenti di un cinghiale!»

Ridendo, Maisie le tirò la treccia. Il cuore di Gaira si fermò. La piccola aveva la stessa risata di Irvette. Cominciava con un trillo argentino e alla fine si smorzava. La risata di Irvette. Non avrebbe mai creduto di risentirla.

La bimba si mise in bocca la punta della treccia e

Gaira si sporse in avanti, fissando Maisie, quello che restava di Irvette. La somiglianza era lì, nella forma della bocca e del mento, in quella risata inconfondibile. Una somiglianza sottile come un filo di fumo, ma Irvette era ancora lì.

Cercando di ricominciare a respirare dopo quella rivelazione, Gaira liberò la treccia e bagnò una pezzuola per pulire il sederino della piccola. La lasciò distesa nell'erba, con il culetto all'aria, mentre andava a sfregare i pannicelli contro il tronco di un albero per ripulirli sommariamente. Maisie approfittò della libertà per alzarsi e sgambettare verso gli alberi, nella direzione presa da Robert.

«Oh, no... Non ho ancora finito con te.»

La bimba corse ancora più veloce. Le sue gambe, grassocce e ancora curve, si muovevano veloci ma un po' scoordinate. Agitava le braccia e la tunichetta si sollevò, mostrando il sederino pieno di fossette.

La scena più dolce che avesse mai visto.

Senza preavviso, potenti fitte di dolore le squassarono il petto. Schiacciata da quell'assalto improvviso, Gaira cadde in ginocchio e cominciò a piangere.

Sua sorella non avrebbe più visto il sederino nudo di Maisie, né come sarebbe diventata. Lei non avrebbe mai più sentito la voce di Irvette o visto i suoi occhi dolci. Non avrebbe ricevuto i suoi consigli, anche se ora ne aveva disperatamente bisogno. Mai, mai, mai più.

Continuò a piangere anche dopo che i suoi occhi non ebbero più lacrime, perché lo strazio la torturava ancora attraversando il suo corpo in grandi sussulti. Pianse finché dalle labbra secche non uscirono più nemmeno dei gemiti soffocati. Quando non riuscì più a emettere alcun suono, il dolore le fece stringere gli occhi e serrare i pugni in grembo.

Avvertì, più che udirli, dei passi esitanti e dei movimenti cauti intorno a lei. Non era più sola. Si asciugò le guance e scostò i capelli dal viso.

Flora e Creighton si tenevano per mano ed erano seduti nell'erba alla sua destra. Alec era profondamente addormentato, sdraiato sulle ginocchia dei gemelli.

Robert, in piedi davanti a lei, teneva in braccio Maisie. La piccina aveva ancora il sederino nudo e si era riempita la bocca della tunica di lui.

«Dobbiamo rimetterci in viaggio» annunciò Robert a bassa voce.

Non sapendo cosa dire, lei si alzò e si ripulì i vestiti dall'erba secca e dalla terra. Fece per prendere Maisie, ma Robert scosse la testa.

«Ci penso io» spiegò. «C'è un ruscello proprio alle mie spalle. Prendetevi il tempo che vi serve.»

Era sollevata che nessuno volesse parlare con lei. Non era pronta. Era troppo fragile, troppo vulnerabile. Quando tornò indietro, si sentiva esausta e molto diversa dalla solita Gaira.

Creighton e Flora accarezzavano il nuovo cavallo mentre Maisie strappava fili d'erba lì vicino. Alec saltellava davanti a Robert, ma questa volta l'inglese gli teneva le mani e lo sollevava in aria.

Il suo cuore si placò un poco. Robert stava giocando con Alec; aveva l'aria perplessa, ma il bambino non ci faceva caso, anzi rideva come un pazzo mentre lui lo faceva volare sempre più in alto. Quello spettacolo ebbe lo stesso effetto di un buon consiglio e lei si sentì ancora più sollevata.

Alla fine della giornata trovarono riparo in alcune grotte. Il sole era tramontato e un vento freddo aveva cominciato a soffiare. Le grotte non avrebbero offerto molta protezione se fosse venuto a piovere, ma il sole aveva riscaldato le rocce ed erano abbastanza profonde da ripararli dal morso del vento.

«Vado a vedere se riesco a trovare del cibo» annunciò Robert.

«È tardi e si sta facendo buio.» Gaira strinse Alec, seduto sulle sue ginocchia.

«Sì, e ho fame.»

Non poteva fare nulla per trattenerlo. Cercò di cancellare il timore che potesse succedergli qualcosa. Erano abbastanza lontani dalla cittadina e nessuno li aveva inseguiti. Era ridicolo che lei sentisse il bisogno di non perderlo di vista.

Si tenne impegnata con i bambini, raccogliendo legna e foglie per fare dei giacigli e accendere il fuoco. Si sforzò di non pensare al pericolo o all'eventualità di perdere Robert e lui tornò abbastanza presto con un paio di lepri di montagna.

«Dovete avere gli occhi di un gatto per vederci con questo buio.» Gaira prese le lepri e lo aiutò a cucinarle.

Non si erano fermati a mangiare dopo avere lasciato la città e si buttarono sul cibo come volpi fameliche. Quando furono sazi, Alec e Maisie si addormentarono seduti e Gaira li sistemò in una posizione più comoda. Non ci volle molto per convincere Creighton e Flora a distendersi accanto a loro. Ora avevano delle coperte e nessuno avrebbe più sofferto il freddo.

Robert era uscito dal riparo della grotta non appena lei aveva cominciato a preparare i bambini per la notte. E non era tornato. Quando fu sicura che i piccoli dormivano, Gaira prese lo scialle e andò a cercarlo.

Le sue emozioni erano ancora confuse, ma doveva raccontargli tutta la storia. Non sapeva però se lui fosse disposto ad ascoltarla. Qualcosa lo aveva convinto a proseguire verso nord con lei ed era giunto il momento che parlassero.

164

Lo trovò vicino al torrente. La luna disegnava motivi di luce e ombra nella notte. L'acqua scintillava e quello spazio aperto era così chiaro che lei vedeva ogni sassolino, ogni stelo d'erba. Ma Robert e gli alberi erano sagome scure, le loro ombre lunghe.

Si fermò dietro di lui e ascoltò l'acqua che incontrava le rocce più grandi, avvolgendole.

Lui non si voltò, ma l'aveva sentita. Non si era sforzata di essere silenziosa.

Gaira si guardò i piedi, e non fu sorpresa di vedere che l'ombra di Robert l'aveva raggiunta. La fissò, sentendosi stranamente confortata e allo stesso tempo timorosa per la sua ampiezza e lunghezza. Era così che si sentiva anche riguardo a lui. Era così che, nonostante la sua rudezza, nonostante il fatto che avesse ucciso un uomo, lui aveva toccato il suo cuore, la sua anima.

E a causa di questo, lei non voleva parlargli del suo passato doloroso perché glielo doveva, ma per *condividerlo* con lui.

Robert continuava a restare voltato dall'altra parte e la sua schiena era più larga e più scura dell'ombra. Ma lei sapeva che, a differenza dell'ombra, la sua forza e la sua personalità erano solide.

Oh, sì, era solido e molto arrabbiato. Con lei. Non poteva biasimarlo. Costringendolo a compiere quel viaggio, aveva messo in pericolo la sua vita.

«Ho conosciuto Busby di Ayrshire meno di una settimana prima che voi arrivaste a Doonhill.» La sua voce suonava innaturale nel silenzio della notte. «E nello stesso momento ho capito che Bram, il mio fratello più anziano e laird del nostro clan, aveva deciso di darmi in sposa a lui.»

Robert non si voltò. Il fatto di non doverlo guardare in faccia in qualche modo rendeva più facile parlare con lui. «Busby e il mio improvviso fidanzamento sono stati una sorpresa... Ero molto felice della mia vita. Ma mio fratello aveva dato la sua parola. Io potevo sfidarlo, ma non quando esercitava la sua autorità di laird. Ciò avrebbe comportato il mio esilio immediato, senza un posto dove andare.»

Lui si girò. «Perché lo ha fatto?»

Non si era aspettata che reagisse tanto presto, né che il suo sguardo fosse così penetrante. Improvvisamente non sapeva più come andare avanti. Cercò di capire i pensieri di lui, ma i suoi lineamenti restavano nell'ombra.

«All'inizio non capivo.» Imbarazzata, si allontanò di un passo. Dubitava seriamente che Robert di Dent fosse mai stato respinto. «Io dirigevo il castello e facevo in modo che avessimo dei buoni profitti dalle terre» raccontò. «Irvette era felicemente sposata e io avevo trovato uno scopo alla mia vita anche senza di lei.» Prese fiato. «Forse sono stata un po' troppo efficiente. Mio fratello maggiore continuava a portare a casa delle donne per sposarsi, ma loro non restavano mai.» Robert emise un verso di gola. «Alcune di loro erano molto belle, ma non...» Non sapeva come descrivere le dame che erano state al castello, come si comportavano con suo fratello, quanto lei avesse trovato irritanti i loro modi civettuoli e leziosi.

L'angolo della bocca di Robert si sollevò e lui fece un altro passo avanti. «Eravate d'intralcio?»

«Sì, credo proprio di sì.» Gaira arrossì. «Evidentemente l'ostacolo ero io. Bram ha messo una dote di venti pecore sulla mia testa e stretto un'alleanza con Busby di Ayrshire.»

«Perché con lui?»

«Il maniero di Busby è povero e ha una reputazione orribile. Ma al momento non ci ho pensato. Ero così stordita dal tradimento di mio fratello...

Lui non mi aveva detto quello che stava pianificando per non darmi il tempo di cavarmi d'impaccio. Mi sarei tirata indietro.»

L'inglese inarcò le sopracciglia.

«Almeno ci avrei provato» si corresse lei.

Robert fece un passo avanti ancora. Le mise una mano sul collo, la punta delle dita accarezzò la mandibola dall'orecchio al mento. Aveva i capelli leggermente umidi. Gaira si domandò se si fosse lavato nel torrente.

«Ogni volta che siete decisa a fare a modo vostro, sporgete il mento. Lo sapete?» Robert aveva parlato a bassa voce.

Stordita dalla sensazione della pelle di lui contro la propria, Gaira non rispose.

Lui lasciò ricadere la mano. «Immagino che vostro fratello abbia visto questa particolare angolazione del mento per anni.»

Lei non obiettò. Sentiva ancora il leggero attrito delle sue dita sulla pelle. «Suppongo che sia così.»

Lui si allontanò. «Probabilmente lo avete rimproverato a dovere per la mancanza di considerazione che vi ha mostrato tacendovi i suoi progetti.»

Il suo imbarazzo aumentò nell'udire quel commento. In circostanze normali avrebbe maledetto Bram, ma scoprire che lui l'aveva venduta l'aveva sopraffatta.

Scosse la testa. «No, non l'ho fatto.»

Gli occhi scuri le scrutarono con attenzione ogni tratto del viso. «Vi ha ferito.»

«Quando Busby è arrivato e mi hanno rivelato quanto stava per accadere, ero intontita. Sono rimasta lì, in piedi, mentre Bram metteva la mia mano in quella di Busby e pronunciava le parole del rito della legatura delle mani davanti al clan. Con le sue parole ci ha promesso in matrimonio, il che, secondo gli usi scozzesi significa...»

«Che eravate sposati» la interruppe lui, la voce cupa.

«Solo se...» cominciò lei.

«Avete conosciuto Busby poco più di una settimana fa e lo stesso giorno vostro fratello vi ha promessi in matrimonio...» Robert la interruppe di nuovo. «Siete stata sposata con quell'uomo per giorni.» La sua voce era tesa e arrabbiata. Lei non capiva. «Vi ho reso vedova. Non siete addolorata per il vostro Busby di Ayrshire?»

Lei voleva indietreggiare, ma temeva di essere troppo vicino al torrente. L'atteggiamento di Robert era cambiato, da dolce a duro, così in fretta che non sapeva come reagire. Non sapeva cosa ci fosse di diverso da prima.

«Non ci sono stati festeggiamenti» riprese. «Busby non voleva stare con il clan. Quando è arrivato, i miei bagagli erano già stati preparati.»

«Questo non risponde alla mia domanda. Avete viaggiato con quell'uomo. Eppure dite che niente vi lega a lui?»

«Sì, abbiamo viaggiato insieme, ma non ho avuto il tempo di conoscerlo. Più andavamo a sud, più recuperavo la lucidità. A un certo punto mi sono resa conto che eravamo poco lontano dal villaggio di mia sorella.»

«Gli avete chiesto se potevate farle visita» dedusse lui.

Gaira scosse la testa. «No. Sapevo che sarebbe stato inutile. Busby aveva ottenuto ciò che voleva, vale a dire la mia dote di venti pecore. Quando ho potuto, ho preso alcuni vestiti e il suo cavallo e mi sono diretta verso Doonhill.»

«Quanto tempo avete viaggiato con lui?»

«Un giorno, due.» Lei agitò la mano. «Che importanza ha?»

«Eravate promessi in matrimonio.»

«Ve l'ho già spiegato.»

«Lui vi ha inseguito.»

«Evidentemente sì.» Gaira non riuscì a celare l'esasperazione.

«Perché vi ha inseguito?»

«E chi lo sa?» rispose. «Immagino che lo abbia fatto per le pecore.»

«Le pecore!»

«Sì, Bram aveva detto chiaro e tondo che se mi fosse successo qualcosa si sarebbe aspettato la restituzione della mia dote.»

Robert fece un passo verso di lei. Gaira dovette inclinare la testa per continuare a guardarlo. La luce della luna accentuava la durezza dei suoi tratti spigolosi. La brezza non nascondeva il profumo di cedro e il calore del suo corpo.

«Pensate veramente che un uomo che vi ha avuto per due giorni vi abbia inseguito per un po' di lana?» le chiese.

La notte nascondeva il colore dei suoi occhi, ma l'incredulità era percepibile nelle loro profondità e nella sua voce. Improvvisamente lei ebbe la sensazione di non conoscere la risposta giusta alla sua domanda, ma furono i suoi modi a darle il primo indizio. Sembrava arrabbiato con lei, ma Gaira stava cominciando a pensare che forse non fosse perché per poco non era stato ucciso e la sua identità smascherata.

«Quale altra ragione potrebbe esserci?» volle sapere.

Lui dischiuse le labbra e lei sentì il suo respiro caldo. Il suo sguardo si spostò sul punto nel quale le sue dita le avevano percorso la guancia. Gaira avvertì l'impulso di piegare il collo, per esporre più pelle al chiaro di luna e ai suoi occhi.

Robert non la toccò, non si avvicinò, tuttavia lo sentì protendersi verso di lei.

«Davvero non sapete quanto valete?»

Era difficile pensare con lui così vicino. «Io... non capisco.»

«La vostra forza, la vostra volontà, la capacità di ridere nonostante tutto il vostro dolore... Gaira, queste qualità sono rare, come trovarsi improvvisamente dell'oro sotto i piedi.»

Lei sbuffò. «Già. Ecco quello che mio fratello pensava di me. Che ero sotto i suoi piedi.»

Robert indietreggiò quasi impercettibilmente, ma lei avvertì il suo movimento. «No, non capite.» Si strofinò la nuca. «O forse mi sto spiegando male.»

Si girò un poco, scostandosi da lei. Gaira non credeva che avrebbe aggiunto altro e non sapeva cosa dirgli. Udì ancora lo sciabordio dell'acqua, il fruscio degli animali notturni che si nascondevano nella bassa vegetazione. Il vento si era calmato, restava solo uno zefiro lieve che le carezzava la pelle. Cercò di trovare qualcosa da dire, ma Robert era così teso, i suoi pensieri quasi tangibili, che non ci riuscì.

Quando infine girò la testa verso di lei, Gaira rimase stordita dal dolore che gli vide sul viso. I suoi occhi cercavano di nasconderlo, ma era lì, nella pelle tesa degli zigomi, nelle cicatrici bianche più pronunciate sul suo volto.

«Devo sapere» disse Robert. «Non posso stare qui, non posso tornare in Inghilterra senza sapere.» Lei attese. «Vi ha avuto per due giorni, Gaira... Lo piangete?»

Piangere Busby? No. Per piangerlo avrebbe dovuto essere legata a lui... Fermò i suoi pensieri. Tutto aveva senso. Lui aveva ucciso Busby, la sua identità era stata quasi svelata, ma la sua rabbia e il suo dolore non erano legati a quei fatti. Credeva che lei appartenesse a un altro.

«No, Robert di Dent, non mi affliggo per lui.»

Non sembrò sollevato. Avrebbe dovuto dirgli il resto.

«Busby mi ha messo su un altro cavallo e ho cavalcato seguendolo. Non ha parlato con me, mi ha a malapena guardato e non mi ha toccato.»

La posa rigida di lui non si rilassò, ma Gaira percepì che parte della sua tensione si era attenuata.

«Ma siccome era un uomo orgoglioso» aggiunse, «che teneva moltissimo alle ricchezze del mio clan, sapevo che mi avrebbe inseguito.»

Robert si voltò del tutto verso di lei. «Ecco perché avevate tanta fretta.»

«Sì. Quando siete arrivato a Doonhill, Busby aveva già avuto qualche giorno per rintracciarmi. Ma ho pensato che sarebbe andato dai miei fratelli e mi avrebbe aspettato là. Non credevo neppure che sapesse di mia sorella e che sarebbe venuto a sud.»

«Forse ha fatto entrambe le cose.»

Pensando che stesse scherzando, lei si mise a ridere. «Non lo conoscete. Non era un uomo molto perspicace.»

«Potrebbe avere inviato un messaggio ai vostri fratelli e così avere scoperto di vostra sorella. A quel punto si è diretto verso sud.»

«Se avesse mandato un messaggero a nord, avrebbe dato ai miei fratelli il tempo per mettersi in viaggio contemporaneamente a lui.» Si mordicchiò il labbro inferiore. «Se Busby ci ha trovato, anche loro potrebbero farlo.»

«Doonhill è stato raso al suolo» puntualizzò lui. «Non avrebbero idea di dove cercarvi.»

«Non possono essere arrivati là. Li avremmo incontrati lungo la strada o in città.»

Lui non disse niente, ma evitò il suo sguardo.

«Non avrei mai dovuto permettere che mi vedeste ucciderlo» disse semplicemente.

Gaira si era chiesta quando avrebbe affrontato

l'argomento. Se c'era una cosa che conosceva di lui, era il suo bisogno di proteggere.

«Non è che lui vi abbia lasciato altra scelta» gli ricordò.

«Avrei potuto scegliere di non ucciderlo» sostenne Robert.

Lei toccò lo squarcio sfilacciato nella sua tunica, dove la spada di Busby lo aveva raggiunto. «No, Robert, nel momento in cui aveste voltato la schiena, vi avrebbe ucciso. Non potevate fare diversamente.»

«Ci sono sempre delle scelte, Gaira.»

Si allontanò.

Lei guardò la sua schiena, le spalle rigide. Prima era stato così caldo, vicino a lei; ora sembrava avere perduto qualsiasi calore. Non era freddo, semplicemente... solo.

Le aveva dato la stessa impressione prima che Busby lo attaccasse, quando si stava preparando a lasciare lei e i bambini: era con loro, eppure già solo. Aveva discusso con lui riguardo ai suoi cosiddetti doveri. Ma non era il dovere a guidare le azioni di quell'uomo.

«Volete sapere quale penso sia la vostra motivazione?» Aveva bisogno di capire cosa stesse pensando e gli girò attorno per guardarlo in faccia. «Volete sapere cosa vi ha spinto ad andare in un villaggio distrutto, ad aiutare una donna e quattro bambini a seppellire i loro morti e a proteggerli fino a quando avessero avuto abbastanza provviste per la loro sopravvivenza?»

A malapena lui le lanciò un'occhiata. «No» rispose.

«Non è il dovere, come dite voi, Robert di Dent. È il dolore.»

19

Fu come se Gaira avesse preso la sua *claymore* e gliel'avesse conficcata nello stomaco fino all'elsa. Robert era bianco come gesso. Sbalordito.

«Vi sbagliate» disse con voce roca.

«Ah, no» negò lei. «Anch'io soffro, lo avete dimenticato? Mi credete così ingenua da non riconoscere il dolore in un'altra persona?»

«Voi non mi conoscete.» Lui la guardò. «Io sono un soldato inglese. Ho passato tutta la vita a combattere per Re Edoardo. Non è certo il dolore che mi spinge ad agire.»

Il suo volto era indecifrabile, la maschera di nuovo al suo posto. Non aveva importanza. Gaira aveva visto la sua espressione prima che lui si impegnasse a smentire.

«Avete ragione. Io non conosco il vostro passato e forse non siete dispiaciuto per gli uomini che avete ucciso. Eppure voi piangete per qualcosa o qualcuno. Forse la vostra famiglia?»

«La mia infanzia non è stata così insolita da doverla ricordare con tristezza.»

Cercava di usare un tono beffardo, ma lei non gli credeva. «A me potete dirlo» insistette.

«Non c'è niente da dire. Se non che io...»

«Voi cosa?» Quel suo negare a tutti i costi era irritante. «Perché non volete parlarne? Io vi ho rivelato tutta la mia storia, per quanto umiliante. Sapete che i miei fratelli mi hanno abbandonato consegnandomi all'uomo peggiore che avrebbero potuto trovare. Sapete che mia sorella è morta di una morte orribile. Perché non volete raccontarmi niente della vostra vita, scontroso mascalzone?»

Lui sporse le labbra. «Non avete paura, vero?»

L'umorismo e il cinismo dietro quella domanda la insospettirono. «Di cosa?»

«Di me.»

«Perché dovrei?»

«Credevo che aveste capito, quando eravamo in città, quando ho ucciso vostro marito... che aveste scoperto la mia identità. Io sono Black Robert.»

Non che quel nome significasse molto per lei. «Vedo che vi vestite di nero, ma non vedo occhi gialli come fiamme né mi pare vi intratteniate con il diavolo.»

«No» disse lui con impazienza. «Questa è la leggenda, ma la mia freddezza nel togliere la vita, la mia abilità con la *claymore*, quelli sono reali. Ho ucciso centinaia di vostri connazionali per ordine del mio sovrano.»

Sapeva che quei dettagli macabri erano intesi a sconvolgerla. Senza successo. Gaira aveva avuto del tempo per mettere ordine nei propri pensieri. «Anche se fosse vero, io conosco un altro aspetto di voi. Non saprò tutto quello che avete fatto in passato, ma ho visto un uomo pronto a rischiare la vita per aiutare una donna e dei bambini in difficoltà.»

«Quindi...»

«Ho visto un uomo, non una leggenda» lo interruppe lei. Si avvicinò di un passo. Era stanca di guardarlo nascondersi dietro delle barriere. «Un

174

uomo arrabbiato perché pensava che io apparte-
nessi a un altro.» Gli mise una mano sul braccio.
Sotto la manica, i suoi muscoli erano contratti. «Io
non appartengo a un altro.»

Lui non si mosse, ma il suo sguardo rimase inchiodato alla mano posata sul suo braccio. Non si
mosse, ma Gaira sapeva che avrebbe voluto farlo.

«Avete paura di me» concluse lei, afferrando di
colpo la verità.

«No» sussurrò Robert.

Ripensò alla prima mattina, quando si era svegliata e lo aveva trovato a preparare la colazione
per i bambini, ma nel momento in cui i loro occhi
si erano incontrati, il tempo si era fermato. Da allora lei non aveva fatto altro che osservarlo, affascinata dal modo in cui si muoveva, da come si
prendeva cura del suo cavallo e della spada, da
come era impacciato ma gentile con i bambini.

Ricordava la sensazione delle sue labbra sulle
proprie. Il calore, il desiderio, il bisogno. Sia quello che provava lei... sia il suo.

Voleva stargli vicino allora. E lo voleva anche
adesso.

«Dimostratemelo» lo esortò.

Lui spostò un piede tra quelli di lei. Si avvicinò
fino a separarle le gambe con la sua. Era così vicino che i loro fianchi quasi si toccavano. Il suo petto si alzava e si abbassava contro i seni, rendendoli sensibili. L'aria umida della notte era diventata a
un tratto troppo densa per respirare e Gaira dischiuse le labbra per raccoglierne di più.

Robert sibilò. Con un'imprecazione soffocata, si
girò e fece qualche rapido passo.

Privata del contatto con il suo corpo, lei ebbe
freddo. Si sentiva spogliata, irrequieta. Il suo respiro non sarebbe tornato alla normalità.

Lui si raddrizzò, ma non si voltò indietro. «Accidenti a voi, Gaira. Mi rubate l'anima così che non so più chi sono.»

Era tanto lontano da lei, non nello spazio, bensì nello spirito, che non sapeva se avrebbe potuto raggiungerlo. «Non so cosa stiate dicendo. Non so più niente. In questo modo non mi semplificate le cose.»

Lui si girò. Gli occhi di Gaira probabilmente tradivano i sentimenti riluttanti che provava per lui.

«Perché dovrei facilitarvi le cose?» domandò. «Ho soddisfatto il nostro accordo. A prescindere da quello che è successo oggi, domani me ne andrò.»

Oh, che uomo impossibile! Perché tenesse tanto a lui, non riusciva proprio a capirlo. «Bene! Partite domani. Continuate a scappare e a indossare l'immagine di Black Robert come se fosse un mantello dietro il quale nascondervi.»

Lui scoppiò in una breve risata senza allegria. «Non mi nascondo dietro la mia immagine. Io *sono* quell'immagine. Ho massacrato degli uomini con le mie mani. Perché non lo capite e non mi lasciate in pace?»

«Perché in voi non ho visto nulla di quell'uomo. Non posso negare che abbiate ucciso, ma ho conosciuto la vostra bontà, la gentilezza...»

Lui si girò di nuovo, con un movimento largo e irregolare nella sua collera. «Cosa devo dire per farvi andare via? Perché non potete credere che partirò e che non voglio avere più nulla a che fare con voi?»

Quella dichiarazione tanto crudele la colse alla sprovvista. E fu quella pausa che le permise di vederlo chiaramente. Stava erigendo di nuovo le sue difese. Crudelmente. Con rabbia.

Con disperazione.

Tutti i suoi muscoli erano evidenziati dal chiarore della luna. Il suo corpo teso tremava per un'emozione a stento contenuta. Era un grande fiume e aspettava solo che il masso che sorgeva lungo il suo corso si sgretolasse. E lei sentì di essere quel masso quando le sue parole le si schiantarono contro. Ma lui non l'avrebbe distrutta. Le acque avrebbero dovuto per forza deviare.

Quando gli rivolse un lieve sorriso, si rallegrò dell'espressione diffidente che aveva fatto capolino nei suoi occhi. La voleva. Gaira lo sapeva. Doveva solo riuscire a infrangere il suo autocontrollo.

Afferrò la treccia e sciolse i capelli, sotto gli occhi di lui che non l'abbandonavano un solo istante.

«Cosa state facendo?» indagò Robert.

«Mi slego i capelli.»

Lui indietreggiò come se Gaira avesse improvvisamente preso fuoco. Lei vide la rabbia, la frustrazione e qualcos'altro balenare sul suo viso prima che Robert emettesse un suono basso a metà tra un ringhio e un gemito.

«Non sapete quello che fate» le disse con voce rauca. «Che sentite.»

Lei si sentiva come se avesse corso su per una collina ripida, ma non avesse raggiunto la cima; il corpo era tenuto in sospeso da qualcosa cui non sapeva dare un nome. Aspettava, desiderava e doleva, tutto nello stesso tempo.

Oh, poteva anche non conoscerne il nome, ma, qualsiasi cosa fosse, la sentiva con molta forza dal momento in cui lo aveva visto preparare la colazione, la prima mattina. E aveva anche la sensazione che Robert sapesse cosa fare al riguardo.

Lasciò andare i capelli e cominciò a far scorrere le dita tra le folte onde. Gli occhi di lui la divoravano. Lo vide rabbrividire.

Il corpo reagì al flusso rovente che scorreva tra di loro. «Ah. Sento il mio seno che si gonfia e si inturgidisce, il ventre colmo di calore. Le mie labbra ardono...»

Con le mani capaci di brandire spade d'acciaio, lui l'afferrò per le braccia e la spinse contro una grossa quercia. Gaira sentì la corteccia ruvida e scheggiata prima che lui le piombasse addosso con il suo corpo. I loro fianchi si incollarono, togliendole il respiro. Le coprì le labbra con le sue, dure, spietate, e le dita callose le affondarono nelle braccia, inchiodandola all'albero dietro di lei.

Gaira sentiva i suoi muscoli che si contraevano allo spasimo, la superficie dura e irregolare del tronco, la forza del suo corpo premuto contro di lei.

Ma sentì anche il suo desiderio.

Cercò di liberare le braccia, voleva stargli più vicino. Voleva...

Improvvisamente lui si irrigidì, la lasciò andare e lei ricadde contro l'albero. Il suo respiro era caldo sulla bocca di lei.

«Non posso farlo» le disse con durezza. «Dovete lasciarmi libero, Gaira. Respingermi. Correre via.»

Lei lesse il cambiamento nei suoi occhi: il calore e il bisogno erano offuscati da qualcosa di simile alla devastazione e alla rabbia. Il cuore le si lacerò. Lui negava il suo desiderio, ma non glielo avrebbe permesso. Perché negando se stesso, negava anche lei. Negava loro.

«Sì, che potete, Robert» gli disse. «Potete e lo farete.»

«Voi siete innocente, Gaira. Per me è passato tanto tempo e io vi voglio troppo. Non vi darei quello di cui voi avete bisogno.»

«Siete *voi* quello di cui ho bisogno» replicò lei.

Dando ascolto all'istinto, si sollevò in fretta sulla punta dei piedi e fece guizzare la lingua contro le sue labbra.

Lui ebbe un sussulto e chinò la testa. I suoi capelli ondulati caddero in avanti e lei vi affondò le dita.

«Non capite tutto. Non vi ho detto...»

Gaira non voleva ascoltare altre scuse.

«*Voi.*» Gli passò le mani intorno al collo, accostando il corpo al suo.

Il suo respiro aveva assunto un ritmo erratico e aveva le guance scavate e arrossate. Lei poteva sentire le goccioline di sudore sul suo collo.

«Allora che io sia dannato per questo» mormorò e poi si chinò su di lei.

Le sue labbra si ammorbidirono, il suo corpo non era più teso, ma caldo, solido e molto maschile. Passando le braccia intorno a lei, la sollevò, stringendola a sé.

Gaira non sapeva che un corpo potesse fondersi, ma i loro lo fecero, rilievi contro spianate, morbidezza contro rigidità.

Sentì le sue mani scendere lentamente per tutta la lunghezza della spina dorsale fino alla sommità delle natiche e al di sotto. Lì, lui la attirò più vicino a sé.

La lana grezza dello scialle la ostacolava e lei si dimenò un poco per liberarsi di quella barriera. Quando lui la mise giù, gli si appoggiò contro, tremando di aspettativa mentre le scioglieva il nodo. Guardò le sue dita, notò il petto che si sollevava e si abbassava in fretta.

Sentì i suoi occhi su di sé, ma non alzò lo sguardo quando lui tirò la stoffa, scostandola lentamente e lasciando cadere lo scialle attorno alle sue caviglie.

Poi la liberò della tunica e dei calzoni e lei rimase con indosso la camicia, coperta soltanto da quel tessuto bianco e sottile, che in nessun modo impediva l'accesso a ciò che c'era sotto. La brezza notturna la avvolse. La visuale di Gaira si riduceva alla distesa del suo petto, al ritmo del suo respiro aspro, veloce, che imitava quello di lei.

Robert strinse nel pugno la camicia a livello dei fianchi e si immobilizzò. Gaira sentì la forza delle sue mani che serravano il tessuto, sentì che lui si fermava, le parve di essere lei quella stretta nella sua morsa ferrea. Sospesa.

Avvertiva il suo corpo tremare per lo sforzo di trattenersi, imprigionato da qualcosa che lei non capiva.

«Robert?»

Lui rabbrividì. «No!»

Allentò la presa. Fu il suo unico movimento, ma lei sentì ugualmente il gelo della sua ritirata.

«Perché?» Era orgogliosa della voce ferma, non spezzata come invece si sentiva. Respinta. Un'altra volta.

Robert alzò la testa. Su ogni tratto e spigolo del suo volto era dipinto il rammarico. E sicuramente nei suoi occhi. Non era lo sguardo che lei voleva vedere.

«Vi ho fatto male» dichiarò lui.

«Sì!» ribatté, esasperata. «Ma solo perché mi avete a malapena concesso un respiro prima che questa rovinosa riluttanza tornasse a dividerci.» Agitò la mano davanti a sé. «E io mi sento... vuota.»

Con un gemito, lui tornò a muoversi. Non le levò la camicia, ma la fece stendere sullo scialle e si allungò accanto a lei.

Gaira avvertiva il peso di lui e al contempo la mancanza di lui. Chiuse gli occhi. Non lo vedeva, ma se possibile lo sentiva ancora di più. Il suo respiro, il suo odore le permeavano i sensi. Sdraiata di fianco a lui, aveva l'impressione di essere sul ciglio insicuro di una scogliera dalla quale presto sarebbero precipitati insieme. Non sapeva cosa li aspettava di sotto e non le importava.

«Ecco, lasciatemi... Forse posso...» Lui le sollevò la camicia, denudando le sue gambe. Teneva le mani affondate nella stoffa. Il tessuto non le era mai parso così morbido e soffocante al tempo stesso.

Robert si fermò e lei aprì gli occhi.

Sentì il suo sguardo su ogni lentiggine, su ogni piccola cicatrice. Quando alzò gli occhi, la sua espressione era quella di un uomo squartato, le membra tirate in direzioni opposte.

«Posso farvi sentire meno vuota» disse, «ma ho paura a toccarvi. Sapete quante volte ho sognato le vostre gambe intorno a me? Mi basta vederle nude per dimenticare ogni dannata risoluzione.»

Le sue parole la scaldarono di nuovo. Avrebbe voluto stiracchiarsi sotto il suo sguardo ammirato. Non aveva mai desiderato niente come Robert desiderava lei. «Dimenticate, dunque» lo incitò.

Lui si rabbuiò. «Non voglio dimenticare. Adesso io sono esattamente questo. Dannato. E muoio dal desiderio di voi, Gaira.»

Lasciò andare la camicia. La sua mano indugiò sul ventre. Gaira ne sentì il calore, tangibile sulla pelle nuda, e distese una gamba.

Uno scintillio predatore ricomparve negli occhi di lui. «Anche voi mi desiderate?»

Quelle profondità erano come una corrente vorticosa che la tirava giù con lui. Lo stomaco fremette davanti alla curva sensuale delle sue labbra, al colore acceso delle sue guance. Tirò indietro la gamba, ogni capacità di respirare ormai perduta.

Lui osservò ogni mossa. «Sì, mi volete» dichiarò, la voce carica di soddisfazione. «Anch'io. Troppo. E non... non dovrei toccarvi.» Si spostò. «Aprite le gambe per me.»

Lei deglutì e si leccò le labbra improvvisamente aride, ma allargò le caviglie.

«Di più, Gaira, o avrò bisogno di toccarvi.» Il fantasma di un sorriso gli scivolò sul viso. «Dov'è finito il vostro coraggio?»

Spostò ancora un po' i piedi. Ora la brezza le stuzzicava le cosce e si insinuava sotto le ginocchia. Vulnerabile, smise di muoversi. Lui era vestito da capo a piedi, lei a malapena coperta dalla camicia che Robert aveva tirato così su che se si fosse mossa ancora un po' sarebbe rimasta nuda. Nessuno l'aveva mai vista in quel modo.

Le sopracciglia corrugate, lui la interrogava con lo sguardo. Come poteva dirgli che voleva, ma...

Il calore improvviso delle sue mani callose sulle cosce la sconvolse. Gaira rimase a bocca aperta. Lui sibilò una parola che non riuscì a capire.

Con forza, disperatamente, le divaricò le gambe e vi si sistemò in mezzo. In fretta come l'aveva toccata, la lasciò andare.

«Non mi negherete questo, adesso, Gaira.» Aveva il respiro irregolare. «Non posso toccarvi e ho bisogno del vostro aiuto. Aiutatemi mentre sono lacerato tra il mio desiderio e il vostro bisogno.» Il suo sguardo cambiò, divenne incerto. «Lo sentite ancora, vero?»

Stava chiedendo il suo permesso. Nonostante il suo corpo tremasse, scosso dal desiderio, le chiedeva il permesso. Già lo aveva.

«Sì» gli rispose in un sussurro. Ma lui non tornò a toccarla con le mani. Quando si mosse, Gaira sentì invece la lana fine dei suoi calzoni produrre un attrito sensuale contro l'interno tenero delle cosce. «Non fermatevi.»

Lui sospirò. «Vi aprirò per me, adesso.» Senza mai interrompere il contatto tra i loro sguardi, si spostò e premette più forte le gambe contro di lei. «Ma non dovete toccarmi... non dovete muovervi, nessuna parte del vostro corpo, a meno che non ve lo dica io.» Divaricandole lentamente le gambe, mosse di nuovo le ginocchia. «Avete capito?»

Capire? Gaira non riusciva a pensare; sentiva e basta. Lui premette ancora e ancora fino a quando fu completamente esposta ai suoi occhi, la camicia ammucchiata intorno alla vita. Del tutto vulnerabile. Eppure non sentiva di esserlo quando Robert la guardò, la testa china.

Benché lei non riuscisse a vedere la sua espressione per capire cosa stesse provando, lui glielo disse in altri modi: le mani gli tremavano, le dita si serravano e si aprivano, poi rabbrividì una volta, due, e le sue mani si accostarono di più a lei. Gaira le voleva ancora più vicino.

«Sì» rispose alla fine. «Ho capito.»

Non era più vulnerabile; c'era soltanto Robert. La notte, l'aria, la sensazione dello scialle e dell'erba fresca sotto di lei non esistevano più. Il suo bisogno aumentava e lei stava ancora aspettando.

«Temo di non poter sopravvivere al vostro calore» le disse.

Posando le mani accanto alle braccia di lei, Robert si sporse in avanti. Lo sguardo intento, lentamente si abbassò, ma di nuovo la sfiorò appena e si ritrasse; il calore del suo corpo era l'unica carezza. Si chinò di nuovo, questa volta toccandola con il petto. Quel lieve contatto le fece inturgidire i seni fino a farle dolere i capezzoli.

Lui abbassò la testa quel tanto che bastava per sfiorarle le labbra con le sue. Un bacio lento, indugiante. La sua lingua tracciava un percorso, chiedendo una risposta. Quando lei gliela diede, quando le labbra si addolcirono sotto quelle di lui, quando le socchiuse per approfondire il bacio, per richiedere una reazione, Robert si scostò.

Lei protestò sentendo l'aria fredda sul seno.

Con un suono per metà gemito, per metà risata, lui spostò lo sguardo dal viso ai seni. I capezzoli erano visibili sotto il tessuto sottile, ma lei non voleva soltanto i suoi occhi su di loro.

«Per favore.» Mendicando, cercò di tirarlo giù per costringerlo a baciarla, a toccarla.

Robert si allontanò immediatamente. Confusa, smaniosa, disperata, lei abbassò le braccia.

«Non dovete toccarmi, Gaira» le ripeté. «Non riuscirei a controllarmi... e voi avete bisogno che lo faccia, anche se non ve ne rendete conto.» Scosse la testa. «Ma penso di potervi toccare io.»

Lo ascoltò, le dita affondate nella terra.

Robert aspettò che lei si calmasse. «Vi toccherò, ma non come...» Strinse gli occhi e poi li riaprì, bruciandola con il suo bisogno. «Sono teso al punto che potrei spezzarmi. Non posso avere quello che voglio, però soddisferò il vostro bisogno. Che io sia dannato, ma devo sapere. Siete bagnata per me?»

Le sue mani tornarono alle gambe, ma non erano più irruenti. Con la punta delle dita, leggere come sussurri, risalì dalle ginocchia al centro di lei. Indugiò, poi un dito corse sul sentiero scivoloso della sua intimità, aprendola.

Gaira non poté impedirsi di inarcare i fianchi, né di restare senza fiato.

«Sì, siete bagnata, volete che io vi riempia.» Subito lui tolse il dito e scoppiò in una risata rauca. «Dio, avete fiaccato la mia volontà, ma colmerò il vostro vuoto.»

«Come?» Il corpo sentiva solo la brezza fresca dove prima erano state le sue dita. Aveva bisogno

184

delle sue mani, del suo tocco, del suo calore. Li reclamava.

«C'è un modo.» Restandole tra le gambe, Robert si spostò di nuovo ma senza toccarla.

Lei voleva protestare. Non ne ebbe la possibilità. Perché le labbra di lui la baciarono proprio lì dove prima era stato il suo dito. Una pressione umida e calda che la fece ansimare. «Robert!» Si mosse, si spostò, lo scialle si ammucchiò sotto di lei mentre cercava di sfuggirgli.

Ma lui non glielo permise.

Le sue mani ritornarono, le sollevarono le gambe per avere un accesso migliore; la lingua premette intensamente. Gaira non poteva fare nulla, se non affondare di più le dita nella terra mentre veniva trascinata dalla marea. Lui baciò, leccò, accarezzò con la lingua. Staccò le mani solo quando lei piegò le ginocchia per andargli incontro. Costretta ad annegare nel calore, nel bisogno, nel piacere.

«Robert, per favore, non posso...» Lasciò uscire un respiro spezzato e con un sussulto il corpo si sollevò per poi schiantarsi in mille pezzi.

Quando ricadde sulla terra fredda, lo trovò steso accanto a lei.

Aprendo gli occhi le parve di galleggiare sulla corrente lenta di un fiume.

Robert non la toccava, non la guardava. Aveva il respiro aspro, il corpo rigido, chiuso nella prigione che lui stesso si era creato.

Lei si girò sul fianco. Le aveva dato piacere, ma lo aveva negato a se stesso. Non capiva.

«È per questo viaggio? Perché sono scozzese? Sono io?»

La guardò. Nei suoi occhi il dolore si scontrava con la rabbia. «Sì, siete voi. Sono io. È tutto questo maledetto pasticcio. Vi voglio. Vi voglio come non ho mai voluto una donna in vita mia, ma non posso darvi il mio desiderio. Perché sarebbe soltanto questo. Non potrebbe mai essere altro. Sono a malapena un uomo.»

Lei avvertì il rossore risalirle il collo e fu grata per l'oscurità. Non aveva pensato che il suo rifiuto fosse dovuto a un motivo fisico. Era così vigoroso... Però aveva quelle cicatrici lungo il viso, il collo e le braccia. Forse nascondeva altre mutilazioni.

«Siete stato ferito?» Si morse il labbro, tentennante. Il senso di colpa per quello che gli aveva fatto passare stava rapidamente cancellando la sua soddisfazione. Agitò la mano verso la parte inferiore del suo corpo. «In battaglia?»

Lui si stropicciò gli occhi. «Ferito, sì. Ma non come credete.»

Gaira era confusa, non capiva. Robert la voleva almeno quanto lei voleva lui. Ma se non era stato ferito, se era in realtà capace di stare con lei, perché non farlo?

Sapeva così poco di lui. E quello che sapeva era contraddittorio. Era uno spietato soldato fedele a Re Edoardo? O un uomo pieno di stupore e trepidazione davanti a un bambino di cinque anni?

Robert non le dava alcun indizio, ma lei aveva bisogno di sapere. Era decisa a scoprire almeno qualcosa di lui.

Gli toccò brevemente una guancia. La sua pelle era ancora umida di sudore, ma ora la sentiva più fresca. Robert non si tirò indietro, tuttavia non ebbe alcuna reazione.

Le cicatrici bianche erano sparse sulla guancia e sul collo. Ce n'erano anche sulle spalle e molte sotto la peluria delle braccia. Abbassò la mano. «Come vi siete procurato queste cicatrici?»

Immediatamente il suo viso diventò di pietra.

Gli occhi castani, già freddi, ora sembravano di ghiaccio. Una barriera invisibile era sorta così improvvisamente tra di loro che lei pensò che se non avesse staccato la mano, le avrebbe tranciato il braccio in due.

20

Lui distolse lo sguardo, fissando il cielo notturno. «Avete ricominciato a rubarmi l'anima?»

Le sue parole beffarde la ferirono, ma non aveva intenzione di rinunciare. Sapeva che non sarebbe stato facile far deviare il fiume. Con i polpastrelli, sfiorò di nuovo il lato del volto coperto di cicatrici. Lui trasalì, ma Gaira non tolse la mano.

«Cosa vi è successo qui?» insistette.

La guardò. I capelli erano ricaduti indietro, le ciocche ondulate gli si arricciavano intorno alle o-recchie. Lei continuò a tracciare i contorni del suo viso, gli zigomi, la mandibola squadrata.

Dolcemente, Robert le prese le dita e se le mise sul petto, appoggiandosi il palmo di lei sopra il cuore.

«Quello che è successo tra di noi non cambia nulla.»

Gaira cercò di mantenere un tono neutro, ma non poté evitare che le tremasse la mano. «Non credevo che sarebbe cambiato qualcosa» mentì.

«Volevo solo aiutarvi. Me ne andrò domani mat-tina.»

Il cuore le si spezzò in tanti minuscoli frammen-ti. Il fiume aveva vinto. Gli aveva dato il suo cuore e il suo corpo. Gaira credeva di capire perché Robert non avesse condiviso il suo corpo con lei, ma ora non voleva neppure condividere la storia di come si era procurato qualche cicatrice. Le faceva male e non voleva che lui capisse quanto.

Cercò di togliere la mano, ma Robert la trattenne contro il suo petto. Sdraiata com'era, non poteva nemmeno allontanarsi da lui. La sua unica possibilità di andarsene era passare sopra il suo corpo.

Robert prevenne quella mossa e mise una gamba sulle sue per inchiodarla a terra. Gaira si divincolò, ma lui continuò a tenerla saldamente contro il suo fianco. Era una piccola vittoria e non attenuò il rimorso di averla ferita. Non era mai stata sua intenzione farlo. Ma era soltanto un uomo.

No. C'era qualcosa di più. *Lei* era qualcosa di più. Altrimenti sarebbe riuscito a resisterle. E invece era disteso lì, in agonia, anelando ogni fibra del corpo di lei.

Doveva smettere di pensare al suo corpo.

«Mia madre viveva nel villaggio di Dent. Era molto giovane quando mio padre, un nobile, passò da quelle parti» prese a raccontare.

Cosa gli saltava in mente di parlarle della sua infanzia? Non lo aveva mai fatto con nessuno. Forse era perché Gaira aveva cercato di allontanarsi e lui non voleva lasciarla andare.

«La guaritrice del villaggio, che mi allevò, mi raccontò che lui l'aveva presa con la forza. Non fu difficile crederle. Mia madre non era... la sua mente era disturbata fin dall'infanzia. Era come una bambina. Non so come sia finita.» Gaira smise di dimenarsi e lui dovette fare uno sforzo per non stringerla a sé. «Sono stato più fortunato di tanti altri figli illegittimi perché sapevo chi fosse mio padre» proseguì. «Quando Re Edoardo passò nelle vicinanze con la sua corte, mi intrufolai nel suo seguito.»

«Quanti anni avevate?»

Il disagio che provava si alleviò un poco davanti alla sua curiosità. Se le avesse rivelato parte del proprio passato, forse non sarebbe stata tanto in collera con lui. No, si stava illudendo. Non sarebbe stato abbastanza, ma il cuore non era pronto a rivelarle altro. Per esempio, come si era procurato le cicatrici.

«Ero molto giovane. Dieci o undici anni. Non so nemmeno di preciso quanti anni ho ora.» Si strinse nelle spalle. «Quando arrivai a corte, fu facile trovare mio padre. Gli chiesi una spada e la possibilità di essere addestrato. Lui non mise in dubbio che fossi figlio suo. E neppure io, una volta che lo vidi. La somiglianza era incredibile.»

«Ma non nel carattere» osservò lei, con tono sicuro.

Robert scosse la testa. «Non lo saprò mai.»

«Non vi ha accolto?» Gaira alzò la voce, incredula. «Non vi ha addestrato? Come ha potuto! Spero che gli abbiate dato un calcio negli stinchi o almeno...»

La zittì mettendole le dita sulle labbra. Tipico di Gaira ergersi a paladina di un bambino che da un pezzo era diventato adulto. «Mi ha accolto. Ha detto che il suo sangue mi aveva dato il coraggio di andare a corte e che non mi si poteva biasimare se mi scorreva nelle vene.»

Lei si accigliò, mordendosi un labbro. Lui sentì contro le dita il leggero movimento delle sue labbra e la sensazione gli si trasmise lungo il braccio e nel corpo. Tolse in fretta la mano.

«Era solo quando avete reclamato i vostri diritti quale figlio suo?»

La fissò, sorpreso che lei avesse capito. «No. Erano presenti altri cavalieri e dalle loro facce capii che erano sorpresi. Non si aspettavano che accettasse di riconoscermi. Ma quando si vantò del sangue che scorreva nelle vene di entrambi, si misero a ridere e si scambiarono occhiate d'intesa.» Fece un profondo respiro e trattenne l'aria. Ricordava bene quel giorno. «Avrei dovuto odiarlo, ma non ci riuscivo. Non sapevo nemmeno se lui provasse qualche emozione. Credo che mi avesse accolto più che altro per divertimento. In ogni caso cominciai l'addestramento e lavorai senza risparmiarmi. Non volevo essere a lungo motivo di divertimento. Né per lui né per nessun altro.»

Gaira si distese un po' di più su di lui che ora avvertiva tutto il peso del suo corpo sensuale, delle sue gambe contro le proprie. Il sangue gli si incendiò a quel contatto. Doveva finire il racconto.

«Il mio zelo venne notato da Re Edoardo che mi inserì nel gruppo dei giovani dei quali seguiva l'addestramento. Da allora non mi sono più rivolto a mio padre né ho più parlato con lui. Lo avevo usato per raggiungere il mio scopo, così come lui aveva usato mia madre per ottenere il suo. Ogni tanto mi capitava di incrociarlo, ma non era molto ben visto a corte e io non ho mai fatto niente per metterlo in buona luce.»

«È ancora vivo?»

«Non lo so.» Non pensava a lui da parecchi anni. Ora, poi, pensava soltanto al corpo di Gaira che si modellava alla perfezione contro il suo. A quanto lei era coraggiosa e caparbia. E che non avrebbe mai potuto averla.

«È meglio che torniamo al campo» dichiarò.

Udì il grido prima di sentire un suono sordo che conosceva. Pugni.

Balzò in piedi. Era ancora molto presto e probabilmente aveva riposato solo poche ore. Gaira, A-lec e Maisie non si vedevano da nessuna parte. Flora e Creighton, invece, erano ancora nel punto in cui si erano addormentati. Solo che adesso non dormivano affatto.

Creighton era mezzo seduto e agitava i pugni. Flora un po' si riparava la testa con le braccia, un po' cercava di bloccare quelle del fratello. E bisbigliava freneticamente.

Robert corse verso di loro, afferrò la bambina per la vita e la trascinò lontano da Creighton.

«No!» gridò lei. «Ha bisogno di me!»

Protendendosi verso il fratello, si divincolò per liberarsi dalla sua stretta.

«Non così.» Senza tanti complimenti lui la depose a terra lontano dal suo gemello. Flora non voleva, ma a lui non importava. In quel momento non c'era Gaira, l'unica che avrebbe potuto fare qualcosa. «Non puoi lasciare che ti colpisca!»

Gli occhi della bambina diventarono enormi e grosse lacrime sgorgarono. Robert aprì la bocca, ma non ne uscì alcun suono e lei si mise a piangere sul serio. Impacciato, lui allargò le mani davanti a sé. «Rimani qui.»

Si precipitò di nuovo verso Creighton. Le sue braccia erano ferme, adesso, ma era ancora prigioniero del suo incubo. Aveva i pugni serrati, il corpo rigido. Gli mise una mano sulla fronte. Era calda.

Il ragazzino si svegliò con una scossa violenta. Gli occhi azzurri scintillavano di rabbia. In tutti gli anni che aveva passato sul campo di battaglia, Robert non aveva mai visto un odio così assoluto. Altrettanto rapidamente, però, la rabbia diventò consapevolezza e terrore.

Lui gli sfiorò con la mano la fronte e i capelli intrisi di sudore.

Creighton lo respinse e si mise a sedere. I suoi

occhi trovarono Flora dove Robert l'aveva sistemata. La ragazzina aveva i capelli arruffati, il vestito stazzonato e grandi chiazze rosse le stavano comparendo sulle guance.

Creighton gli lanciò un'occhiata e poi guardò di nuovo la sorella. Ora i suoi occhi erano spalancati. Impauriti. Preoccupati.

Flora stava cercando di sorridere, ma le sanguinava il labbro inferiore e lo succhiò in fretta perché il sangue non colasse sul vestito.

Creighton si lasciò sfuggire un grido. Per metà di rabbia, il resto era sofferenza pura. Ma non pronunciò una sola parola.

Robert ne aveva abbastanza. «Devi smetterla con questo silenzio! Subito! Hai fatto male a tua sorella... hai fatto male a Gaira. Non puoi continuare così.»

Il ragazzino si alzò barcollando, l'espressione carica di rimorso e di angoscia.

Robert non poteva restare arrabbiato con lui, ma occorreva fare qualcosa per rimediare. «Va' al torrente e prendi dell'acqua fresca per tua sorella.»

Creighton non si mosse e non staccò gli occhi dalla gemella.

Allora lui si rivolse a Flora. «Capisce quello che dico?»

La bambina annuì, ma anche lei teneva gli occhi fissi sul fratello. «Sì.» Si succhiò di nuovo il labbro. «E andrà a prendere l'acqua se glielo chiedo.»

Creighton emise un suono stridulo e corse verso il torrente.

Robert sospirò. Si domandava se fosse meglio inseguirlo o aiutare Flora. Non aveva alcuna esperienza di ragazzini. Non sapeva come parlare con loro nemmeno nei momenti più tranquilli, e di sicuro non sapeva come parlare a un bambino di nove anni che soffriva del genere di angoscia che lui aveva osservato solo in uomini adulti. *Soldati* adulti.

E non aveva idea di come indurlo a parlare. Alcuni dei suoi uomini erano rimasti traumatizzati dalle battaglie, ma il loro silenzio era durato un giorno, due al massimo. Non intere settimane. Creighton aveva *scelto* di restare muto e lui non capiva il perché. Gaira non glielo aveva mai detto. Chissà, magari non lo sapeva neanche lei.

Ma Flora doveva sapere qualcosa. Aveva preso i pugni del fratello dicendo che aveva bisogno di lei. Ora era in piedi dietro di lui e guardava verso il torrente dove era corso Creighton.

«Perché non parla?» le chiese.

«Non ve lo dirà» rispose. La sua voce era così bassa che quasi non la sentì. «E... Non penso che tornerà con l'acqua.» Lo guardò con aria meditabonda.

Robert si sentì soppesato e resistette all'impulso di allontanarsi da lei. Quello sguardo era troppo penetrante e troppo consapevole per una bambina di nove anni.

«Ho dell'acqua in una borraccia. Dubito che sia molto più calda di quella del torrente.»

Prendendo una tunica di ricambio, ci versò sopra l'acqua. Era ancora gelida per il freddo della notte.

Flora si mise davanti a lui, la testa china. All'improvviso Robert si chiese se dovesse porgerle la tunica o assisterla lui stesso. Lei non lasciava trapelare niente.

Accovacciandosi davanti a lei, lavò via il sangue con gesti delicati prima di spingere da parte i capelli e premere la tunica bagnata contro il suo occhio.

«Tienila così per ridurre il gonfiore. Mi dirai quando si è scaldata.»

Lei fece un piccolo cenno con il capo e tenne ferma la tunica. «È calda» disse subito.

Probabilmente bruciava come fuoco contro il suo

viso pesto, ma lei non pianse e non si lamentò. Continuava solo a guardarlo. Robert versò dell'altra acqua sul tessuto e gliela portò all'occhio. Flora non batté le palpebre e di nuovo lui sentì che lo stava esaminando.

Si guardò intorno. Gaira e gli altri piccoli non si vedevano né si sentivano.

«È colpa mia se non parla» sussurrò la bambina.

Lui continuò a guardare indietro, ma la sua attenzione era tornata bruscamente a lei. «Perché pensi che sia colpa tua?»

«Ho mentito a Gaira. Glielo direte?» chiese in fretta. «Sarebbe terribilmente sconvolta se lo sapesse.»

«Credo che ci voglia molto più di una bugia per sconvolgerla.» E lui lo sapeva bene. Aveva un'esperienza personale di menzogne raccontate a quella donna fiera. Dubitava che esistesse qualcosa capace di fiaccare il suo spirito.

Attese, ma Flora non continuò. L'equilibrio del momento era molto fragile. L'intera foresta sembrava immersa in una calma innaturale. Lui ricordava a malapena di essere stato bambino, però sapeva bene quello che ci voleva per far pendere la bilancia da una parte o dall'altra. Fiducia.

«Manterrò il tuo segreto. Lo giuro.» Si chiese come avessero fatto quelle parole a riaffiorare dalla memoria. Poi improvvisamente ricordò quante volte le aveva dette, da bambino.

L'atteggiamento di Flora si trasformò. Si rilassò come se lui avesse pronunciato la parola magica che stava cercando e spiegò: «Oh, non è il mio segreto. Non proprio». Tolse le mani dal viso e gli porse la tunica.

«Gaira crede che ci siamo nascosti nella foresta, ma non è vero» cominciò a raccontare, la voce non più incerta. Si comportava come se loro due fossero sempre stati i migliori amici del mondo. «Eravamo al villaggio quando è successo.»

Buon Dio, non lo sapeva. Strizzò la tunica che si era scaldata e tenne lo sguardo fisso altrove per non spaventarla con le sue violente emozioni. La bambina aveva un segreto grave e lui doveva apparire calmo per il suo bene.

«Abbiamo sentito i cavalli arrivare al galoppo. Sono apparsi sulla cima della collina come formiche uscite da un formicaio, diretti verso Doonhill.» Si succhiò delicatamente il labbro. «Sventolavano in alto, sopra le loro teste, delle torce accese. La luce del fuoco balenava sulle spade appuntite. Al villaggio tutti hanno cominciato a correre verso il lago o verso le case. Papà è stato uno di quelli che hanno preso una scure e sono andati incontro ai soldati. Non ho visto cosa gli è successo, perché la mamma mi ha trascinato in casa.»

Robert versò dell'altra acqua fresca sulla tunica e gliela mise sull'occhio gonfio. Le mani gli tremavano. La bambina vi posò sopra le sue, premendo a sua volta.

«In un primo momento non guardavano noi bambini e se la prendevano solo con i nostri genitori. Ma non si sono fermati. Non si sono fermati con la mia mamma. Non smettevano mai.» Riprese fiato. «Poi un uomo è venuto verso di me.»

Robert lasciò andare la tunica. No, non voleva ascoltare quel segreto.

«Non mi ha preso» aggiunse subito Flora, fortunatamente. «Creighton lo ha colto di sorpresa. Ha afferrato il calderone della mamma e lo ha colpito sulla testa. Il soldato è caduto sopra di me. Non riuscivo a muovermi. Era pesante. Creighton lo ha tirato via e lo ha spinto nel fuoco che stava già bruciando le pareti della nostra casa. Ho visto l'uomo prendere fuoco. Credo che fosse già morto.»

Si tenne la stoffa nera sul viso. La tunica era grande e le copriva quasi tutto il viso e buona parte del corpo. L'unico occhio che si vedeva non si staccò mai da lui e Robert si scoprì incapace di dirigere lo sguardo altrove. Nemmeno per spirito di sopravvivenza.

«Creighton mi ha preso per mano e ci siamo precipitati fuori dalla capanna. Alec correva e urlava in strada. I soldati stavano uccidendo tutti i nostri amici. Non riuscivo a muovermi, ma mio fratello ha afferrato Alec e ci ha trascinati su per la collina, in mezzo agli alberi.»

Lasciò cadere il tessuto dal viso e lui prese meccanicamente la tunica. Le mani gli tremavano troppo per versare dell'altra acqua.

«Io so perché Creighton non parla. È perché ha ucciso quell'uomo.»

Senza la tunica, non c'era più niente a catturare le lacrime che le scorrevano sulle guance. Robert aveva la gola asciutta e sentiva bruciare gli occhi.

«Non vuole parlare.» Flora scosse la testa. «È come se fosse andato da qualche altra parte, come papà e mamma, e io non posso raggiungerlo.»

I suoi occhi, che avevano il colore del cielo e la stessa vastità, lo fissavano con avidità, incorniciati da quel viso livido, come se solo lui potesse aiutarla.

Robert aveva perso la voce. Così, invece, le prese la mano, che sembrava più fredda e più piccola di prima. Lei non si ritrasse quando attirò a sé il suo corpicino magro. Si sentiva troppo grande, troppo goffo per una ragazzina così esile, ma Flora parve comprendere quello che stava cercando di fare. Gli salì in grembo e appoggiò la testa sulla sua spalla. Lui dovette usare tutta la sua concentrazione per costringere le braccia esitanti ad abbassarsi dolcemente e a cingerla.

«Questo è un grande segreto, Flora» sussurrò.

Sentì il suo cenno d'assenso contro la spalla.

Le parole che stava per dirle avrebbero avuto ripercussioni non solo sulla vita della bambina, ma anche sulla sua. Se aveva pensato di essere goffo nel dare conforto, di sicuro lo sarebbe stato ancora di più nell'esprimersi.

«Anche Gaira dovrebbe conoscere il tuo segreto. Vorrà sapere se ti è stato fatto del male.»

«Ma quell'uomo non mi ha fatto male.»

Oh, sì, lo aveva fatto. Bastò quel pensiero a fargli scorrere più veloce il sangue nelle vene per la rabbia. «Però ti ha spaventato, non è vero?»

Lei annuì.

«Gaira ti vuole bene e vorrà saperlo.»

«Si arrabbierà con me perché non gliel'ho detto.»

«Io invece credo che capirà perché non lo hai fatto.» Robert fece una pausa. «Glielo dirai?»

Poteva sentire che lei stava lottando con quella decisione. «Ci proverò» rispose infine.

Era ancora esitante sull'opportunità di raccontare a Gaira ciò che le era successo. Gaira era quella con il cuore amorevole e il tocco delicato. Gaira era quella che avrebbe saputo cosa dirle, come consolarla. Eppure Flora si era confidata con lui, un guerriero indurito. Un soldato inglese.

«Flora, perché mi hai raccontato la tua storia?»

Lei si scostò per poterlo guardare. Forse era solo la sua fantasia, ma gli sembrò più piccola. Era come se, con il suo racconto, fosse diventata di nuovo una bambina. I suoi occhi, però, avevano ancora quella luce pensierosa.

«Gaira dice che siete un soldato» gli rispose.

«È vero.»

«Voi potete capire perché Creighton è così» spiegò.

Robert non disse niente, ma lei proseguì. «Non

riesco a raggiungerlo. È andato in un luogo dove io non sono mai stata, e nemmeno Gaira c'è mai stata. È per questo che non l'ho mai detto a lei, perché avrebbe cercato di consolarci, ma non avrebbe davvero capito.» Abbassò gli occhi e cominciò a stropicciarsi il vestito. «Creighton ha ucciso qualcuno. Probabilmente Dio è terribilmente in collera con lui. Io ho provato a dirgli che Dio lo capisce. Che farà un'eccezione così lui non andrà all'inferno.»

Il suo era il ragionamento innocente di una bambina. Chi era lui per dirle che Dio non faceva eccezioni? Era un guerriero. Aveva combattuto e ucciso perché non voleva eccezioni. Voleva andare all'inferno per ciò che era diventato, per ciò che aveva fatto in passato. Ma non intendeva dirglielo. Allora *cosa* poteva dirle?

Flora si mosse e strinse tra le dita la tunica di lui. Non sapeva perché lo facesse, ma le piccole dita erano vicino al suo cuore e Robert sentiva ogni movimento del tessuto. «Io rivoglio indietro mio fratello. Credo che non parli solo per punire se stesso.»

La rabbia di Creighton aveva senso. Non era arrabbiato soltanto con Robert perché rappresentava gli uomini che avevano trucidato la sua famiglia e distrutto la sua casa. Era arrabbiato perché era stato costretto a uccidere, e si era convinto di essere dannato per l'eternità.

Si schiarì la voce. «Secondo quello che mi hai raccontato, Creighton ha salvato la tua vita e quella di Alec.»

«L'ho detto a Creighton!» Il sollievo era evidente nella sua voce. «Gli ho anche spiegato che è simile a quello che voi avete fatto ieri per noi. Avete ucciso quell'uomo perché ci ha attaccato. Eppure voi parlate. Avete ucciso, ma non siete andato da qualche parte dove non possiamo raggiungervi.» Flora tirò indietro la testa e lo scrutò in viso. «Non ve ne andrete lontano da noi, vero?»

Secondo i suoi piani, non sarebbe nemmeno dovuto essere lì. Ma c'era e ci era andato con i suoi piedi.

Le scostò una ciocca di capelli dal viso. Era così leggera e morbida che la sentì a malapena sotto le dita callose.

«Parlerò con Creighton, anche se non posso promettere niente. Ma ci proverò.»

La bambina sorrise. Non un incurvare di labbra incerto o dolce, ma un sorriso che andava da un orecchio all'altro e le illuminava tutto il viso.

«Allora andrà bene. Perché tutto quello che avete fatto finora ha avuto successo, Robert di Dent. Io... io mi fido di voi.»

La pugnalata dolce ma rapida al cuore lo colse di sorpresa e sgretolò un blocco duro dentro il suo petto.

Annuì. «Tanto vale cominciare subito.»

Flora scese dalle sue ginocchia e cominciò a correre in direzione del fiume. Le treccine sventolavano come stendardi dietro di lei. Robert non l'aveva mai vista correre.

«Flora?» la chiamò.

Lei si fermò e si girò a guardarlo speranzosa.

«Io resto. Non lascio nessuno di voi.»

La bambina gli rivolse un rapido cenno e saltellò leggera, aperta a quello che il futuro le avrebbe portato.

Lui era inchiodato al suolo; non avrebbe potuto sollevare nemmeno un piede. Avrebbe voluto sentirsi leggero come lei. Che strano. Le parole erano emerse facilmente come se fossero state lì tutto il tempo. La promessa che sarebbe rimasto con loro, che si sarebbe preso cura di loro e li avrebbe protetti, gli era uscita di bocca prima che lui potesse ricacciarla indietro. Era una promessa che aveva giurato di non pronunciare mai più. L'ultima volta che l'aveva fatta, aveva fallito. Da allora, pieno di dolore e di rimpianto, era semplicemente *esistito*.

E ora aveva fatto di nuovo quella promessa. L'irrevocabilità dell'impegno già gli ghiacciava le vene e gli chiudeva il cuore nel calore gelido della determinazione. Poiché lui sapeva... *sapeva*. Se avesse mancato alla promessa, stavolta si sarebbe assicurato di morire.

21

❖

Trovò Creighton vicino al torrente. Stava gettando dei bastoncini nell'acqua e li guardava girare vorticosamente e sbattere contro le rocce.

«Dovresti provare con i sassi.» Robert si guardò intorno e ne trovò uno piatto. Con un movimento ad arco del braccio, lo lanciò. Il sasso rimbalzò tre volte sull'acqua. «Mi divertivo a farlo quando avevo pressappoco la tua età. Avevo un amico che riusciva a fargli fare cinque rimbalzi.»

Ne raccolse un altro e glielo porse. Il ragazzino non si mosse, anche se guardò il sasso per un istante.

Allora Robert fece saltare il sasso sul palmo e poi lo lanciò ancora. Due rimbalzi. «Non sono mai riuscito a farne più di tre. Mi esercitavo ogni volta che potevo, ma niente da fare.» Prese una manciata di sassolini e li lanciò. Punteggiarono l'acqua come grosse gocce di pioggia. «Però io ero più bravo quando ci esercitavamo con la spada. *Volevo* essere il più bravo. Lui era più grande e aveva più anni di addestramento alle spalle e un equipaggiamento migliore del mio, ma ci allenavamo insieme e io mi impratichivo. Mi alzavo prima del mio amico e andavo a letto dopo di lui.» Si strofinò la nuca. «Per

202

noi era la stessa cosa, lanciare sassi o fare pratica con la spada. Erano soltanto giochi per noi. Con il passare del tempo l'addestramento richiese sempre più ore e non ci restò tempo per lanciare i sassi. Le esercitazioni erano più serie, ma per noi era ancora un gioco, un modo per sfidarci e per ridere. Eravamo tanto esuberanti. Ma non rimase così a lungo.» Robert pensò con attenzione a come parlare di politica a un bambino di nove anni. «C'era questa ragazzina che sia l'Inghilterra sia il Galles volevano per motivi politici» continuò. «Combatterono per lei fino a quando Edoardo stabilì che il Galles non doveva più essere una nazione separata. Allora io e il mio amico andammo in guerra.» Raccogliendo un altro sassolino piatto, lo fece rotolare tra le dita. «Quello non fu affatto un gioco.»

Creighton non si muoveva e non reagiva in alcun modo, ma stava ascoltando. Robert si augurava che il suo racconto avesse un senso.

«Non fu una grande battaglia, forse duecento soldati per parte. La giornata era serena, i campi verdi, e mi pare di ricordare degli alberi dietro di noi. Entrambi gli schieramenti corsero verso il centro del campo e di colpo mi trovai davanti un uomo. Il mio istinto mi comandava di restare vivo e l'addestramento mi diceva che non potevo fuggire. Per raggiungere entrambi gli scopi, brandii la spada.» Smise di far rotolare il sasso e lo strinse forte. I bordi sottili gli si conficcarono nel palmo. «Quello allungò la spada verso il mio petto. Io la bloccai senza sforzo. Con un semplice movimento di lato e un affondo a un'angolazione diversa rispetto a quella delle esercitazioni, l'uomo era morto. Ebbi appena il tempo di fare un respiro e mi trovai davanti un altro avversario. Ma anche nell'impeto della battaglia, quando tutti i miei sensi erano vigili, più di ogni altra cosa ero incredulo. Come se quello che

203

stava succedendo fosse impossibile. In che modo, con dei gesti per me tanto semplici, gli uomini cadevano morti intorno a me come se non fossero mai esistiti?» Lanciò nell'acqua il sasso che tagliò un'onda e affondò. «Quella sera mi confessai con un prete, bevvi molto e il giorno dopo mi svegliai con un atroce mal di testa, gli speroni da cavaliere e la sensazione che non sarei mai più stato come prima.»

Prese un profondo respiro. Non sapeva cos'altro dire, quali altri dettagli raccontare. Creighton aveva già visto abbastanza orrori a Doonhill e lui non voleva aggiungere anche i propri. Così rimase dov'era, senza più nessuna voglia di lanciare sassi. Il rumore della corrente sembrava fortissimo nel silenzio.

«Cosa è successo alla ragazza?» La voce di Creighton era più alta di quanto Robert si aspettasse. Ma del resto aveva solo nove anni. Era un bambino e aveva vissuto l'incubo di un uomo.

«Salì su una nave che dalla Francia doveva portarla nel Galles, ma Edoardo catturò la nave e la fece prigioniera.»

«E lei morì?»

Robert rimase immobile. Non sapeva cosa avesse fatto per ricevere il dono di Creighton che ricominciava a parlare e non voleva fare niente per modificare le circostanze.

«No. Edoardo la liberò e lei si sposò ed ebbe un figlio.» Non aggiunse che era morta di parto.

«Io sono sporco.» Le parole erano accavallate l'una sull'altra.

Lo guardò. Gli occhi del ragazzino erano fissi oltre l'acqua, sulla riva opposta del fiume.

«Se parlo, guasto tutto quello che mi circonda.»

«Eppure stai parlando con me.»

«Sì, ma anche voi siete sporco. Ho visto cosa avete fatto a quell'uomo. È la stessa cosa. Mia madre e mio padre sono stati falciati come canne. E sono caduti come canne tagliate.»

Robert si accucciò, ma continuò a fissare davanti a sé, come Creighton. «C'è una differenza tra ciò che quegli uomini hanno fatto alla tua casa e quello che io ho fatto sul campo di battaglia. La tua famiglia era innocente e non avrebbe dovuto subire tutto questo. Non avevano voluto loro la guerra.» Prese fiato. «Gli uomini che io ho affrontato sul campo erano addestrati a combattere. Arrivavano sapendo che sarebbero potuti morire. Avevano accettato la guerra, la paga e il possibile risultato.»

«Ma sono morti comunque» obiettò Creighton. «Sono tutti morti. Che differenza c'è?»

Robert non parlava così tanto da anni e sapeva di essere destinato a restare a corto di argomenti, a un certo punto. Ecco, il momento era arrivato.

«A volte» riprese esitante, «un ragazzo, o un uomo, non può fare a meno di prendere una decisione difficile. A volte non esiste un'altra possibilità, non c'è nessun altro che possa accollarsi il fardello. Si riduce tutto a noi e a quello che scegliamo di fare.»

«Io non volevo ucciderlo.» Creighton prese un respiro, che si incrinò. «Sapevo che era cattivo, ma volevo soltanto che si fermasse.»

«Tu eri spaventato e arrabbiato e se non lo avessi colpito abbastanza forte non solo avrebbe fatto del male a Flora, ma dopo sarebbe toccato a te.»

Creighton chinò la testa.

Robert gli mise una mano sulla spalla e il ragazzino alzò il viso per guardarlo. Aveva la fronte aggrottata, ma gli occhi erano asciutti. Una montagna di colpa e di rimorso pesava sulle sue esili spalle.

«Non sta a me perdonarti o renderlo più sopportabile.» Robert addolcì il tono. «Questo è fra te e Dio. Un giorno, più avanti, capirai che hai fatto un gesto molto coraggioso e che tua sorella e Alec sarebbero morti se non fosse stato per la scelta difficile che hai compiuto.»

Il volto di Creighton arrossì e si accartocciò un attimo prima che gli occhi gli si riempissero di lacrime. D'impulso, Robert lo abbracciò. Non aveva altre parole per aiutarlo, ma voleva fargli capire che si sarebbe sentito di nuovo al sicuro, che era giusto essere un bambino. Non sapendo come farlo, lo strinse con maggior forza; il pianto rumoroso di Creighton diventò ancora più forte e passò molto tempo prima che i singhiozzi si calmassero.

Dopo un'altra pausa, Robert si schiarì la voce e lo lasciò andare. «Hai mai fatto rimbalzare dei sassi?»

Il ragazzino si scostò da lui, passandosi un braccio sul viso. «No.»

Robert guardò per terra finché trovò quello che cercava. «Ecco...» La sua voce si spezzò, e dovette raschiarsi di nuovo la gola. «È importante trovare un sasso liscio e piatto, come questo. Vuoi provare?»

Creighton smise di strofinarsi il viso e annuì. Poi, lentamente, cercò anche lui un sasso perfetto da lanciare.

Era passata probabilmente meno di un'ora, quando lui e il ragazzino tornarono al campo. Erano tutti là e ridevano di gusto. Gaira teneva in braccio Maisie, mentre Alec roteava in una danza folle con Flora. Creighton corse verso di loro con entusiasmo e andò a fermarsi davanti a Flora e ad Alec. La sorella immediatamente interruppe il girotondo e lo guardò preoccupata.

«Non fermarti per me, Flora» la invitò il fratello.

Robert udì l'ansito spezzato di Gaira al di sopra della risata di Creighton, che afferrò le mani della sorella e la fece roteare ancora più velocemente di prima. «È divertente girare così!»

Le lacrime volarono via dal viso di Flora mentre guardava raggiante il suo gemello. Alec saltava intorno a loro come un matto. Gaira piangeva e rideva insieme. Maisie batteva le manine. Le loro facce esprimevano una gioia assoluta. Era la scena più bella che lui ricordasse di aver visto.

Non aveva mai conosciuto una donna come lei. Coraggiosa, decisa, ma felice grazie al suo cuore ancora intatto. Negli ultimi giorni, l'aveva sentita ridacchiare e fare strani rumori come se fosse anche lei una bambina, per poi vederla trasformarsi in una chioccia severa quando era il momento di lavarsi e andare a dormire.

Robert non sapeva come facesse. Lei soffriva, era chiaro. La morte di sua sorella e le decisioni del fratello l'avevano devastata.

Le parole che aveva detto a Creighton traboccarono di nuovo dal suo cuore.

A volte un ragazzo, o un uomo, non può fare a meno di prendere una decisione difficile.

La sera precedente, prima di incontrarla al torrente, aveva visto Gaira avvolgere Maisie nella coperta e sistemarla comodamente contro il fianco di Flora. Il viso della bambina si era illuminato come se avesse ricevuto un dono e lei le aveva sorriso teneramente prima di chinarsi e baciarla sui capelli.

Gli era sembrato di intromettersi in un momento troppo intimo, ma non era riuscito a distogliere lo sguardo. I bambini non erano suoi, ma lei li amava fieramente. E con la stessa fierezza si batteva per proteggerli.

A volte non esiste un'altra possibilità, non c'è nessun altro che possa accollarsi il fardello.

Cosa era lei? Una bambina giocherellona, una donna compassionevole o una madre? Era certo di non conoscere nessuna come Gaira. Forse era la ragione per cui reagiva in quel modo alla sua vicinanza. Voleva proteggerla, ridere con lei e fare l'amore con lei, tutto allo stesso tempo.

Erano le sue emozioni che lo avevano portato a fare quella promessa a Flora. A tutti loro.

Si riduce tutto a noi e a quello che scegliamo di fare.

Sopra la testa di Maisie, lo sguardo di Gaira si incatenò al suo. Riconobbe la maggior parte delle sue emozioni in quegli occhi espressivi. Felicità, gratitudine e qualcos'altro che gli colmò il petto e lo fece sentire più leggero.

La sera prima le aveva detto che se ne sarebbe andato. Ora doveva comunicarle che restava. Dopo quello che avevano condiviso, si chiese come avrebbe accolto la notizia.

Contenta. Sarebbe stata contenta. Creighton aveva ricominciato a parlare. Gaira non poteva più essere arrabbiata o risentita con lui.

«No» disse risoluta incrociando le braccia sul petto. «Non verrete con noi. Ci separiamo adesso, proprio come abbiamo convenuto ieri sera.»

Era contenta di avere mandato i bambini a raccogliere i ramoscelli per accendere il fuoco. Robert non intendeva ragione.

«Pensavo voleste il mio aiuto» replicò lui.

Sì. Lo voleva. Terribilmente. Ma non a rischio della sua vita. Non poteva nemmeno credere di avere mai chiesto il suo aiuto, ma come avrebbe potuto immaginare che sarebbero arrivati a questo? «Ho cambiato idea» affermò.

Non voleva farlo andare via. Non dopo la notte precedente, non dopo che si era resa conto di amarlo. La rivelazione non era stata una sorpresa. Il suo cuore si era intenerito nei confronti di quell'uomo fin da quando, nel suo modo burbero, aveva accettato di seppellire i morti del villaggio. Amava il suo comportamento rude ma generoso. Solo, non ora.

«Ho cambiato idea» ripeté. «Non abbiamo più bisogno di voi. Abbiamo le provviste e non siamo lontani dalle terre di mio fratello, dove saremo al sicuro. Ce la cavavamo bene prima del vostro arrivo e staremo altrettanto bene senza di voi adesso.»

Sperava che lui le credesse. La verità era che dovevano ancora attraversare le terre dei Buchanan, inoltre lei non era affatto sicura di come avrebbe reagito suo fratello.

«Non lascerò voi o i bambini» replicò Robert. «Non mi aspettavo di incontrarvi, ma non posso cambiare la situazione. Inoltre, io sono qui e questo è un fatto. Anche se siete stati a meraviglia prima del mio arrivo, sono qui e vi aiuterò.»

Volubile. Testardo. Perché si era messo a discutere di questo? «Non siete tenuto a proteggerci.»

«Ma lo farò.»

La rabbia le pervase ogni fibra del corpo. «Mio fratello è un laird scozzese» proclamò. «Probabilmente vi ucciderà.»

«Che ci provi.»

Gaira aggiunse *arrogante* alla litania dei suoi attributi. «Ah, non immaginate quello che vi faranno quando arriverete là con me? Io sono al sicuro, vi dico. Conosco queste colline meglio di quanto conosca me stessa.»

«Bene, così arriveremo prima. Vorrei vedervi al sicuro nel castello di vostro fratello... almeno prima che gli raccontiate che non siete sposata, che il vostro promesso sposo è stato assassinato e che avete portato a casa quattro bocche in più da sfamare.»

«Il fatto che abbiate aiutato me e i bambini non lo renderà più tollerante.»

«La mia reputazione riguarda solo me.» Lui la guardò con aria pensierosa. «Voi sarete al sicuro con vostro fratello? Non posso dimenticare che vi aveva promesso a Busby per sbarazzarsi di voi.»

Non aveva altro posto dove andare. «La mia sicurezza riguarda solo me.» Gaira ripeté l'affermazione di lui con tutta l'alterigia possibile.

Quando Robert si chinò verso di lei, sentì che la determinazione cominciava a vacillare.

«Bisogna che siate al sicuro al castello dei Colquhoun» dichiarò. «Non posso tornare con voi e i bambini all'accampamento inglese. Non sarebbe opportuno, anche se non foste scozzese.»

«Cosa c'è di sbagliato nel fatto che sono scozzese, rospo cocciuto e lunatico?»

Un angolo della bocca di lui si incurvò. «Di sbagliato non avete nemmeno una lentiggine.»

Lei era sicura di essere arrossita dalla punta dei piedi alla radice dei capelli. Con i suoi colori, doveva sembrare un lungo bastone rosso.

La cosa peggiore era che Robert le sembrava ancora più affascinante del giorno prima. La luce del sole si rifletteva sui suoi capelli, rendendoli di quel castano intenso che lei amava, e la tunica nera faceva apparire ancora più scuri i suoi occhi. Anche se quella particolare sfumatura di castano non riusciva a cancellare la loro luce diabolica, che lei non trovava per niente piacevole.

Robert di Dent sembrava divertirsi a osteggiarla. In lui c'era qualcosa di diverso. Non l'aveva mai stuzzicata così, prima.

Quella mattina lei non aveva impiegato molto tempo a trovare del cibo. Ma quando era tornata al campo, tutto il suo mondo era cambiato. Creighton aveva ricominciato a parlare ed era stato quel testardo, arrogante inglese a compiere il miracolo.

E ora, le stava dicendo che aveva deciso di aiu-

210

tarli. Gaira si chiedeva perché. Meglio ignorare le speranze che le colmavano il cuore. Non era il caso, non con Robert determinato ad andare incontro alla morte.

«Quei bambini non sono una vostra responsabilità» rincarò.

«È una questione di opinione. Solo per caso siete arrivata a Doonhill prima di me.»

«Per caso! Il caso non ha nulla a che fare con questo. Io sono scozzese e loro pure. Ero là per volontà di Dio, non per un caso fortuito. Lui ha scelto me perché mi prendessi cura di loro e lo farò!»

«E così sarà, Gaira, ma io mi assicurerò che ce la facciate.»

Lei socchiuse gli occhi. «È sempre per via del vostro cosiddetto senso del dovere?»

Robert si raddrizzò. «Il fatto che i bambini siano rimasti orfani è una mia responsabilità.»

Lo sapeva. La rabbia le schizzò in diverse direzioni. In primo luogo verso gli uomini veramente responsabili della tragedia; poi verso Robert per il suo malinteso senso del dovere; infine, più importante, verso il proprio cuore perché sperava che lui avesse delle motivazioni diverse dal dovere, perché voleva che restasse con lei.

Era stata pronta a concedersi a lui, si era aperta nella vana illusione che anche l'inglese si aprisse. Ma lui non l'aveva toccata: aveva negato a se stesso quello che lei aveva liberamente deciso di dargli. Era rimasto distaccato. Ora Gaira voleva che se ne andasse per salvargli la vita e lui, quel cocciuto, sceglieva proprio quel momento per dire che era suo dovere restare!

«Non avete ucciso i loro genitori!» esclamò. «Non eravate nemmeno presente.»

«Gli uomini che lo hanno fatto sono soldati inglesi, proprio come me.»

«Ma non siete stato voi. Non avreste mai potuto farlo.»

«Ho ucciso...»

Lei agitò una mano. «Non bambini, non donne, non degli innocenti.»

«Come fate a esserne così sicura? Io sono inglese, non basta forse per essere considerato malvagio da voi che avete sangue scozzese?»

«Non siate sciocco. Dio non giudica secondo la nazionalità, bensì secondo le nostre azioni. Siete testardo, sì, ma non cattivo.»

Un suono di risate li interruppe. Lei si voltò indietro. Maisie e Alec correvano, inseguiti da Flora e Creighton. Aveva esaurito il tempo a sua disposizione per convincerlo.

«Questa discussione non è finita» sibilò Gaira.

«Temo di no, ma l'esito non cambierà.»

«Voi... indisponente, arrogante... uomo!» sussurrò lei con furia. «Un po' di buonsenso no, vero?»

Robert rimase in silenzio. Non inarcò nemmeno le sopracciglia. Sembrava che niente di quello che lei gli diceva avesse il potere di fargli cambiare idea.

Delle braccia incerte le afferrarono le gambe e lei fece un passo avanti per non perdere l'equilibrio. Accarezzando la testolina di Maisie, cedette. «Va bene, portatemi da mio fratello. Cosa mi importa se Bram vi taglierà la testa?»

«Teta!» strillò la piccola.

«Sono contento che voi due siate d'accordo» commentò lui. «Potrebbe essere necessario viaggiare più veloci di prima. Ho la sensazione che non ci rimanga molto tempo.»

———————— ❖ ————————

22

Robert era tormentato. Tutta colpa di quella male-detta nebbia. Copriva ogni cosa e impediva la visu-ale. Tutti i suoni erano amplificati. I fagiani di monte e i caprioli erano così numerosi che conti-nuavano a trovarseli davanti. Animali che non riu-sciva a scorgere zampettavano via nella bruma.

Era anche un territorio sconosciuto. Il terreno era più roccioso e ripido, l'erba soffice aveva lasciato il posto a dei bassi arbusti. Improvvisamente le colli-ne erano diventate brevi scarpate.

Chiunque avrebbe potuto essere appostato oltre il dosso successivo e lui non lo avrebbe saputo fin-ché non fosse stato troppo tardi. Non smetteva di scrutare ogni movimento intorno a loro, eppure sentiva che stavano per finire in una trappola.

«Fino a che punto viaggeremo verso oriente?» Rallentò il cavallo per avvicinarsi a Gaira. Subito Alec, che cavalcava con lui, si protese per accarez-zare l'animale della donna. Robert lo agguantò pri-ma che cadesse dalla sella.

«Due, forse tre giorni» rispose lei. «È l'unico modo per evitare di avvicinarsi troppo alle terre di Busby.»

«Ma così non ci addentreremo troppo in quelle

dei Buchanan? Avete detto che non è sicuro.»

«Non credo che ci inoltreremo nel mezzo.» Gaira spostò Maisie. «Le terre dei Buchanan sono vaste. Io non ci sono mai stata, ma ogni tanto i miei fratelli prendono in prestito qualcosa.»

«In prestito?»

«Rubano delle pecore.»

«Ecco spiegato perché i Colquhoun e i Buchanan non vanno molto d'accordo.» Lui guardò verso il cielo. «Se questa maledetta nebbia non si alza, dovremo fermarci sulle loro terre. Spero che saranno comprensivi, se mai ci catturassero.»

«Non dovremo fermarci. La nebbia è una buona copertura e almeno i bambini stanno tranquilli.»

Tranquilli, ma non silenziosi. I gemelli, in sella al loro cavallo nel centro del gruppetto, non la smettevano più di chiacchierare da quando Creighton aveva ripreso a parlare. Cavalcando insieme, tenevano la voce bassa, ma le loro risatine eccitate si levavano di frequente. Alec e Maisie erano meno agitati solo perché erano separati. Robert non si aspettava che la quiete durasse.

Ormai aveva fatto l'abitudine al chiacchiericcio innocente dei bambini. No, di più. Non solo si era abituato a loro: era diventato protettivo. Se anche non avesse fatto quella promessa, non avrebbe comunque permesso che arrivassero a casa da soli, dal momento che non sapeva come il fratello di Gaira avrebbe reagito vedendola ritornare con quattro bambini. Era troppo rischioso.

Tuttavia, non sapeva ancora come avrebbe fatto a proteggerli senza combattere con i Colquhoun. La situazione era complicata e Gaira sarebbe stata costretta a schierarsi. Non riusciva a escogitare un modo per evitarlo.

Perfino in quel momento gli uomini del clan di Busby e di quello di Gaira potevano essere vicini, prossimi a piombare su di loro. Lui aveva promesso a Flora che non se ne sarebbe andato, ma presto sarebbe potuto morire. Si chiese se la bambina avrebbe capito...

«I bambini hanno bisogno di riposare» sussurrò Gaira.

Lui non obiettò. Avevano già viaggiato a lungo quella mattina e Alec stava cominciando ad agitarsi come un cucciolo in grembo a lui.

Gaira smontò senza sforzo, sorreggendo con una mano Maisie fin quando non poté prenderla tra le braccia e appoggiarla a terra lontano dal cavallo.

«Come va la caviglia?» Anche lui smontò e lasciò libero Alec di correre dietro alla piccolina.

Lei ruotò il piede. «Ho dimenticato di essermi fatta male.»

Indossava ancora la tunica e i calzoni da uomo e quel movimento mise in risalto la sua gamba lunga e ben modellata. Così semplice, eppure la reazione immediata del proprio corpo gli ricordò che era in un pericoloso stato di bisogno, quando si trattava di lei.

Gaira si raddrizzò e si guardò intorno. I bambini erano spariti nel bosco. «Dovreste tornare in Inghilterra» tornò a insistere.

Sapeva che non avrebbe abbandonato l'argomento tanto facilmente.

«Non voglio andarmene, Gaira. Potete chiederlo all'infinito.»

Lei si spazzò via la polvere dai vestiti. «Non capisco perché siate tanto testardo.»

Osservò le sue mani sulle gambe. Aveva visto le sue gambe; aveva sentito la morbidezza di quella pelle nuda. Durante quel viaggio infinito il corpo gli aveva ricordato ripetutamente che non era riuscito a toccarle abbastanza. «Proprio voi dovreste conoscere bene questa caratteristica» rispose.

«Zia Gaira, ho fame.» Alec uscì dal bosco. La sua voce lamentosa si levò nell'aria.

Lei fece subito un passo verso il bambino. «Ssh, non dobbiamo fare rumore.»

«Ma io ho fame» protestò lui.

Anche gli altri stavano tornando indietro. Probabilmente erano tutti affamati. Robert fece un respiro profondo per liberarsi di quei pensieri ribelli. «Abbiamo delle gallette» sussurrò.

«Sono stufo di gallette» piagnucolò Alec.

«Ci vuole troppo tempo per mettere delle trappole» la voce di Creighton schizzò nell'aria, più forte di quella di Alec.

«Sir Robert non ci lascerà morire di fame.» Gli occhi di Flora e il suo commento tradivano la sua adorazione per Robert. E la sua voce aveva un volume ancora più alto perché voleva farsi sentire al di sopra delle proteste di Alec.

Gaira si voltò a guardarlo impotente. «Le bacche non li terranno a bada.»

«Vedrò cosa riesco a prendere.»

Avrebbero dovuto comprare più carne secca. Ne avevano ancora un poco, ma non sarebbe bastata se avessero dovuto aspettare che la nebbia si dissolvesse. Gaira lo aveva allegramente informato che in quelle zone collinari poteva passare anche una settimana prima che la nebbia si alzasse. La carne fresca li avrebbe nutriti e tenuti buoni, ma il fuoco e gli odori avrebbero tradito la loro presenza.

Il territorio sconosciuto, per di più dal terreno roccioso, rese difficile la caccia. Gli ci volle più di un'ora per uccidere una capra selvatica.

Un frullo d'ali alla sua sinistra lo raggelò. Non sapeva quanto fossero distanti, ma qualcosa di grosso aveva spaventato gli uccelli. Un animale? O qualcosa di diverso?

Uno strillo si levò alla sua destra. Maisie.

A sinistra udì un rumore di sassi smossi. Sembravano vicini.

Lasciò cadere la capra sotto un arbusto, girandola in modo che la ferita restasse nascosta. Chiunque o qualsiasi animale si fosse trovato alla sua sinistra vedendo il corpo non sarebbe andato a guardare troppo da vicino.

Un altro rumore di sassi, lo sbuffo di un cavallo.

Robert smise di esitare e corse in direzione dei bambini. Quando uscì dagli alberi, vide che Gaira agitava freneticamente un braccio. Dei cavalli si stavano avvicinando. Lui si buttò tra le fronde nel momento in cui tre cavalieri apparivano dall'altra parte della radura.

Sporcando di terra le guance dei bambini con gesti convulsi, Gaira si curvò sopra Maisie e Alec. Creighton e Flora erano nascosti dietro un altro albero, rannicchiati, i visi già coperti di terra.

I tre cavalieri erano scozzesi. Si guardavano intorno rilassati, mentre i loro cavalli battevano gli zoccoli con impazienza. Robert sfilò dalla faretra, senza far rumore, la sua ultima freccia.

All'improvviso uno degli uomini tirò le redini del cavallo per farlo girare e gli altri due lo seguirono. Robert attese che scomparissero del tutto prima di rimettere la freccia nella faretra e andare da Gaira e dai bambini.

Se i tre uomini fossero stati appena più vicini o se fossero stati messi in allarme dai rumori prodotti da altri cavalli, sarebbero stati catturati.

«Per un pelo» sussurrò Gaira.

«Come facevate a sapere dove nascondervi?» domandò Robert. «Io credevo che fossero alla mia sinistra!»

«Io ho avuto bisogno di... tornare tra gli alberi» spiegò Flora.

«E li hai visti?» indagò Robert.

La bambina annuì.

«Ragazza coraggiosa» la elogiò.

«È corsa fuori da quegli alberi così in silenzio che mi ha spaventato» aggiunse Gaira. «Dovevano essere a non più di due altezze d'uomo da lei. Se non mi avesse guardato con degli occhi così enormi, avrei rivelato la nostra posizione mettendomi a urlare.»

Avrebbero potuto catturarli tutti.

«Quegli uomini non stavano andando a caccia di selvaggina. Facevano troppo rumore» ragionò Robert. «C'è qualche possibilità che i vostri fratelli li abbiano avvisati della vostra scomparsa?»

«Non lo so. Dubito che si farebbero aiutare dai Buchanan per ritrovare me.»

Robert avrebbe ricucito i rapporti tra Dio e Satana pur di ritrovare Gaira. Che razza di persone erano i suoi fratelli se lei aveva finito per avere così poca stima di se stessa? «Non possiamo correre altri rischi» decretò. «D'ora in poi eviteremo le radure. È troppo pericoloso.»

❖

23

«Quanto manca ancora?» chiese Robert.

Più si avvicinavano alla casa di lei, più Gaira diventava silenziosa. Era preoccupata. Da quella notte presso il torrente, al chiaro di luna, lui aveva cercato di ignorarla, ma osservarla era diventato importante come respirare. Il modo in cui i suoi arti slanciati si muovevano mentre cavalcava, la curva della sua schiena, il profilo del collo. E i suoi capelli... Da quando la nebbia si era alzata, Robert era accecato da quella chioma che catturava i raggi del sole. Li teneva raccolti, ma il vento continuava a scioglierli e le varie sfumature di rosso lo tormentavano.

«Non molto.» Lei si raddrizzò sulla sella. «Guardate! Il mio albero!»

Ce ne erano diversi.

«Quale albero, zia Gaira?» Alec cercò di mettersi in piedi sulla sella e Robert gli premette una mano sulla spalla per tenerlo giù prima che cadesse da cavallo.

Gaira guidò il suo animale verso un larice alto e solitario, che aveva rami e foglie solo da un lato del tronco, pericolosamente inclinato.

«Il vostro albero?» chiese lui. «A parte l'altezza

e gli arti allampanati, non vedo altre somiglianze.»

Lei scoppiò a ridere. Smontò e fece scendere anche i bambini. «Osservate la sua base.»

Robert avvicinò il cavallo. La base del larice era larga e nodosa e si estendeva ben oltre il diametro del tronco. Una sorta di escrescenza anomala.

Lei si sedette sulla base contorta. «Guardate! Questo è un sedile. Da secoli il larice accoglie i Colquhoun di passaggio, offrendo loro un posto dove sedersi.»

Lui smontò e subito dovette aggiustare il peso sotto l'assalto del vento. Era senza fiato, non per il vento, ma per Gaira.

I capelli di fiamma, ancora in parte raccolti in una treccia, le danzavano intorno al viso. Teneva le palpebre socchiuse per ripararsi dal sole, le guance erano rosee, il sorriso ampio. Aveva dato il suo scialle a Flora e il vento le incollava la tunica al corpo. Anche sotto la stoffa spessa, si capiva che aveva freddo.

La vista dei suoi capezzoli sporgenti gli incendiò il corpo e gli inaridì la bocca. «Sì, molto accogliente» riconobbe. Se i suoi capelli lo tormentavano, i seni delineati sotto la tunica gli stuzzicavano il corpo frustrato.

Senza guardarlo, lei raccolse una manciata di terra e gliela porse. «Adesso ne volete un po'?» Gli stava offrendo di nuovo la terra scozzese. Ma stavolta era quella della sua famiglia. Stavolta lui sapeva cosa voleva dire starle vicino.

Robert non si mosse fin quando lei non lo guardò negli occhi. Poi aspettò che il suo sorriso lasciasse il posto a un'espressione confusa e infine che arrivasse la comprensione.

Solo allora si azzardò ad avvicinarsi di nuovo a lei.

«Robert?» La voce di Gaira era resa esitante dal

destarsi del desiderio. I suoi occhi saettarono dietro di lui, ma Robert sapeva che i bambini erano troppo lontani.

Gaira percepì il suo intento, i suoi occhi fissi su di lei, sulle gambe e di nuovo sul viso. Un messaggio che ormai era in grado di capire. Lui voleva toccarla e stava chiedendo il suo permesso.

Guardò di nuovo dietro di lui. I bambini continuavano a rincorrersi.

Aveva soltanto voluto mostrargli l'albero dei Colquhoun e condividere con lui una manciata di terra. Ora, con Robert che la guardava in quel modo, non era più sicura di ciò che voleva.

Continuò a tenere la mano tesa verso di lui e la terra le scivolò tra le dita tremanti. Robert si accostò fino a sfiorarle con le gambe le ginocchia.

Un contatto minimo, che tra estranei non avrebbe significato niente. Ma il corpo di lei non era estraneo al suo e stava reagendo rapidamente a quel tocco.

Lui accettò la terra, ma ne lasciò cadere più di quanta ne avesse presa. Cercando di calmare il cuore che batteva troppo veloce, Gaira ritirò la mano e se la nascose in grembo. Respinta dal suo tocco appena accennato. Di nuovo.

«Ecco fatto. È stato così difficile?» chiese, cercando di nascondere la dolorosa consapevolezza di lui.

«Sì.»

Gli angoli della bocca di Gaira tremolarono in un accenno di sorriso, ma i suoi occhi color whisky si erano incupiti quando le si era avvicinato, e gli dicevano cosa provava realmente.

Voleva avvicinarsi, insinuarsi tra le sue gambe, vedere se i suoi occhi sarebbero diventati ancora più scuri. Al culmine del desiderio, erano stati...

Risate. I bambini stavano ritornando.

Le guance imporporate, Gaira si alzò in fretta. Lui non la fermò quando lo spinse da parte e corse verso di loro. Alle sue spalle gli strilli e le risate aumentarono subito d'intensità.

Rimase a contemplare l'albero, immaginando che lei fosse ancora lì. Immaginando di essere solo con Gaira, di potersi avvicinare di un passo. Avrebbe potuto... Espirando lentamente si concentrò sull'albero. Lei era stata entusiasta di rivederlo. Un brutto larice contorto, solo che guardandolo attraverso gli occhi di lei anche Robert cominciò a capirne la bellezza.

Si girò a studiare il resto della terra che lei amava. E fu allora che li vide: due cavalieri che arrivavano da settentrione. A giudicare dal polverone che sollevavano, stavano cavalcando come diavoli. Con il cuore che gli martellava nel petto, Robert corse verso il suo cavallo.

«Gaira!» gridò. Maledicendo i propri pensieri vagabondi, prese la spada lunga. La sua distrazione avrebbe potuto costare la vita a tutti loro. «Prendete i cavalli e i bambini, andate verso sud e aspettatemi sull'altra sponda del fiume!»

Lei non rispose.

Robert si girò e vide che aveva radunato i bambini dietro di sé, ma che non stava andando a sud. Si dirigeva verso di lui.

Cocciuta come sempre, avrebbe dovuto saperlo. «Non è il momento di fare la temeraria!»

«Io non me ne vado» dichiarò lei.

I cavalieri erano ormai vicini e lui vide la loro aria truce. Non era una visita di cortesia.

«Maledizione, Gaira, sbrigatevi!»

«No. Prima voglio sentire cosa hanno da dire i miei fratelli.»

I suoi fratelli. Con le facce truci. «Portate via i bambini, così non dovranno assistere.»

Lei intrecciò le dita davanti a sé. «Non ci sarà niente da vedere se io resto qui. Sono uomini ragionevoli.»

«Voi ci avete messo un po' prima di scoprire la mia identità, ma loro lo capiranno in men che non si dica. E altrettanto velocemente svanirà ogni ragionevolezza.»

«Io resto.» Gaira sporse il mento. «I motivi che ho per restare sono più forti della ragione.»

Robert non aveva tempo per i suoi indovinelli.

I due uomini arrestarono i cavalli, sollevando zolle di erba. Uno aveva i capelli lunghi e scuri, con dei riflessi rossi sotto i raggi del sole. I suoi occhi grigioverdi erano freddi e spietati. L'altro, più giovane, aveva i capelli corti e scuri, senza traccia di rosso, e gli occhi verdi accesi dall'ira. Non sguainarono le spade, ma del resto erano in vantaggio: erano in due, entrambi a cavallo.

Si avvicinarono a lui ancora in sella per intimidirlo. Robert conosceva il rituale e tenne lo sguardo fisso sugli uomini, non sugli animali.

Questi non erano degli idioti come Busby. I loro occhi lo stavano soppesando. Anche se erano in collera, si stavano trattenendo.

«Cosa ci fate con nostra sorella?»

Non la domanda che si era aspettato, ma senza dubbio pertinente. Era stato il maggiore dei due a parlare per primo. Lui si chiese se fosse Bram, il laird, ma poi accantonò l'ipotesi. Gaira aveva detto che Bram aveva i capelli rossi. Probabilmente costui era il secondogenito, Caird.

«Sto riportando a casa lei e quattro bambini per restituirli alle vostre cure.» Non cercò di parlare nella loro lingua. Avrebbero comunque capito subito che era inglese.

Caird non degnò di uno sguardo né la sorella né i piccoli. Robert sapeva che aveva già osservato bene il loro gruppo mentre li raggiungevano.

L'altro uomo avvicinò ulteriormente il cavallo. Doveva trattarsi di Malcolm, il fratello più giovane. «Non tocca a noi prenderci cura di nostra sorella, ma a suo marito» dichiarò. «E voi non siete suo marito, inglese.»

«No. Lui è morto.»

Nessuno dei due sembrò stupito. Lo stavano mettendo alla prova.

«In che modo?» lo interrogò Caird.

«Per mano mia.»

Malcolm strinse forte le redini e il suo cavallo fece uno scarto violento. Robert dovette spostarsi per evitare che gli schiacciasse un piede con lo zoccolo.

«Pochi uomini sarebbero capaci di uccidere Busby di Ayrshire» puntualizzò Malcolm, la voce più aspra di quella del fratello. Non era altrettanto bravo a gestire la rabbia.

«Non mi ha dato modo di scoprirlo» replicò lui, «visto che mi ha assalito alle spalle.»

Nemmeno quella notizia li stupì. Eppure venivano da nord e la città era a sud. Dovevano averlo saputo andando a Doonhill oppure per mezzo di un messaggero.

I due giorni che avevano perso attraversando le terre dei Buchanan avevano concesso un vantaggio ai fratelli di lei. Robert si chiese *quanto* sapessero.

«Forse gli avete fornito voi un motivo perché vi attaccasse alle spalle» osservò Malcolm.

«No, Malcolm, non è così e non puoi accusarlo di questo.» Gaira andò verso di loro.

Robert era sorpreso che avesse aspettato tanto prima di parlare.

«Gaira, sta' al tuo posto!» ordinò il fratello.

«Io ce l'ho con Bram, non con te, ma esigo che tu la smetta di girare attorno a quest'uomo come se avessi delle cattive intenzioni.»

«Lo stai difendendo con un po' troppo zelo» ironizzò Caird.

Malcolm sogghignò. «Già, interessante. Non sappiamo nemmeno chi sia l'uomo che difendi. Nessuno dei due ha fatto il suo nome.»

Non valeva la pena di tergiversare. Robert fletté il polso sulla spada.

«Robert di Dent» dichiarò, poi rimase in attesa della loro reazione. E non dovette aspettare molto.

Con un ruggito, Caird fece scartare il cavallo, smontò e brandì la spada. Malcolm fu subito al suo fianco.

Senza più l'intralcio dei cavalli che gli giravano intorno, Robert si mise a gambe larghe e tenne la spada rivolta verso il basso, davanti a sé. Vedeva Gaira con la coda dell'occhio, troppo vicina nel caso i suoi fratelli lo avessero assalito. Si spostò. Voleva tutte quelle spade lontano da lei.

«Dunque il famigerato Black Robert non è morto» ringhiò Malcolm.

«Sembra che tocchi a noi rimediare» rincarò Caird.

«Non farai niente del genere, Caird!» gridò Gaira. «Quest'uomo mi ha soltanto aiutato a tornare qui, nient'altro.»

«Non è quello che ci è stato riferito» affermò Malcolm. «Non avresti avuto bisogno di aiuto per tornare a casa se non fosse stato per questo demonio al quale stai troppo addosso. Spostati, così possiamo ucciderlo.»

«Neanche per sogno, scarafaggio imbecille e attaccabrighe!»

«Gaira, tu sai chi è quest'uomo?» indagò Malcolm. «Sai cosa ha fatto?»

«Sì, lo so e confermo quello che ho detto. Non ho corso alcun rischio e nemmeno questi bambini. Bambini che, dovete saperlo, hanno già visto troppa violenza. Non permetterò che ne vedano altra.»

«Mia sorella è troppo protettiva nei vostri riguardi.» Caird sputò per terra. «Cosa le avete fatto, inglese?»

Robert non voleva battersi con i fratelli di Gaira, ma si sarebbe difeso, se lo avessero costretto. Non era sua intenzione morire quel giorno. «L'ho solo riportata a casa. Tutto qui.»

«Sta' lontano da lui, Gaira.» Malcolm le puntò contro la spada per spingerla da parte.

«Oh, all'inferno! Per una volta voi uomini non siete capaci di usare le vostre inutili teste?»

Nessuno udì il cavallo e il cavaliere che galoppavano a rotta di collo, fino a quando non se li trovarono addosso. L'animale sbuffò sonoramente fermandosi con le zampe rigide.

Robert non era disposto a lasciarsi distrarre. Tenne gli occhi fissi su Caird e Malcolm, ma riuscì ugualmente a lanciare una fugace occhiata al nuovo arrivato. Gaira gli aveva detto di avere tre fratelli e pensava che entro la fine della giornata avrebbe ricevuto il benvenuto dei Colquhoun al completo.

Solo che il cavaliere non era un Colquhoun.

Hugh smontò agilmente e brandì la spada.

«Sono in ritardo?»

24

Robert sembrò impiegare parecchi secondi per rendersi conto di quello che vedeva. «Hugh!» gridò. «Cosa...»

Malcolm approfittò della sua distrazione. Lui parò il colpo quando la punta della spada era a un pollice dallo squarciargli il petto.

Il clangore delle due spade pose fine alla tregua e non ci volle molto prima che Caird e il nuovo arrivato, che Robert aveva chiamato Hugh, si unissero allo scontro.

Le spade roteanti costrinsero Gaira ad allontanarsi. I bambini erano a pochi piedi da lei e osservavano la scena a occhi sgranati.

Sembrava che la sua fosse l'unica voce della ragione. Se non avesse posto fine a quell'idiozia, i bambini sarebbero stati in pericolo per via delle armi oppure avrebbero visto qualcosa che non dovevano vedere.

Trasalì nel momento in cui la spada di Malcolm si scontrò con quella di Robert. Suo fratello aveva tracciato un possente arco nell'aria, diretto verso la testa dell'avversario, simile a quello che lei aveva visto fare a Busby. Solo che Robert non reagì come aveva fatto con il suo promesso sposo.

Osservò meglio lo scontro. Robert non stava combattendo, si difendeva soltanto. Anche Malcolm parve rendersene conto, perché i suoi movimenti si fecero più aggressivi.

Allora Gaira guardò Hugh e Caird. L'intento dell'inglese era diverso, ben visibile in ogni movimento della sua spada. Era deciso a uccidere, e così pure Caird.

Lei però non voleva dei morti sulla coscienza. Guardò per terra e trovò quello che cercava. Raccolse una manciata di sassi di discrete dimensioni e mirò alle loro teste.

Come se niente fosse, gli uomini si scrollarono appena, poi continuarono a duellare.

Scrutò di nuovo il terreno. Non c'era verso: doveva ricorrere a metodi più convincenti. Non le importava se qualcuno sarebbe finito accecato o con un occhio nero. Era colpa loro.

Nonostante il vento, la sua strategia funzionò. Gettando contro di loro delle manciate di terra e sassolini attirò l'attenzione dei duellanti.

«Basta!» le gridò Caird, cercando di ripulirsi il viso.

Sollevata, Gaira vide che Hugh aveva smesso di combattere per permettere a Caird di levarsi quella roba dagli occhi. Un altro inglese dotato di senso dell'onore. Chissà se i suoi fratelli se ne erano accorti.

Il viso di Malcolm era tutto chiazzato di rosso. Gaira gli aveva tirato addosso dei sassi piuttosto grossi mirando al naso e vide con soddisfazione che sanguinava copiosamente. Gli stava bene. Dopotutto era stato lui ad attaccare per primo.

«Cosa diavolo stai facendo?» le ruggì contro Malcolm.

«Ti costringo a smetterla, razza di idiota!» gridò lei con foga.

228

Il fratello finì di ripulirsi il viso. «Bram non vorrà che lo portiamo a casa vivo.»

«Può darsi. Ma questo lo deciderà Bram, in qualità di laird dei Colquhoun, non due buoni a nulla come voi!»

Caird esitò. Robert spostava il peso da una gamba all'altra. Hugh guardava Robert per capire le sue intenzioni.

Bene, la stavano ascoltando, ma non avevano ancora rinfoderato le spade. Avrebbe dovuto far leva sul senso di colpa. Non che le piacesse. Non così, davanti a Robert e a Hugh e sull'onda della rabbia, ma non le lasciavano altra scelta. Sapeva che sua sorella avrebbe capito.

«Non potete battervi con questi uomini.» La sua voce si raddolcì. «Robert mi ha aiutato a seppellire Irvette.»

Caird cominciò a tremare. Malcolm abbassò la spada.

Finalmente era riuscita a scuoterli. Sperava solo che Robert avrebbe tenuto ferma la spada.

«Robert?» chiese Hugh. Era chiaro che aspettava degli ordini.

«Statene fuori, Hugh» rispose lui.

«Allora è vero» disse Caird, la voce rauca.

Gaira era addolorata per lui e per Malcolm. Non avrebbe voluto che lo sapessero in quel modo, ma aveva dovuto fare qualcosa per fermarli. «Sì.»

Le guance di Caird ripresero colore. «C'entra lui?»

«No» rispose lei.

Il fratello abbassò la spada e guardò i due inglesi. «Mia sorella ha ragione. Aspetteremo che sia Bram a giudicare.»

Robert rimase zitto.

Caird proseguì. «Voglio che mi diate le spade, tutti e due.»

229

«No» si oppose Robert. «Ma vi do la mia parola d'onore che non le useremo.» Fece una pausa. «Fino a quando vostro fratello avrà preso una decisione.»

Malcolm sussurrò qualcosa all'orecchio di Caird e poi interrogò Gaira con lo sguardo, che rispose con un cenno d'assenso: di Robert ci si poteva fidare. Allora mise una mano sulla spalla del fratello maggiore. «Vieni. Sarà il laird a occuparsi di costui e delle sue armi.»

Caird si rivolse a Robert. «E il vostro uomo?»

«Vi suggerisco di non mettere in dubbio il suo onore se non volete ricominciare a combattere» rispose lui rinfoderando la spada.

L'altro esitò, ma furono le azioni di Robert, più che le sue parole, a convincerlo. Anche lui rimise la spada nella guaina.

Impiegarono mezza giornata per raggiungere il castello. Non c'erano alberi o rocce a nasconderlo, e le possenti torri spiccavano in tutta la loro altezza contro le rupi che lo circondavano.

Robert fece rallentare il cavallo, per poter osservare meglio il luogo e i suoi abitanti. Strana emozione, la curiosità, in un momento come quello. Probabilmente entro un'ora sarebbe morto.

La gente smise di lavorare per guardare i nuovi arrivati. Ora era chiaro perché Gaira aveva detto che un Buchanan non avrebbe avuto dubbi se avesse catturato un Colquhoun. Quasi tutti coloro che lo circondavano avevano i capelli di varie tonalità di rosso. Non del colore luminoso e vibrante di Gaira, anche se il rosso chiaro tingeva il paesaggio meglio dell'erica purpurea o della ginestra gialla.

Rallentò ulteriormente il cavallo e dietro di lui il destriero di Malcolm sbuffò.

Gaira era alla sua destra e guardava i cancelli del

maniero che si aprivano per farli entrare. Le lentiggini spiccavano sulle guance pallide e le labbra, strette tra i denti, avevano perso il colore solito. Era più che preoccupata, adesso. Stringeva forte al petto Maisie, addormentata, non per affetto, ma perché temeva che qualcuno gliela portasse via. Come se avesse intuito i timori della donna, Alec la abbracciava forte da dietro.

Nel cortile, un uomo alto e robusto con i capelli rossi scese la scala del mastio. Quattro soldati gli facevano ala. Il laird dei Colquhoun era venuto ad accoglierli.

Malcolm spostò leggermente a sinistra il cavallo per mettersi tra Robert e i cancelli che si stavano chiudendo. Un gruppo di soldati scozzesi, abbastanza numeroso da sconfiggere un esercito inglese, li circondò. Non poteva più fuggire.

Avrebbe potuto dire loro che non valeva la pena prendersi tanto disturbo. Lui non sarebbe andato da nessuna parte finché Gaira e i bambini non fossero stati al sicuro. Non sapeva come ci sarebbe riuscito, ma restare vivo e in quei paraggi il più a lungo possibile faceva parte dei suoi piani.

Caird smontò prima che Bram li raggiungesse.

«Vedo che avete avuto successo.» La voce del laird risuonò alta nel cortile silenzioso. «E che avete portato degli... ospiti.»

Caird fece un cenno. «Robert di Dent. E uno dei suoi uomini, laird.»

Bram lo scrutò con attenzione. «Quindi Black Robert è vivo.»

Robert gettò a terra la spada e venti soldati sguainarono le loro, ma Bram rimase immobile al suo posto quando scese lentamente a terra e si avviò verso di lui. I quattro uomini che lo circondavano si mossero, ma il laird alzò il pugno e loro si bloccarono all'istante.

Fu Robert a parlare per primo. «Ho riportato qui vostra sorella e quattro bambini sopravvissuti di un villaggio che i miei uomini hanno distrutto. Un villaggio nei pressi di Dumfries.»

Oh, Signore, cosa stava facendo? I timori di Gaira si ingigantirono. Bram conosceva la sua identità, e bastava già quello perché desse ordine di ucciderlo. E ora Robert gli diceva che era lui il responsabile del massacro di Doonhill?

Bram si incupì e lanciò un'occhiata a Caird. Gaira comprese che stava deliberatamente evitando di collegare Doonhill a Dumfries.

Caird si chinò in fretta sussurrandogli qualcosa all'orecchio. La pelle intorno agli occhi e alla bocca del laird si contrasse.

Bram era stato particolarmente legato a Irvette. Lei non sapeva da dove gli arrivasse la forza di stare fermo, di non mostrare il suo dolore.

Maisie cominciò ad agitarsi, ma Gaira non aveva niente da bere o da mangiare per tenerla ferma.

Bram affrontò di nuovo Robert. «Morirete, inglese.»

«Prima ho qualche concessione da chiedere» rispose lui.

«Vi sembra di poter avanzare delle pretese?»

«I vostri fratelli sono ancora vivi. Pensate che abbia permesso loro volentieri di portarmi qui?»

Caird ringhiò.

Bram alzò il braccio, poi lentamente lo abbassò. «Anche se fosse, e non sono del tutto d'accordo, cosa vi fa pensare che vi risparmierò la vita?»

«Non è quello che vi sto chiedendo.»

Bram indicò Hugh. «La vita del vostro uomo vale meno della vostra.»

«Non si tratta nemmeno di questo.»

Le sopracciglia del laird scattarono verso l'alto.

Gaira non poteva più aspettare. Maisie era sveglia e ascoltava. Come anche Alec, Flora e Creighton. Avevano già visto e sentito troppo.

«Smettetela!» esclamò. «Tutti e due. Robert, non capisco a che gioco stiate giocando.» Puntò un dito verso Bram. «Quanto a te, so che non sei disposto a fare concessioni.»

Le guance del fratello si imporporarono. «Felice di rivederti viva, Gaira. Ma hai disobbedito al tuo laird e faresti meglio a tenere a freno la lingua.»

«Altrimenti? Vorresti per caso bandirmi?» Fece volteggiare una gamba sul cavallo, attenta a tenere Maisie e Alec in groppa fino a quando non riprese l'equilibrio. Con cautela, sollevò la piccola tra le braccia e si diresse verso Bram. «Se mi scacci, chi si prenderà cura della figlia di Irvette e degli altri bambini?» Posò Maisie a terra e la bambina si sedette sui suoi piedi. «Forse per te non conta che Robert abbia protetto *me*, ma ha protetto anche *tua nipote*. Per questo ti chiedo di ascoltare.»

Le narici di Bram si dilatarono. «Chiedete il vostro favore, inglese, ma so che probabilmente non ve lo concederò. Non vedo l'ora di uccidervi.»

«Non alzerò volontariamente la mano contro il vostro clan» dichiarò Robert, «se accoglierete Gaira e i quattro bambini che ha portato con sé e avrete cura di loro.»

Il cuore di Gaira sobbalzò, sprofondò, poi le risalì in gola.

Bram rise. «Avete sprecato la vostra occasione, inglese. Era già quello che avevo intenzione di fare.»

«Parlate come laird o come fratello?»

«Questo è l'unico insulto che mi farete» sibilò Bram tra i denti. «Portatelo nelle cantine.»

I soldati lo circondarono. Caird e Malcolm fecero altrettanto con Hugh.

Gaira cercò di non guardare Robert. «Bram, dobbiamo parlare» disse.

L'odio gli riempiva gli occhi. «Cosa ti fa pensare che sia disposto a riconoscere che abbiamo lo stesso sangue? Ti sei schierata con un assassino.»

❖

25

Gaira entrò nella saletta privata di Bram e sbatté la porta. «Adesso mi stai a sentire!» Non c'era un momento da perdere. La vita di Robert dipendeva da lei. Suo fratello era testardo e, quando si trattava di lei, perfino idiota, ma nelle questioni che riguardavano il clan, sapeva essere giusto.

Lui fece finta di non averla sentita.

«Non devi ucciderlo» disse con urgenza. «Robert non è l'uomo che tu pensi che sia. Se solo mi lasciassi...» Si interruppe. Il fratello non stava ascoltando. Guardava fuori dalla finestra, ma i suoi occhi non erano rivolti al cortile sottostante, bensì oltre le mura, verso il Clyde.

«Com'era?» le chiese.

La sua voce era irriconoscibile, intrisa di dolore. Gaira non era pronta a parlare di Irvette.

«Morta» sussurrò.

«Vorrei...» Suo fratello chinò la testa.

«Anch'io vorrei essere arrivata prima» disse lei. «Che tutti noi avessimo potuto trovarci là poche ore prima.»

«Ha sofferto?»

Irvette era distesa a faccia in giù. Le braccia allargate, una pozza di sangue sotto il busto. Aveva sofferto, non c'era dubbio. Non voleva dargli quella risposta, ma non poteva evitare la verità.

«Due pugnalate allo stomaco» spiegò.

Suo fratello afferrò le imposte e si appoggiò con tutto il peso alle maniglie. Le persiane ressero, ma lei sentì lo scricchiolio di protesta del legno che forzava i cardini. «E Aengus?»

Gaira non aveva conosciuto bene il marito di Irvette, ma sua sorella lo aveva amato alla follia. Lo aveva visto morire? «Bruciato» sussurrò. «Gli avevano tagliato la testa.»

Bram aprì le persiane e si sporse verso il cortile. Il suo corpo era completamente proteso in fuori. Se i cardini avessero ceduto, sarebbe stato troppo sbilanciato per non cadere di sotto. Gaira distolse lo sguardo.

«Ho trovato Maisie sotto una cassa» proseguì. «Era illesa. Fino ad allora non avevo visto altri superstiti. Avevo abbandonato ogni speranza.»

Un suono spezzato uscì dalla gola di Bram. «Vattene.»

«Non lascerò i...»

«Esci da questa stanza, Gaira. Lasciami soffrire da solo per Irvette. Lasciami decidere esattamente in quanti pezzi ridurrò il tuo prezioso Robert di Dent.»

Lei esitò.

«Subito!»

Bram non spostò il corpo, ma girò la testa. Fu il dolore nei suoi occhi, non le sue parole, che la convinse a muoversi. Uscì e richiuse dolcemente la porta.

La cantina era poco illuminata e odorava di erbe e di carne secca. Era anche abbastanza grande perché Robert potesse camminare avanti e indietro. A quel punto non valeva la pena di risparmiare le forze. «Come avete fatto a trovarmi?» chiese.

Hugh era seduto con la schiena appoggiata al muro. «Siete sparito nel nulla. Dopo le battaglie, abbiamo cercato il vostro corpo, ma non lo abbiamo mai trovato. Credevate forse che sarebbe passato inosservato?»

Lui aveva volutamente preso le distanze da chiunque, per anni. Credeva che nessuno avrebbe pensato a lui.

«È stato il re?» domandò infine.

«Sì, mi ha mandato a cercarvi. All'inizio non è stato facile. Ogni volta che davo la vostra descrizione, qualcuno rispondeva di avervi visto in viaggio con una donna e quattro bambini. Pensavo non fossero indicazioni attendibili.»

«Cosa vi ha convinto?»

«La piazza della città.»

Robert annuì. «Il duello con Busby.»

«La gente mi ha raccontato di come siete stato attaccato alle spalle e che vi siete battuto impugnando la *claymore* contro un uomo più grosso. Sapevo che eravate voi. Dopo è stato facile seguirvi. Non stavate viaggiando esattamente leggero.»

Robert fece un mezzo sorriso. No, per niente leggero. Perfino in quel momento sentiva il prezioso fardello di Gaira e dei bambini. E temeva che il loro peso gli si fosse adagiato nei pressi del cuore.

«Come mai non ci avete raggiunto prima?»

«Ho avuto qualche problema con tre uomini che dicevano di chiamarsi Buchanan. Quell'incontro mi ha fatto perdere tempo e sono rimasto indietro.»

«Le vostre capacità devono essere migliorate da quando sono partito.»

«Le mie capacità sono state sempre eccellenti, solo che non ve ne siete mai accorto perché io vi coprivo le spalle.»

«Non ero io che proteggevo voi?»

«Eravamo una coppia formidabile.» Hugh scoppiò a ridere. «E potremmo esserlo di nuovo. Non ci hanno legato e la serratura della porta non è un vero deterrente.»

«Ci sono due guardie che vanno avanti e indietro sopra le nostre teste.»

«Riuscite a vedere attraverso il soffitto?»

«Sento i loro passi.»

«Io rischierei.»

«Dovreste mettere fuori la testa per primo e sareste un bersaglio troppo facile.»

Hugh inarcò il sopracciglio. «Non volete andarvene?»

Robert smise di camminare. «Il mio compito qui non è ancora terminato.»

«Siete in missione.» Si alzò. «Cercate delle informazioni? Dovete assassinare qualcuno? Ho messo a repentaglio il vostro piano con il mio arrivo?»

«No...»

Hugh soffiò fuori l'aria, sollevato. «Cosa dobbiamo fare adesso? Il re non mi ha rivelato niente. Non posso dire che mi piaccia l'idea di essere tenuto all'oscuro di qualcosa di importante.»

«Non sono qui su incarico di qualcuno.»

Il suo amico socchiuse gli occhi. «Allora perché?»

Era una domanda legittima e Robert non si era preparato la risposta. «Ho solo restituito la donna e i bambini al clan.»

«Li state *aiutando*? Ma sono scozzesi! Siamo in guerra contro di loro!»

«Gli inglesi sono in guerra con gli scozzesi» puntualizzò lui.

Hugh sbuffò. «C'è differenza?»

«Forse.» Non gli era ancora chiaro in che modo fosse diverso, ma a lui sembrava così.

«Non capisco, Robert.»

Hugh non avrebbe capito finché non gli avesse dato delle risposte. E forse, solo forse, date le circostanze quelle risposte gliele doveva.

«Sono andato a Doonhill per vedere se le voci sulla totale distruzione del villaggio erano vere.»

L'altro incrociò le braccia. «E ci avete trovato la donna e i bambini?»

«Sì.»

«Vi siete sentito dispiaciuto per loro e li avete aiutati a tornare al loro clan» ipotizzò Hugh, la voce che si era fatta alta e tesa. «Un clan molto probabilmente fedele a Balliol.»

Robert si strinse nelle spalle.

«E così, quando siete diventato un traditore?»

Una domanda di troppo. «Attento, Hugh. La vostra rabbia è giustificata, ma non vi autorizza a mettere in discussione il mio onore.»

«Rabbia! Rabbia è l'ultima cosa che sento. Se non vi avessi appena udito con le mie orecchie, avrei ucciso chiunque vi avesse accusato di slealtà.»

«Se continuate su questo tono, presto vi ricorderò che la mia pazienza è quasi esaurita.»

Hugh si appoggiò al muro. «Osate minacciarmi? Non mi curo delle vostre minacce. Restando qui, verremo comunque uccisi tutti e due.»

No, se lui avesse potuto evitarlo. Ma come avrebbe fatto a convincere l'altro di qualcosa che lui per primo capiva poco?

«Le vostre azioni ucciderebbero Re Edoardo, se venisse a saperlo» disse Hugh in tono beffardo. «Il nostro signore non si merita che lo pugnaliate alla schiena!»

Robert alzò la mano. «Re Edoardo non è soltanto il mio signore, ma molto di più. Il che rende più complicata la mia presenza qui.»

«Sì, senza dubbio.» Incrociò le braccia. «Se non avete tradito, vi siete però lasciato catturare. Dovrei credere che lo avete fatto per la donna?»

Robert gli si piazzò davanti. «Il suo nome è Gaira. Credete quello che vi pare, ma io sono qui per lei e per i bambini. E c'è molto di più.»

«Sarà meglio che ci sia dannatamente di più!» Hugh si staccò dal muro. «E prima di dire che non ho il diritto di chiedere, ricordate che sono in questa cantina anch'io. Ho il diritto di sapere perché e cosa avete intenzione di fare al riguardo.»

La porta della cella si spalancò sopra di loro. Guardando verso l'apertura, Robert sbatté le palpebre mentre Caird scendeva la scala.

Il fratello di Gaira puntò il dito contro Hugh. «Il laird vuole vedervi.»

Robert si fece avanti. «Lui non sa niente. Sono io quello che ha viaggiato con vostra sorella.»

Caird lo fissò, ma non aprì bocca.

«Vado.» Hugh fronteggiò Robert. Con la porta aperta, la luce inondava la cantina permettendogli di vedere la piena portata della rabbia dell'amico.

La paura gli trafisse la spina dorsale. Hugh era troppo in collera per presentarsi davanti a un laird scozzese. Cautela e diplomazia erano l'unico modo per uscire da quella situazione. Robert non aveva previsto che qualcun altro sarebbe stato catturato con lui. Il suo fedele compagno non meritava di morire a causa dei suoi sbagli.

«Hugh...» cominciò a dire.

L'altro uomo salì le scale. «Io vado» ripeté. «Forse dal nemico riceverò delle risposte più accettabili.»

Gaira trovò Malcolm e Caird nel cortile.

«Dove sono i bambini?» chiese, stringendosi nello scialle. Non aveva avuto il tempo di cambiarsi e la gente la fissava.

«Da Oona» rispose Malcolm.

«Oona è più vecchia dell'albero dei Colquhoun! Non riuscirà a correre dietro ad Alec.»

«Ti importa?» volle sapere Caird.

Non poté impedire che un rossore cupo le risalisse lungo il collo. Il fratello non parlava mai molto, ma quando lo faceva, la sua sincerità era spietata. Eppure, in questo caso si sbagliava. «Non hai il diritto di decidere per chi o per cosa mi preoccupo.»

«Non hai più voce in capitolo nelle questioni che riguardano i Colquhoun» intervenne Malcolm. «Il laird ti ha dato in moglie a un uomo di un altro clan.»

Per lui tutto era nero o bianco, giusto o sbagliato, e niente gli avrebbe fatto cambiare idea. Nondimeno, Gaira non poté fare a meno di difendersi. «Adesso sono qui» dichiarò.

«Credi che Bram sarà disposto a tenerti, dopo che avrà ucciso Black Robert?» chiese Malcolm. «Che vorrà avere a che fare con te, un'alleata degli inglesi?»

Parole dure pronunciate sottovoce, ma lei non voleva ascoltare le accuse del fratello. Al momento, si preoccupava per i bambini. «Dov'è Oona?» chiese.

«A casa sua» rispose Malcolm. «Gaira...»

«Non dire niente» lo interruppe lei. Non voleva sentire altro. Nessuno l'aveva ascoltata prima di condannarla a sposare Busby.

Malcolm aveva l'aria di voler protestare, ma Caird gli mise una mano sulla spalla e la lasciò andare.

La passeggiata fu piuttosto lunga. Oona insisteva per vivere lontano dal castello e dal villaggio che lo circondava. Gaira udì i bambini prima ancora di arrivare in vista della sua casupola.

«Oona, sono io!» gridò.

«Gaira! Venite ad assaggiare una cosa per me, bambina.»

Lei sorrise. Un'altra cosa che non cambiava mai. Oona aveva sempre qualche pozione che bolliva sul fuoco. Quando entrò in casa, vide la donna china su un calderone fumante, dal quale saliva un odore nauseante.

In quel momento, Alec strappò un cucchiaio di legno dalle mani di Maisie. Immediatamente la piccola si mise a strillare con tutte le sue forze.

«Dove sono Creighton e Flora?»

«Fuori, a raccogliere il rosmarino.» Oona si voltò. Non essendo più capace di raddrizzarsi, rimase piegata.

«Avete detto loro quanto prenderne?» Gaira trovò un altro cucchiaio e lo porse ad Alec. Il bambino lasciò andare quello di Maisie che smise di gridare.

«Può darsi che me ne sia dimenticata.»

Gaira rise. «Oh, non siete affatto cambiata!»

«Non sono cambiata. Che buffa espressione. Siete stata via meno di una luna. Ci vuole più tempo di quel battito di ciglia per cambiare la vecchia Oona.»

Eppure così tanto era cambiato. «Irvette non c'è più» sussurrò.

Una mano scarna come uno stecchino accarezzò quella di Gaira. «Sì, lo so.»

Lei si sedette su uno sgabello. «Ah, cosa darei per avere la vostra vista.»

«Con questi occhi appannati, la vecchia Oona deve essere aperta ad altri modi di vedere. Ecco perché so più cose di tutti voi.»

Gaira intrecciò le dita. «Ho tanto bisogno di lei.»

«No, a Oona sembra che abbiate bisogno di qualcun altro.»

«Sono i bambini ad avere bisogno di me, ma può

242

darsi che Bram non intenda permettermi di rimanere.»

«I bambini hanno sempre bisogno di qualcuno. Questa è la gioia di avere intorno dei piccoli, ma voi sapete che mi riferivo al forestiero.»

«Robert?»

«Sì. Quell'uomo ha bisogno di voi più dei bambini.»

«Quello di cui ha bisogno è di tornare in Inghilterra con la testa attaccata al collo. Temo che Bram non voglia sentire ragione.»

Oona si girò verso il calderone e prese un po' di liquido con il cucchiaio. «Questo perché la ragione non conta, di questi tempi.»

Gaira serrò le labbra quando la vecchia le accostò il cucchiaio alla bocca. Frammenti verdi dall'origine indefinibile galleggiavano nella pozione.

«Non serve la ragione, dice Oona. Fidatevi del vostro istinto in questa faccenda. Quando mai vi ho fatto del male?»

Gaira aprì la bocca per replicare e la donna ci infilò il cucchiaio.

Per non strozzarsi, dovette trangugiare il liquido.

Oona fece una risata chioccia. «Naturalmente c'è sempre una prima volta, non è vero?»

«Cosa...» Tossì lei. «Cosa c'è qui dentro?»

«Quello che serve per fare andare tutto meglio.»

«Dovreste darlo a Bram. È lui che ha il potere di cambiare tutto.»

«Gaira del clan Colquhoun, da quando pensate che qualcuno abbia più potere di decidere della vostra vita di voi stessa?»

Non lo aveva mai pensato. Ma quelli non erano tempi normali. I suoi sentimenti erano così confusi che non sapeva da dove cominciare.

«Questi tempi sono esattamente come gli altri» affermò la donna. «Il tempo è sempre lo stesso.

Credete forse che cambi a causa di quello che facciamo?»

Gaira rise, sorpresa. «Oona, a volte mi spaventate.»

«Bene. Così forse tutti voi mi lascerete un po' in pace alla mia veneranda età.»

«E chi assaggerebbe le vostre pozioni?» ribatté mentre si sedeva sul pavimento con Alec e Maisie.

«I bambini. Sono più che disposti a provare gli intrugli della vecchia Oona.»

«Potete tenerli qui per ora? Non credo che il castello sia un posto adatto per loro, adesso. Bram è troppo arrabbiato. Preferisco che non assistano a nient'altro che possa turbarli.»

«Ma Maisie è la figlia di Irvette. Lui la vorrà con sé al castello.»

«Non voglio separare i bambini. Ci sono già stati troppi cambiamenti nella loro vita.» Prese il cucchiaio della piccola e finse di nasconderlo dietro la schiena. Maisie strillò in segno di protesta e allungò le braccine per riprenderlo.

«Parlate come se fosse un peso per Oona avere questi giovani cuori per casa. Sarà un bene per me. Vedrete, tempo un paio di giorni e nessuno distinguerà più la vecchia Oona dai bambini.» La donna rise di gusto della propria facezia.

Anche Gaira sorrise. Lì sarebbero stati al sicuro.

«E così voi li amate. Loro e l'uomo» asserì l'anziana.

«Non ho detto che lo amo.»

«Non è necessario. Vi battete per lui tanto quanto per i bambini. Voi amate i bambini. Amate l'uomo. Ma la domanda è: cosa farete?»

26

Gaira trovò Flora e Creighton nel giardino delle erbe, intenti a raccogliere del rosmarino, una fogliolina alla volta. «Vedo che siete occupati questo pomeriggio.»

«Oona ci ha mandato a raccogliere il rosmarino per le sue pozioni magiche» annunciò Flora.

«Ah, siete fortunati. Deve fidarsi molto. Se sarete bravi, può darsi che vi tenga con sé per qualche giorno.»

Creighton smise di lavorare. «Non staremo con voi?»

Era difficile nascondere la verità a quei due. «Ho bisogno che restiate qui per un po'.»

«Vogliamo stare con voi!» insistette Flora.

«Non sarà per molto. È che ho bisogno di preparare le vostre camere e siccome siete in quattro, ci vorrà un po' di tempo...»

«Vi aiuteremo noi» la interruppe Creighton.

«Lui non ci vuole» sentenziò la bambina con fermezza.

«Non essere sciocca. Robert ci vuole» la corresse il fratello.

Flora scosse lentamente la testa. «No, non lui. È il laird che non ci vuole.»

Il cuore di Gaira si strinse nel sentirla tanto convinta. «No» disse. «Bram vi vuole. Solo che non vuole me.»

Creighton emise un suono beffardo. «Non ha scelta. Siete sua sorella!»

«Sì, ma...» Con un sospiro, Gaira si accinse a raccontare ai gemelli perché era fuggita a Doonhill.

Alla fine Flora si alzò in piedi. «Io non voglio restare qui. È cattivo!»

«So che può sembrarlo» ammise lei. «Ma questa terra è l'unico posto sicuro per voi.»

«Non per voi, però» le ricordò Creighton.

«Già» riconobbe. «Questo è uno dei motivi per cui voglio che stiate da Oona. Così posso cercare di convincere Bram a tenermi qui.»

«Uno dei motivi?» chiese Flora.

Avrebbe dovuto fare più attenzione quando parlava con i bambini. «Sì, una delle ragioni» confermò. Sperava che il suo tono indicasse che non era disposta a discuterne ancora.

«Deve essere perché Robert è inglese» ipotizzò Creighton con la sorella.

Flora annuì con un sorriso complice.

Inutile continuare a discutere. «Quindi resterete qui?» chiese Gaira.

I due annuirono contemporaneamente, ma non guardavano lei: si stavano fissando l'un l'altro.

Gaira tornò al castello. Sacrifici e compromessi erano inevitabili. Ma non era soltanto il fiume che avrebbe dovuto deviare il suo corso se volevano evitare altri morti. Anche i massi avrebbero dovuto trovare un modo per smettere di essere così testardi. Compresa lei stessa.

Una mano le afferrò il braccio. Sorpresa, alzò lo sguardo. Malcolm la tirò dietro le cucine. «Dove stai andando?»

Gaira liberò il braccio. «Devo parlare di nuovo con Bram. Spiegargli perché...»

«Non servirebbe» la interruppe lui. «Ha già ottenuto dei buoni risultati.»

«Risultati? Cosa intendi?»

Il fratello calciò il pavimento con la punta del piede. «Ha interrogato Hugh su Re Edoardo e sui piani di Robert.»

«Se lui è come Robert, non avrà detto nulla.»

«Oh, be', alla fine era piuttosto loquace.»

Lei era stanca dei suoi fratelli. «Cosa hanno fatto Robert e Hugh a questo clan?»

«Sono inglesi. Sono soldati...»

Gaira si girò di scatto, frustrata. «No, no, no. Parlo di loro come persone. Non ci hanno fatto nulla. Robert ci ha aiutato. Hugh è suo amico.»

«Non importa. C'è troppo in gioco. Hugh verrà portato da Re Balliol che lo userà come ostaggio.»

Equivaleva a una condanna a morte. Lei non conosceva quell'uomo, ma sapeva che aveva fatto un bel po' di strada per ritrovare il suo amico e aiutarlo. E aveva agito con onore quando aveva combattuto con i suoi fratelli. Non meritava di morire.

«E Robert?» indagò.

Sul volto di Malcolm calò una specie di cortina. Non intendeva rispondere. Lei si voltò per andarsene.

«Gaira?» Scosse la testa. «Sapevo ciò che Bram aveva in mente di fare con te, ma tu continuavi a comandarci tutti a bacchetta e...»

Lei non era in vena di ascoltare queste scuse. «Stavo cercando di aiutare il clan. Mi sono occupata per anni del castello, vi ho fatto trovare tutti i giorni del cibo in tavola, indegno scarafaggio. E anche se non avessi fatto tutto questo, sono tua sorella!»

«Lo so. Mi dispiace.»

«Ah, sì? Allora sai cosa ti chiedo. Parla con Bram. Robert deve vivere.»

Un muscolo si contrasse nella guancia di Malcolm. «È troppo odiato, troppo temuto.»

«È un uomo, nient'altro, e mi ha aiutato.» Lo colpì al petto con un dito. «*Lui* mi ha aiutato. Tu invece cosa hai fatto quando Bram ha deciso di sbarazzarsi di me?» Il fratello rimase in silenzio e lei lo colpì di nuovo. «Cosa hai fatto quando mi ha ceduto a quel... miserabile? Niente. Non hai fatto niente. Non starai di nuovo a guardare. Me lo devi.»

Le labbra di Malcolm divennero una linea sottile, ma lui annuì. «Parlerò con Bram.»

Gaira arrivò davanti al mastio nel momento in cui Bram appariva in cima alla scala.

«Dove sei stata?» le chiese cominciando a scendere la lunga rampa.

«A controllare i bambini» rispose lei quando furono vicini. «Ti ricordi di loro? La figlia di Irvette?»

Bram si fermò di fronte a lei, il volto meno corrucciato. Bene. Aveva bisogno che ogni tanto qualcuno lo rimettesse al suo posto.

«Devo parlare con te.»

«Lo so.» Lo fissò. Non gli avrebbe fatto alcuna concessione.

«Possiamo farlo adesso?» domandò lui.

Ah, le chiedeva il permesso. «Sì.»

Entrarono in silenzio nella saletta. Bram chiuse la porta e lei si avvicinò alla finestra. La stanza non era molto grande e sentiva il bisogno di guardare fuori.

«Come stanno?» chiese suo fratello.

«Resteranno con Oona per un paio di giorni» rispose senza voltarsi. «È sicuro e si respira un'aria decisamente migliore rispetto a qui.»

«Vuoi girarti in modo che possiamo parlare?»

«Stiamo parlando benissimo anche così.»

«Non sono io quello dalla parte del torto.»

Lei si voltò di scatto. «Dannazione se non lo sei. È iniziato tutto a causa di quello che hai fatto.»

«Io non ho ucciso Irvette!»

Lei sbuffò. «No, non avresti mai ucciso Irvette. Solo l'altra tua sorella.»

«Non ti ho fatto del male!»

«Su questo argomento penso di poter giudicare meglio di te.»

Bram prese un boccale dal tavolo, lo annusò e tranguiò il contenuto. «Non so se bestemmiare o ringraziare Dio che ti ha mandato a Doonhill» disse.

«Non è stato Dio» gli ricordò Gaira. «Sei stato tu.»

«Ti avevo mandato ad Ayrshire.»

«Mi avevi mandato all'inferno.»

«Non era mia intenzione.»

«La tua unica intenzione era liberarti di me. Perché? Ho sempre gestito questo posto con efficienza.»

«Io sono il laird. Devo sposarmi e tu lo stavi rendendo impossibile. I servi si rivolgevano a te invece che a me per qualsiasi domanda o necessità. Occupavi il ruolo che dovrebbe spettare alla mia futura moglie.»

Lei cominciò a camminare avanti e indietro, irrequieta. «E non hai pensato di parlarne con me, vero? Hai deciso di mandarmi via, semplicemente. E proprio da Busby, tra tanti! Quell'uomo era grosso di fianchi quanto rozzo d'ingegno. Come hai potuto pensare che sarei stata felice con un marito come lui?»

Suo fratello posò la tazza sul tavolo. «Non era tuo marito.»

«Mi permetto di dissentire. Ero lì quando ci hai promessi in matrimonio.»

«Ma si limitava soltanto a quello. Non doveva esserci altro.»

Lei smise di camminare. «Cosa significa?»

Bram si sedette su una larga panca imbottita e appoggiò la schiena contro il muro. Il mobile scricchiolò sotto il suo peso. «Una promessa, nient'altro. Il matrimonio non doveva essere consumato, non sareste mai stati sposati legalmente.»

«Non capisco.»

«Avevo un accordo con Busby. Ti avrebbe preso con sé per sei mesi, ma non saresti mai stata sua moglie. In cambio, avrebbe potuto tenersi le venti pecore e avrebbe avuto qualcuno capace di rimettere in ordine il suo castello.»

Lei gli diede un calcio negli stinchi. «Hai pagato per fare di me una serva!»

Bram spostò la gamba fuori della sua portata. «Al momento sembrava un buon affare. A te piace avere dei progetti e la casa di Busby aveva bisogno delle tue capacità.»

«Perché lui? Come laird delle terre meridionali dei Ferguson la sua alleanza era, nel migliore dei casi, debole.»

«Ma io avevo bisogno di te a sud. Busby possedeva tutte le caratteristiche giuste. Non era intelligente, era disperato e si lasciava intimidire facilmente. Saresti stata bene, Gaira.»

Busby di Ayrshire non l'aveva toccata, in effetti. Tuttavia, ogni volta che l'aveva guardata, lei si era sentita come se fosse caduta in una torbiera, ricoperta di sporcizia e in procinto di affondare dentro il suo destino.

Dubitava che sarebbe stata bene con lui. Ma non aveva senso parlarne adesso. Ormai era morto. «Non mi hai dato la possibilità di scegliere.»

«Perché avresti dovuto protestare? Ti piacciono i bambini.»

«Ma hai appena detto...»

Suo fratello si batté i pugni sulle cosce. «Non parlavo di bambini tuoi, ma quelli di Busby avevano bisogno di te.»

«Lui aveva dei figli? Quanti?»

«Non erano affari miei!» Bram scrollò le spalle. «E ora non ha più importanza. Busby aveva parlato di una figlia più grande. Di sicuro è lei che si occupa dei fratelli, adesso.»

Gaira si mise a sedere sulla panca accanto a lui. «Non me lo avevi detto.»

«Non era necessario, quando fossi arrivata a destinazione avresti visto con i tuoi occhi quello che c'era da fare.»

«I più piccoli... avranno bisogno di qualcuno che si occupi di loro.»

«Cosa si può fare ormai? Sei scappata.»

Si rifiutava di sentirsi in colpa. «Sì, l'ho fatto, ma tu mi hai venduto, hai manipolato la mia vita e il mio futuro.»

«Per un buon motivo. Probabilmente a quest'ora sarei già sposato se non avessi dovuto preoccuparmi di scoprire dov'eri finita.»

«E chi ti avrebbe preso con così poco tempo a disposizione?»

«Margaret.»

Gaira sbuffò. «Quella ragazzina buona a nulla e piagnucolosa? Non sopravvivrebbe mai qui!»

«Vedi? Per questo avevo stretto il patto con Busby. Tu non vuoi vedermi felicemente sposato.»

«Ah, ma io voglio vederti felice. Con Margaret non funzionerà. Nel giro di un mese, passata l'infatuazione per i suoi capelli biondo oro, saresti già stanco di lei.»

«È inutile discutere di questo, ormai. Non verrà

mai qui adesso che tu sei tornata per restare.»

«Se resterò.» Gaira prese un piccolo pugnale sul tavolo. «Anch'io, come Robert, devo decidere se fidarmi di te.»

«Proprio tu parli di fiducia? Hai appena portato un nemico in casa mia.»

Lei rigirò l'arma nel palmo della mano. «Cosa hai intenzione di fare con lui?»

«Lo ucciderò.»

Gaira si alzò e gli puntò contro il pugnale. «Bram, non è l'uomo che tu credi. Deve vivere.»

Suo fratello si strinse nelle spalle. «Deve morire.»

«No!»

«Irvette è morta a causa degli inglesi. Non esiste nemmeno una possibilità che lo lasci vivo.» Intrecciò le dita dietro la testa. «Prima, però, voglio interrogarlo.»

«Come hai fatto con Hugh? Quale tortura hai in mente?»

«Nessuna, se collabora. Tante, se non lo farà. Black Robert era molto vicino al re inglese. Qualsiasi informazione in suo possesso sarà preziosa per noi.»

«Non dirà mai niente» ribatté lei.

«Gli caverò le informazioni, non dubitare. Potrebbe essere una spia o un assassino mandato per cercare di attentare alla vita di Re Balliol.»

Lei sbuffò. «Improbabile. Non credo che cambiare i pannicelli a Maisie rientri nell'ordine del giorno di un assassino.»

«Allora è costretto a nascondersi o comunque a fuggire dagli inglesi.»

«Non si nasconde e non sta scappando.» Gaira rimise giù il pugnale. «È venuto perché gliel'ho chiesto io.»

«La sua reputazione parla diversamente.»

«Non sapevo niente della sua reputazione quando è arrivato a Doonhill.» Poi iniziò a raccontargli di come Robert si fosse presentato al villaggio e del viaggio fino alle terre dei Colquhoun. «Robert sapeva che avresti deciso di ucciderlo, ma non mi ha abbandonato» concluse.

Suo fratello si alzò e fece un paio di passi, allontanandosi da lei. «Se è andata come dici tu, in quell'uomo c'è qualcosa di più della sua reputazione. Ma non so se questo cambi qualcosa.»

«Deve.»

«Se io gli risparmiassi la vita, credi che questo impedirebbe a qualche altro scozzese di tagliargli la testa? È troppo conosciuto.»

«Nessuno, nelle terre dei Colquhoun, oserà mettersi contro di te.»

«Nella maggior parte dei casi sarebbe così, ma questa situazione è insolita e non potrei impedire ad altri clan di cercare vendetta.»

«Allora ce ne andremo.» Fino a quel momento non aveva mai pensato di fuggire con Robert.

«Quanto tempo pensi che durerebbe?» A braccia conserte, il laird si piantò a gambe larghe. «Una volta che sarà morto, non risparmieranno né te né i bambini, perché vi sarete schierati dalla sua parte.»

Lei deglutì. Suo fratello stava facendo delle domande delle quali, purtroppo, conosceva già la risposta. «Lascerò i bambini con te.»

«Ma tu li ami» obiettò Bram, sconcertato.

«Sì, tanto da volerli proteggere.»

«Resta il fatto che lui deve morire.»

«Perché, testardo idiota di un traditore?»

Era disposta a lasciare l'unica casa che avesse mai conosciuto e anche a spezzarsi il cuore in due nel farlo. Eppure suo fratello continuava a osteggiarla.

«Perché, venendo qui, lui non ha lasciato altra

scelta al laird dei Colquhoun. Io non posso agire soltanto da fratello.»

«Quando?»

«Se lui collabora, domani. Questo caso non richiede nemmeno che riunisca il consiglio per avere un parere.»

Uscendo, Gaira sbatté con forza la porta.

27

Seduto in fondo alla cella, Robert cercava di dormire. Quello era il punto più buio e più tranquillo, ma non abbastanza da conciliargli il sonno. Hugh non era stato riportato nella cantina ed era preoccupato. A lui non avevano ancora fatto del male, ma all'amico poteva essere andata diversamente, soprattutto se aveva perso il controllo.

Preoccupazione altruistica. Ecco un'altra emozione che credeva cancellata da anni. Avrebbe voluto ridere di se stesso, solo che non era divertente.

Robert aveva creduto di essere immune ai capricci della vita, ma poi era arrivata Gaira. Il suo spirito, ardente come la sua chioma, gli aveva fatto capire quanto le sue difese fossero vulnerabili. Era bastata un'imprecazione uscita da quelle labbra rosee, una risata che le aveva illuminato gli occhi, e le barriere erano crollate.

La porta della cella si spalancò e andò a sbattere contro il muro. Troppo sorpreso per alzarsi in piedi, lui vide Gaira che, vestita in abiti femminili, scendeva la scala. La guardia richiuse la porta.

«Cosa ci fate qui?» le chiese.

Lei girò la testa, ma l'angolo nel quale si trovava Robert era troppo buio perché potesse vederlo.

«Ho parlato con mio fratello.» Le sottili lame di luce che filtravano dalle fessure della porta accendevano i suoi capelli color rame. Erano bagnati e le ricadevano sulla schiena in riccioli pesanti.

Lui si alzò in piedi. «Sapete cosa hanno fatto a Hugh?»

«Sì. Non ho potuto aiutarlo. Il vostro amico... C'è troppa animosità tra di loro. Temo che gli abbiano fatto del male.»

«Quanto?»

«Non so. Non l'ho visto. Ma hanno dei progetti per lui.» Gaira intrecciò le dita. «Bram ne ha anche per voi. Però questo non me lo avete chiesto, vero?»

Non era difficile indovinare cosa avesse in mente il laird per lui. Adesso però doveva pensare a Hugh. «Cosa vuole fargli?»

«Crede che Re Balliol potrà usarlo come merce di scambio. Manderà un messaggero al re per informarlo della sua cattura.»

Robert non si curava della propria sorte. Ma Balliol non sarebbe stato gentile con Hugh, soprattutto a causa della sua amicizia con Black Robert.

L'ennesimo fardello sulle sue spalle. Aveva cercato di tenere le distanze da Hugh per proteggerlo, ma non era servito.

«Credete che arriverà vivo da Balliol?»

«State accusando mio fratello di essere un bugiardo?»

«Non dimentico come vi ha trattato.»

«Sì, già... Mi ha spiegato il suo punto di vista e abbiamo risolto.» Avevano risolto la questione, ma evidentemente lei non lo aveva ancora perdonato. «Non c'è una sedia quaggiù?»

Robert le si avvicinò. Era insolito vederla con i capelli sciolti e avvolta dal profumo di lavanda del bagno. Averla così vicino e non toccarla... Si maledisse di nuovo per quella notte. Lei gli si era offerta, ma lui si era ritenuto troppo dannato per accettare, soprattutto perché non poteva donarle niente in cambio. Così aveva cercato di soddisfare il suo bisogno con i tocchi più leggeri, i baci più lievi, pensando che, dopo, il proprio corpo non avrebbe più bruciato in modo così doloroso. Si era sbagliato. La reazione di lei, il suo sapore, il modo in cui gli si era abbandonata, lo torturavano da allora. Se prima Robert aveva creduto di essere destinato all'inferno, dopo quella notte aveva la certezza di esserci già dentro.

«Perché siete qui?» domandò ancora.

Gaira fronteggiò Robert. «Sono venuta a chiedervi di fuggire.» Lui non disse nulla e lei prese un profondo respiro. «Non ci sono guardie, è tardi e le torce non sono ancora state accese» lo informò.

Robert si accigliò. «Cosa credete che vi farà il laird quando saprà che mi avete liberato?»

Gaira alzò il mento, preparandosi alla sua reazione. «Non farà niente perché io sarò con voi.»

Lo sentì trattenere il respiro. «E i bambini?» La sua voce era roca.

«Saranno al sicuro qui.» Lo tirò per un braccio e lui si irrigidì. «Andiamo. Non c'è molto tempo.»

«Non potete lasciare i bambini. Perché fate questo?»

Lei cercò di non pensare ai piccoli. Se lo avesse fatto, avrebbe cambiato idea. E non poteva. Robert sarebbe morto. «Mentre parlavo con mio fratello ho capito una cosa: non esiste una spiegazione ragionevole del perché siete venuto fino a qui con noi.»

Robert liberò con decisione il braccio e fece un passo indietro. «Ho promesso di proteggervi e i vostri fratelli mi hanno costretto a venire al castello. Non c'è nient'altro.»

«Bugiardo! Ero presente quando vi siete battuto con Malcolm. Vi siete lasciato catturare.» Gli si avvicinò. «Allora deve esserci una spiegazione *irragionevole*.» Si sollevò in punta di piedi e posò le labbra sulle sue. Sentì il suo corpo protendersi verso di lei e il cuore prese il volo. Aveva ragione. Robert provava qualcosa per lei. Ma quando vide che non la abbracciava, riappoggiò i piedi a terra. «Codardo!» Senza riflettere, tirò indietro il braccio e lo schiaffeggiò.

Il ceffone risuonò nella cantina, ma lui rimase fermo, in attesa.

Rabbia, disperazione, frustrazione e amore le ribollivano dentro. Fece per alzare ancora la mano.

«Basta!» Robert gliela afferrò. «Perché? Cosa volete da me?»

«Non sono il dovere o l'abilità dei miei fratelli a farvi restare qui.» Gaira liberò la mano. «Dovete ammettere che provate qualcosa per me. Voglio il vostro cuore, Robert di Dent!»

Il viso di lui perse di colpo ogni colore, come se fosse stato avvelenato. Aghi di ghiaccio le si conficcarono nel cuore.

Con un movimento brusco, si allontanò da lei. «Io sono inglese, voi scozzese. Non occorre dire altro.»

«Il vostro amico arriva e di colpo rammentate la vostra nazionalità? Non avete mai fatto questa distinzione, prima.»

«Io forse no, ma ci pensano i nostri paesi a farla, e lo ricorderanno anche a noi. Stavano succedendo molte cose prima che io partissi per Doonhill e di sicuro ne sono successe molte altre dopo.»

«La Scozia ha un re, adesso. Gli inglesi non comandano più qui.»

«Balliol è re, ma perfino tanti scozzesi mettono in dubbio la sua autorità.» Lui scosse la testa. «Non fa differenza. Vostro fratello era consapevole delle sue responsabilità nei confronti della Scozia quando mi ha imprigionato.»

«Siete prigioniero solo perché *volete* esserlo. Io posso restituirvi la libertà. Subito. Fuggiremo insieme e...»

«Perché non mi lasciate in pace?» Gli occhi di Robert fiammeggiavano. «Io sono spezzato, Gaira. *Spezzato.*» Si batté il pugno sul petto. «Non c'è niente qui dentro! Perché continuate a chiedere? Perché mi spronate a essere gentile con voi? Non posso. Non c'è più gentilezza in me.» Si girò, strofinandosi la nuca.

L'aveva ferita, ma era un rischio del quale era stata consapevole andando lì. Perché prima di lasciare la sua casa e i bambini doveva sapere cosa provava lui. E adesso lo sapeva.

Non era facile amarlo. *Robert* non glielo rendeva facile. Eppure anche lui la amava, benché non riuscisse ancora ad ammetterlo.

Gli si avvicinò e gli posò una mano sul petto. Il sollievo la pervase sentendo il battito del suo cuore che accelerava. Robert la amava. Non si sarebbe scusata per avere insistito. Era troppo importante.

«Credo che qui dentro ci sia qualcosa» sussurrò.

Lui si immobilizzò, gelido come il Ben Lomond in pieno inverno. E altrettanto invalicabile. Poi scacciò la mano. «Ah, vi sbagliate. Dove un tempo si trovava il mio cuore, non c'è più niente.»

Lei non capiva. Ma furono il fantasma della solitudine nei suoi occhi e la rigidità delle sue spalle a dirle quello che non voleva sapere.

Strinse le mani tra loro temendo il gesto che avrebbe potuto fare. «Voi avete già amato.»

«Sì. E non succederà più.»

Lei non aveva mai provato niente di simile a ciò che sentiva ora, nonostante tutte le ferite fisiche ed emotive degli ultimi tempi. Esisteva una parola, *dolore*, che però non racchiudeva la caverna scavata nel suo petto, la mancanza di forza nelle gambe, né le trafitture dietro le palpebre.

Nei giorni successivi all'arrivo di Robert, aveva incontrato ostacoli quasi insormontabili. Se era sopravvissuta al viaggio, era stato solo perché aveva avuto lui al suo fianco. Riluttante, testardo, sì, ma comunque *presente*. Ora aveva scoperto che non era stato affatto là con lei. Non poteva. Qualcun altro possedeva il suo cuore.

La sua umiliazione era completa. Era stata rifiutata dalla sua famiglia e ora anche dall'uomo al quale aveva dato il suo cuore. Non c'era più niente da dire. Si voltò per andarsene.

«È morta» disse inaspettatamente Robert. «Diversi anni fa.»

Gaira abbassò il piede che stava per fare il primo passo.

«Un'eternità fa» riprese lui, sussurrando. «Era la figlia di un principe minore del nord del Galles. Quando la vidi per la prima volta, era una bambina e io combattevo per Edoardo nelle guerre gallesi.»

Lei non voleva più ascoltare, ma aveva le ginocchia bloccate.

«Avevamo appena espugnato i cancelli di Brynmor. Io e gli altri corremmo a perlustrare il mastio per assicurarci che non ci fosse nessuno nascosto. Quando guardai su per le scale, in cima vidi due bambine. Erano entrambe bionde, gli occhi azzurri, e così somiglianti che capii subito che erano sorelle. La più grande stringeva la mano della minore, il cui viso era gonfio, rosso e livido, ma gli occhi erano gentili. Quella era Alinore.» La voce di Robert divenne soffocata. Lei lo guardò. Era voltato e la sua schiena era rigida come se un grosso fardello gli fosse stato posto sulle spalle. «Può sembrare che nella mia vita io non abbia fatto altro che combattere, invece, quando le guerre contro il Galles finirono, mi stabilii a Brynmor. Il castello era ormai sotto il dominio inglese e Re Edoardo lo aveva concesso a me. Quando arrivai, capii che era esattamente quello che desideravo. Tuttavia, mi ci volle meno di una settimana per capire che non ce l'avrei mai fatta.»

Gaira cercò di rilassare le dita che aveva intrecciato in modo spasmodico. Ma, come le ginocchia, nemmeno quelle si sbloccarono.

«La sorella maggiore non voleva avere nulla a che fare con me e io dovetti affidarmi ad Alinore perché mi mostrasse il castello.» Robert non si era voltato, non si era mosso. «Nel frattempo lei cresceva, ma era ancora una bambina. Suo padre, Urien, la picchiava. Tentai di impedirglielo, ma lui andava a cercarla quando io non ero nei paraggi...» C'era della rabbia nella sua voce. «Era più ubriaco che sobrio, non potevo nemmeno battermi con lui in modo equo. Alinore però gli voleva bene lo stesso. Io non capivo... quel suo perdonare ed essere gentile... con tutti. A differenza di me, lei sapeva amare e perdonare.»

Gaira non voleva ascoltare altro. Quelle rivelazioni la colpivano nel profondo e ora lei non era altro che pelle, ossa e dolore.

«Così, invece di insediarmi nel castello come nuovo signore e uccidere suo padre per tradimento, mi accontentai di essere una sorta di governatore inglese» riprese Robert. «Alinore, dato che avevo salvato la vita di suo padre e anche, almeno in parte, il suo orgoglio, era libera di prendersi cura di me.» Sospirò. «Andò avanti così per qualche anno. Quando divenne adulta, inevitabilmente mi innamorai di lei. Piano piano, in modo naturale, come nuotare in un tiepido ruscello di primavera.»

Si interruppe improvvisamente.

«Cosa accadde?» Le parole le uscirono strozzate da un bisogno che non sapeva di avere.

Il respiro di lui era diventato irregolare. «Un incendio distrusse completamente Brynmor.»

Smise di parlare, ma Gaira sentiva la sua inquietudine riempire di parole il silenzio.

«Lei morì.» Quando si girò, i suoi occhi erano neri e ribollenti. Il fondale scuro del fiume che era l'anima di Robert emerse con rabbia fino in superficie. «Avevate ragione, quel giorno, Gaira. Non sapevate perché, ma avevate ragione. È il dolore che mi fa andare avanti. Io *sono* il dolore.»

Era troppo buio perché lei riuscisse a vederlo. Ma non voleva vederlo. Non voleva ascoltare altri segreti, non voleva vedere altri sentimenti. La sua voce, la storia che le aveva raccontato le bastavano. Lui amava ancora Alinore. Non lei.

Era tardi. Nel cortile le torce erano già state accese. Il momento per fuggire era svanito.

Non aveva importanza. Anche la sua speranza era svanita.

«Vigliacco! Bel guerriero che siete. Non avete neppure il coraggio di spezzarmi il cuore come si deve!» urlò, poi uscì di corsa dalla cella.

28

Hugh si alzò di scatto dal letto quando due bambini entrarono nella sua stanza. Li riconobbe, erano quelli che avevano viaggiato con Robert.

«Non ho bisogno di nulla» esordì. Lo trattavano fin troppo bene per essere un prigioniero.

«Non siamo qui per portarvi qualcosa» spiegò il maschio. «Siamo qui per liberarvi.»

«Cosa vi è successo alla faccia?» chiese la bimba.

Lui fissò la porta. «Come siete arrivati fin qui?»

«C'è solo un soldato fuori. Lo abbiamo distratto, ma...»

«Solo uno?» lo interruppe Hugh. «È un insulto.»

«Sì, signore, ma non crediamo che starà via a lungo. Dobbiamo fare presto» annunciò la femmina. «Avete il braccio fasciato. È rotto?» Si rivolse all'altro. «Non funzionerà se è ferito.»

«Mi fa solo un po' male.» Hugh lo mosse un poco. «Come avete fatto a distrarre la guardia?»

«Io non pensavo che avrebbe funzionato» sussurrò la bambina.

«E non avrebbe funzionato se la guardia ci avesse visti quando ci siamo nascosti sotto le scale. Ma è merito di Alec, vedete» spiegò il ragazzino rivolto a lui. «Lo ha già fatto centinaia di volte.»

«Fatto cosa?» Non ci capiva nulla.

«Sì, ma non di proposito» aggiunse la femminuccia. «Prima era solo per gioco.»

«Ma io sapevo che di mattina è il momento migliore» riprese l'altro. «Dopo mangiato, tutti si dedicano alle loro faccende. Più tardi gli occhi della gente cominciano a vagare.»

«Aspettate!» Hugh alzò le mani. «Voi due vi finite sempre le frasi a vicenda?»

«Siamo gemelli» risposero all'unisono.

Lui scosse la testa. «Chi è Alec?»

«Nostro cugino» chiarì il maschietto. «Ruba delle cose. Ha preso il pugnale della guardia e la guardia lo ha inseguito.»

«Così siamo potuti venire a chiedervi di aiutare Sir Robert» proseguì l'altra.

«Sì. Da soli non possiamo farlo e abbiamo pensato che siccome siete suo amico, lo avreste aiutato» concluse il primo.

«Volete che vi aiuti a liberare Robert di Dent? Ma voi siete scozzesi!» esclamò Hugh. I bambini si scambiarono un'occhiata. «Sapete chi è Sir Robert?» chiese allora.

«Sì, signore» rispose la bimba. «Dicono che sia un inglese molto cattivo. Ma non è vero. Almeno non del tutto. Io e mio fratello sappiamo cosa fanno gli uomini cattivi e Sir Robert non farebbe mai quelle cose.»

Hugh si rimise a sedere sul letto. Si sentiva come se il suo mondo stesse per essere ribaltato un'altra volta. Prima da Robert, ora da quei bambini.

«Perché non mi spiegate esattamente il motivo per cui siete qui?»

Hugh udì dei passi affrettati su per le scale e non fu sorpreso quando Caird Colquhoun sbatté la porta contro il muro. Seduto sul letto, lo stava aspettando. Per poco non si mise a ridere quando la rabbia dello scozzese si scontrò con l'incredulità.

Si disse che avrebbe fatto meglio a dargli una mano. «Sono ancora qui.»

Caird si appoggiò con una spalla al muro. Nell'altra mano teneva la spada. «Come mai?»

«Quando si tratta di abitanti e di visitatori del clan Colquhoun, sembra che le nazionalità non contino molto.»

L'altro si raddrizzò. «Non capisco.»

«Nemmeno io, fino a quando due bambini hanno deciso che sarei dovuto scappare con Robert. Mi sono detto che le parole potevano essere altrettanto efficaci.» Hugh accennò all'altra estremità del letto. «Perché non vi sedete, così possiamo parlare di vostra sorella e di un soldato inglese? Quando avrò finito, forse vorreste andare da vostro fratello.»

Gaira si svegliò presto. Aveva bisogno dei bambini. E, per essere onesta con se stessa, aveva bisogno anche dei consigli di Oona. Era piacevole decidere della propria vita, ma cosa contava quando si aveva il cuore spezzato?

Si incamminò verso la casetta della donna, accompagnata da un vento freddo. Si strinse addosso lo scialle, ma serviva a poco ora che indossava un vestito. Le mancavano i calzoni e la tunica.

«Oona, sono io!»

La porta si aprì. In una mano la vecchia teneva un cucchiaio, sotto l'altro braccio Maisie. La donna era così piccola e ingobbita che le gambette della bambina arrivavano quasi a terra. Gaira guardò meglio il cucchiaio. Non sembrava sporco di residui verdi.

«Maisie sta bene, ragazza mia» esordì Oona. «C'è qualcosa che bolle in pentola?»

«Come fate a saperlo?»

«Siete venuta a trovarmi. Ecco come lo so.» Mise Maisie per terra. La piccina trotterellò verso Gaira, che la prese in braccio.

«Potrei essere venuta soltanto a trovare i bambini. Non significa che ci sono problemi.» Si guardò intorno di nuovo. «Dove sono?»

«In giro a correre come i bambini sono soliti fare.»

Non quei bambini. Loro stavano sempre insieme. «Non è venuto nessuno a portarli via, vero?»

Oona agitò il cucchiaio. «Volevate che qualcuno venisse a prenderli? Il vostro inglese, forse?»

Gaira tentò di seppellire il volto nel collo di Maisie per nascondere la propria reazione.

«Ah, ci siamo. Oona sa che ci sono dei problemi.»

Lei mise giù Maisie e la bambina si lasciò cadere a terra.

«Problemi? Di più. È un subdolo, piagnucoloso vigliacco, ecco cos'è. Lo sapevate che aveva già amato una donna?»

Oona annuì, sorrise, e non disse nulla.

Gaira cominciò a camminare avanti e indietro. «E lui la ama ancora!»

«Sì» disse Oona. «Qual è il problema, allora?»

«*Questo* è il problema.» Era esasperata.

«Quest'uomo ha vissuto prima che voi lo incontraste; è onorevole, affidabile e bello e voi credevate che nessun'altra se ne fosse accorta?»

«La questione è che lui si è accorto di lei, non il contrario!»

Oona scoppiò a ridere. «Ah, avete proprio perso la testa per lui, Gaira, bambina mia. Vediamo se quello che ho nel calderone vi farà guarire.»

Lei prese per mano Maisie e seguì la donna. «Non ne avete più di quella pozione verde?»

«Ah, no. Ho qualcosa di diverso...»

Dal calderone proveniva una fragranza appetitosa.

«Non è porridge?»

«Sì.» La donna lo versò in una ciotola, dove sprigionò grandi sbuffi di vapore. «Anche Oona deve mangiare ogni tanto.»

«E questo cosa dovrebbe guarire?»

«Non avete fame?»

«Sì, ma...»

«Guarisce il vuoto del vostro stomaco, ecco cosa.» Oona le allungò la ciotola di legno. «Quanto al resto, non c'è niente da sistemare.»

Gaira raccolse una cucchiaiata di porridge, poi lasciò gocciolare di nuovo la crema dentro la ciotola. «Sì, è rotto irreparabilmente.»

«Non vedete chiaro, bambina. Non avete detto che lui non vi ama.»

«Però ho sentito nella sua voce che ama lei.»

Oona prese a sua volta ciotola e cucchiaio. «Il cuore di un uomo è sano se è capace di amare. E lui è così. Non significa che non vi ami.» Soffiò sul porridge. «Voi lo amate e amate anche i bambini, no?»

Lei si mise in bocca un cucchiaio di porridge bollente, e annuì.

«Voi riuscite ad amare persone diverse contemporaneamente. Il cuore non ha confini, se è sano. Questo Robert di Dent è a posto.»

Gaira prese ancora del porridge e soffiò sul cucchiaio.

«Gli avete chiesto se vi ama?» Oona continuò a mangiare.

Lei rimise il cucchiaio nella ciotola.

No, non lo aveva fatto. Ma Robert le aveva detto che non si sarebbe più concesso di amare. Poiché aveva amato in passato, ora negava i suoi sentimenti per lei. Uomo impossibile. Niente in lui era chiaro e semplice.

Ma il fiume non era sempre uguale. Il suo livello saliva e scendeva a seconda delle stagioni. Era testardo, irragionevole e nascondeva ogni dannato dettaglio di sé. Ma ogni tanto lei riusciva a intravedere il fondo del fiume che era la sua anima.

Robert di Dent aveva seppellito gli abitanti del villaggio e aiutato Creighton a parlare. Aveva confortato Flora e giocato con Alec. Aveva perfino chiesto a Bram di proteggerla. Queste non erano le azioni di un uomo senza cuore. Lui la amava. E non importava se aveva già amato prima.

Oh, andiamo, a chi voleva raccontarla? Contava, eccome. Era importante per lui. E molto, dato che soffriva ancora.

La cocciuta riluttanza che Robert aveva spesso mostrato durante il viaggio ora aveva un senso. Aveva lottato con lei a ogni passo, non a causa della sua reputazione come Black Robert, bensì per Alinore.

Buon Dio. Lei gli aveva fatto seppellire i suoi parenti e lo aveva accusato di non avere sentimenti. Si era arrabbiata con lui imputandogli uno spietato distacco, mentre in realtà lui sentiva fin troppo.

Era diventato Black Robert *dopo* la morte di Alinore. Per proteggere il suo cuore. Lei sapeva cosa volesse dire essere soli e anche cosa fosse il dolore, ma non si era nascosta dietro nessuno dei due perché sapeva che esistevano dei sentimenti capaci di sconfiggere l'angoscia. Robert non lo sapeva, la sua infanzia non glielo aveva insegnato.

Mettendosi la ciotola in grembo, Gaira si sistemò le treccine dietro le spalle. Sapeva che non sarebbe stato facile, ma lei avrebbe mostrato a Robert di Dent cosa significasse amare.

29

❖

«Mi fa piacere che abbiate deciso di collaborare» asserì Bram.

Robert lo seguì nella sala vuota. L'assenza delle guardie non era un errore di giudizio da parte dello scozzese. Il laird voleva mostrare la sua potenza a un nemico.

«Finché Gaira e i bambini sono al sicuro, non ho alcun motivo per non collaborare» rispose.

«E il vostro compagno?» lo interrogò Bram.

Robert non abboccò. «Hugh sa badare a se stesso.» Se lo avessero mandato da Balliol, Hugh avrebbe avuto l'opportunità di fuggire. Per il momento, Robert doveva mantenere la calma. Troppe persone dipendevano da lui.

Bram imboccò le scale a destra della sala. «Molti del mio clan non capiscono perché io vi stia dando riparo e cibo. Pensano solo alla vostra reputazione di guerriero e non all'uomo. Il consiglio ha proposto di incatenarvi come l'animale che pensano siate e di lasciare che la natura faccia il suo corso.»

In cima alle scale si trovarono in un lungo e stretto corridoio senza finestre.

«Perché non lo fate?»

«Proprio per la vostra reputazione.» Bram aprì u-

269

na porta in fondo al corridoio ed entrò in una stanza. «Sono convinto che un guerriero ben addestrato come voi sia un tipo razionale.»

Robert lo seguì, poi si fermò e si guardò intorno nella saletta privata.

Caird e Malcolm erano in piedi ai due lati della porta.

«Un uomo che forse non si rende conto della gravità della sua situazione» soggiunse Bram.

Robert ignorò i fratelli più giovani. «Me ne rendo conto, anche troppo.»

«Ah, allora è la consapevolezza del pericolo nel quale vi trovate che vi rende mansueto e disponibile.»

Era chiaramente una sfida. Robert si strinse nelle spalle.

Le labbra del laird si contrassero. «Come dicevo, non sono d'accordo con il consiglio. Credo che la vostra reputazione racconti anche dell'uomo. Non c'è ragione di comportarsi da barbari.»

«Una decisione giusta» replicò Robert. Era la prima volta che aveva modo di parlare con Bram in privato. Non si aspettava che la sua situazione cambiasse, ma era l'occasione per ottenere qualcosa per Gaira e i bambini.

«Non scambiate la mia cortesia per equità.» Bram lo osservò. «Tuttavia, mia sorella dice che dovrei essere giusto con voi. Con mia grande sorpresa, i miei due fratelli sono d'accordo di concedervi una possibilità. Sto ancora cercando di capire perché.»

Stupito che i fratelli di Gaira avessero parlato a suo favore, Robert rimase in silenzio.

«Avete avuto un ruolo in quello che è successo a Doonhill?» chiese Bram.

Domanda prevista. «Sono stati i soldati di Re Edoardo» rispose lui.

Le sopracciglia del laird si abbassarono pericolosamente. «Con voi al comando?» Quando Robert scosse la testa per negare, proseguì: «Eppure avete voluto farmi credere che la responsabilità fosse vostra». Incrociò le braccia sul petto. «O siete temerario o mi prendete per stupido.»

Si fissarono e Robert non distolse lo sguardo.

Le labbra di Bram si contrassero di nuovo. «Mi offendete assumendovi sfacciatamente la colpa per proteggere il re inglese. Con ogni probabilità pensate che vi ucciderò e che, convinto di aver fatto giustizia, non cercherò di vendicarmi con i vostri compagni.»

Robert non rispose. Sapeva che era meglio ascoltare tutto quello che Bram aveva da dire.

Il laird si tamburellò le dita sulle braccia. «E mi offendete ancora di più pensando che potrei giudicare ingiustamente un uomo. Credete che vi ucciderei solo perché siete inglese? Allettante, devo ammettere, soprattutto conoscendo la fine che ha fatto mia sorella Irvette. Tuttavia, come laird, non posso farmi guidare solo dalle emozioni. Ognuno, anche se nelle sue vene scorre del sangue contaminato, è responsabile solo per i propri peccati. Se mi aveste detto la verità, sarei stato giusto.»

Su questo Robert aveva qualcosa da obiettare. «Non posso giudicare la vostra equità. Non ne ho le prove.»

Udì Malcolm e Caird muoversi alle spalle, ma Bram non sembrò sorpreso.

«Vi riferite a Gaira.» Il laird si versò della birra. «A quanto pare mia sorella non sa che siete un uomo abominevole. Vi assicuro che io invece so esattamente chi e cosa siete. Siete leale al re inglese.»

«Edoardo è un capo forte. Non sottovalutatelo.»

«E me lo dite in faccia.» Bram posò il boccale sul tavolo. «Fino a quando esisterà uno scozzese, esisterà anche una Scozia. Ebbene, come avete fatto a nasconderglielo?»

Bevve un sorso. Robert non era sorpreso che non gli offrisse da bere. Non era un incontro conviviale.

«Nascondere cosa?» domandò.

«Che avete massacrato centinaia di nostri connazionali.»

«Non me lo ha mai chiesto.»

«Credevo che fosse più perspicace di nostra sorella Irvette, ma è chiaro che l'ho protetta troppo.»

«Non l'avete protetta per niente.»

«Altri insulti. Avete me di fronte e due uomini alle spalle, eppure non tenete a freno la lingua.» Bram scosse la testa. «Cosa sapete di come ho trattato mia sorella?»

«L'avete abbandonata nelle mani di un folle.»

«Busby non era molto intelligente, ma non era folle.»

«Allora abbiamo conosciuto due Busby di Ayrshire diversi. Quell'uomo mi ha attaccato alle spalle.»

«Lo avevate provocato viaggiando con la sua promessa sposa.»

«Lei *non* era la sua promessa sposa. Ed era terrorizzata da lui.»

«Mia sorella non è terrorizzata da nessuno. Lo dimostra il fatto che ha viaggiato con voi.»

«È fuggita da Busby di Ayrshire.» Robert cercò di raffreddare la rabbia improvvisa e bruciante che gli aveva inondato le vene. Sarebbe stato inopportuno mostrare delle emozioni quando si trattava di Gaira, ma non riusciva a rimanere razionale. «È fuggita perché temeva per la sua vita. O ve ne siete dimenticato?»

Bram sbatté con forza il boccale vuoto che vacillò precariamente sul bordo del tavolo. «Io non dimentico niente, pomposo bastardo inglese.»

«Siete arrabbiato con voi stesso, non con me.»

«Vi ucciderò.»

«Provateci.»

Gli occhi di Bram scintillarono, le sue labbra erano più contratte che mai. Robert non capì la sua improvvisa allegria. Il laird aveva voglia di ridere. Interessante. Lui non ci trovava niente di divertente.

Gaira aveva la stessa risata facile. E il cuore aperto. Forse erano così anche i suoi fratelli. Non li capiva, però li invidiava.

«Dio» disse Bram. «Avervi qui mi disturba più di qualsiasi altra cosa. Perché siete venuto?»

«Vostra sorella mi ha chiesto di aiutarla.»

«Dovrei crederci?»

Robert si strinse nelle spalle. «Dal momento che volete uccidermi, probabilmente non ha importanza.»

«Perché lo ha chiesto a voi?»

«Dovreste fare a lei questa domanda.»

«Voglio sentirlo da voi.»

Non lo sapeva. Robert era ancora sconcertato che Gaira si fosse rivolta a lui. «Ero lì. Non c'era nessun altro.»

«Se voi non avevate nulla a che fare con il massacro di Doonhill, perché eravate là?»

Lui non voleva rivelare i suoi motivi personali, ma nemmeno nascondere la verità. «Gli inglesi non avrebbero mai dovuto uccidere degli innocenti.»

«Rimorso, quindi?» Bram inclinò la testa, uno strano luccichio negli occhi. «Black Robert che prova rimorso... E che aiuta mia sorella ad attraversare le terre dei Buchanan.»

Andò alla finestra. Robert sentì Malcolm o Caird trascinare una sedia sul pavimento. Non si mosse. A prescindere da quanto quella discussione fosse civile, lui e Bram erano ancora nemici.

Il laird si voltò. «Questi fatti non cambiano le cose. Devo ancora uccidervi.»

«È quello che continuate a dire» replicò lui.

«Se mi mostrassi clemente per i favori che avete fatto alla mia famiglia, tutti gli altri scozzesi dichiarerebbero guerra al mio clan.»

«Potreste semplicemente lasciarmi andare. Dire che sono scappato» suggerì Robert, pur sapendo che l'altro non lo avrebbe mai fatto.

«Un piano che gioverebbe molto alla mia reputazione presso i miei connazionali» ironizzò Bram.

«Andiamo! Re Balliol sarebbe lieto di sapere che siete sopravvissuto al nostro incontro.»

«State mettendo alla prova la mia lealtà, inglese?»

Robert mantenne un tono neutro. «Vedo che siete qui, invece di... altrove.»

«Ora cercate di carpirmi dei segreti? So qual è il mio posto.» Bram scosse la testa, gli angoli della bocca si sollevarono. «La vostra anima è davvero nera come il vostro nome.»

«Su questo siamo d'accordo.»

Il laird lanciò un'occhiata a Caird e Malcolm. «Mia sorella vuole che abbiate salva la vita. So che vi ha persino chiesto di fuggire.»

Robert non fu sorpreso che lo sapesse. Era abbastanza scaltro da avere delle spie dentro il suo castello.

«Gaira, come avete sottolineato voi stesso, non è a conoscenza di molte mie azioni o di come ho vissuto la mia vita.»

«Credo invece che lo sia» replicò Bram. «Se non sbaglio, quando vi ha proposto di scappare con lei le avete svelato ogni bieco dettaglio della vostra anima. Perché?»

Era irritante come quello scozzese riuscisse a leggere così facilmente dentro di lui. «Vostra sorella è una donna insolita. Per la sua gentilezza merita di conoscere la verità.»

«Gentilezza? Gaira è un'arpia.»

Bram gli si parò davanti. Così vicino che lui avrebbe potuto attaccarlo e ucciderlo prima che Malcolm o Caird potessero difenderlo, ma Robert non era lì per se stesso.

«Ancora una volta ci differenziamo nel giudicare le persone» rispose con semplicità.

«Avete cercato di spaventare Gaira per allontanarla. Cosa rappresenta mia sorella per voi?»

«Penso che meriti di più che essere abbandonata.»

Bram si allontanò di qualche passo. «Siamo tornati a questo.»

«È un fatto che richiede un chiarimento.»

«Non spiegherò a voi le mie ragioni. Mi rifiuto di stare sulla difensiva con un uomo come voi.»

«Come volete.»

Bram mise le mani dietro la schiena e si dondolò sui talloni. «Perché sono sulla difensiva con voi?»

«Perché avete commesso uno sbaglio.»

Il laird ridacchiò. «Dio, non si può dire che vi piaccia tergiversare, eh?»

«Non ne vedo la necessità.»

«Dato che siete così orgoglioso della vostra sincerità, quali fatti della campagna di Re Edoardo state nascondendo?»

«Nessuno» asserì Robert. Questo era un argomento sul quale non c'era bisogno di essere riservati. «Ero il suo braccio destro, non il suo stratega.»

«Eravate ben più di questo.»

«Lo conosco bene, sì. Ma non sono mai stato il suo confidente.»

«Vi siete tenuto a distanza anche da lui, non è vero?»

Robert si strinse nelle spalle.

«Dannazione. Vi credo anche in questo. Continuate a non fornirmi ragioni per tenervi in vita. Lo sapete?»

«Ciascuno di noi è destinato a morire.»

«È vero, ma il vostro momento è più vicino che lontano.» Bram guardò di nuovo Caird e Malcolm. «Domani ci batteremo.»

«Prepotente, stupido pezzo di immondizia!» brontolò Gaira. «Arrogante testa di rapa!»

Chiuse le mani a pugno nelle pieghe del vestito mentre schivava dello sterco di cavallo. Era sera, ma il cortile non era deserto. Non le importava che la sua voce si diffondesse nell'aria, perché sarebbe stato inutile tacere. Però doveva fare in fretta. Malcolm le aveva riferito che Robert e Bram si erano parlati. E anche quello che si erano detti.

Oh, il suo cuore avrebbe tanto voluto sentire le parole di Robert.

Lei non poteva convincere il fratello a cambiare idea, perché aveva preso la sua decisione come laird. Ma forse, parlando con Robert, sarebbe riuscita a fermare quella pazzia.

Girò attorno alla cucina e si affrettò verso le cantine del castello. Quando la videro, le guardie aprirono immediatamente la porta.

Non era quello che si aspettava, ma i soldati distolsero lo sguardo. Fu contenta di sentire che richiudevano la porta dietro di lei: non avrebbero ascoltato quello che aveva da dire.

Questa volta Robert non aspettava nell'ombra, ma l'effetto fu lo stesso. Il suo volto era imperscrutabile, l'espressione cupa.

Gaira cercò di valutare il suo stato d'animo utilizzando gli altri sensi. Anche in mezzo all'aroma delle erbe essiccate, sentiva la fragranza del cedro e del cuoio e l'essenza che apparteneva unicamente a lui. Ricordava il tocco caldo e delicato delle sue mani, la sensazione della sua bocca quando l'aveva accarezzata, aperta, quando aveva destato il suo desiderio. Lo voleva ancora. Indipendentemente dal suo umore, non se ne sarebbe andata senza aver avuto da lui una risposta.

«Credo di conoscere un'altra delle vostre motivazioni, Robert di Dent» esordì. La voce risuonò innaturalmente alta nel silenzio della cantina.

«Cosa fate qui, Gaira?»

Il suo viso era chiuso, ma lei vide un muscolo contrarsi sulla sua guancia. Dio, era bellissimo. Un uomo riservato, ma che sia pure a malincuore con lei si era aperto. Non si sarebbe lasciata sfuggire questa opportunità. Gaira non si era mai sottratta a un compito in vita sua. E di sicuro non avrebbe cominciato adesso.

«È l'amore che vi anima» affermò. «Voi mi amate.»

Lui fece un passo indietro, troppo tardi per nascondere la sorpresa che gli aveva suscitato quella dichiarazione. Gaira comprese di avere colto nel segno.

«Cosa ci fate qui?» ripeté Robert, la voce roca.

«Sono venuta a chiedervi di fuggire.»

«Ancora? Non posso fuggire da questo.»

«No, non fuggirete da questo. Anzi, non credo che sarete costretto a fuggire. Lo avete già fatto.» Le sue dita si rilassarono, nascoste nelle gonne. «Ma non potete più fuggire, inglese. Non potete più nascondervi dietro questo Black Robert che vi siete cucito addosso.»

«È quello che sono.»

«No, non siete così. Black Robert non avrebbe aiutato me e i bambini.» Gli si avvicinò di un passo. «Voi siete più della vostra reputazione. Siete più del vostro dolore.»

«No» sussurrò lui. «È ciò che sono sempre stato. Non mi faccio illusioni su di me, anche se voi ne avete.»

Le sue parole facevano male. Ma le avrebbe fatto più male non aiutarlo. Gaira respirò il profumo e il calore della sua pelle. Le diede la forza di combattere contro di lui. «Liberatevi del dolore. Lasciatelo andare. Potete amarla ancora senza soffrire.»

Il suo respiro si spezzò. «Volete che io continui ad amarla?»

In lui c'era tanto, troppo dolore. Anche lei soffriva, ma sapeva come lasciare andare la sofferenza. «Sì.»

«Non capisco.»

«L'avete amata. Se le avete donato il vostro cuore, vuol dire che lei ne era degna.»

Robert mosse velocemente due passi, allontanandosi. «È morta. Forse c'era onore nel donare, ma dopo di allora c'è stato solo dolore.»

«C'è dolore solo perché c'è ancora amore.» Gaira fece il passo necessario per posargli la mano sul cuore. «È necessario lasciare andare il dolore.»

Il cuore di lui batteva forte sotto il palmo della mano.

«Come?» Fece una pausa. «Come faccio a liberarmi di questo dolore?»

Gaira sentì l'umido calore delle lacrime che le rotolavano lungo le guance, ma non cercò di nasconderle. Erano lacrime di guarigione.

«Abbracciando di nuovo la vita» dichiarò. «Abbracciando di nuovo l'amore.» Gli mise sul petto anche l'altra mano. «Abbracciando me.»

Il corpo di Robert si irrigidì. Il suo volto era pallido, segnato. Le sarebbe bastato dargli una piccolissima spinta per farlo cadere. Era in piedi davanti a lei e Gaira lo sentiva sotto le mani, ma la mente di lui si stava allontanando. Che altro poteva dire?

Era così frustrata che per poco non lo spinse via, lontano da lei.

«Grandissimo sciocco.» Staccò le mani dal suo petto e se le mise sui fianchi. «Non avete ancora capito che mi amate?»

30

Robert scosse la testa. «Non posso.»

«Sì che potete. È vero ed è ora che lo ammettiate.»

«Vi sbagliate. Ho amato in passato e non succederà più. Non capite che il mio amore è una maledizione? Alinore è morta. Toccava a me proteggerla e ho fallito!»

Si strofinò la nuca. Lei ormai conosceva quel segno di sofferenza. «È questo che vi impedisce di amarmi? La paura? È un pretesto.»

«Io non ho paura...»

«Ah!» Gaira gli puntò un dito contro. «Voi *avete* paura. Avete paura dei sentimenti che provate per me. Ma avete già fatto tanto per superarla. Vi chiedo soltanto di fare un altro piccolo passo.»

Il dolore nei suoi occhi le faceva tanto male che lei temette che le bucasse il cuore. «Siete così vicino a riuscirci, Robert» lo supplicò. «Non lo sentite?»

Lui scosse nuovamente la testa, stordito. Non era una risposta, sembrava piuttosto che stesse negando dentro di sé qualcosa che lei non poteva vedere. Ma Gaira non avrebbe ceduto proprio ora.

«Quando vi ho chiesto aiuto, avreste potuto rifiutare, come avreste potuto andarvene in qualsiasi momento durante il viaggio. Non lo avete fatto e io so perché. Il vostro cuore mi amava già, anche se la vostra mente non lo ascoltava.»

«Non posso...» Robert spalancò gli occhi. «Oh, Dio... *Ma è così!*»

Il cuore di Gaira avrebbe voluto prendere il volo, ma per lui la battaglia non era finita e si fece forza per continuare a discutere. «Bene. Allora, dimenticatevi questa pazzia e cancellate il duello. Possiamo vivere insieme, noi due soli, lontano da questa terra.»

Il corpo di lui fu scosso da un tremito. Era come se il demone oscuro che teneva prigioniera la sua anima fosse finalmente uscito. Una volta che avesse accettato di amarla, lei era convinta che sarebbe stato felice, invece in quel momento lui appariva più che altro rassegnato. Non mostrava gioia né, e questo la spaventava ancora di più, sollievo.

Robert lasciò uscire il respiro. «Adesso non posso più farlo.»

L'espressione dei suoi occhi non le diede alcun conforto. C'era amore, sì, ma anche rimpianto. Come se lui avesse scoperto la verità troppo tardi. Ma visto che erano arrivati a quel punto, lei non gli avrebbe dato tregua.

«Perché non potete?» chiese. «State pensando a qualche altro pretesto per respingermi?»

Lui le accarezzò la guancia. «Avete cercato di donarmi questa terra. Adesso credo di volerla tenere.»

«Adesso!» Lei alzò al cielo le braccia, interrompendo la sua carezza. «*Adesso* volete la terra? Ebbene, non potete averla. Questa terra non vi vuole! Il mio clan non vi vuole!»

«Ecco perché devo battermi con vostro fratello.»

Nel cuore di Gaira, la paura si sostituì alla colle-

ra. Non aveva bisogno della sua cocciutaggine. A-
veva bisogno di lui *vivo*.

«Perché insistete su questo? Non ha senso.»

«Per cancellare ogni dubbio, Gaira.»

«Non ci sono dubbi! Dobbiamo andare. Non capite che abbiamo solo questa possibilità?»

«Siete stata proprio voi a mostrarmi che potrebbe
essere qualcosa di più di una possibilità.» Robert
cadde in ginocchio davanti a lei. In ginocchio, ma
non umiliato. Tutto in lui era virile, possente. E lei,
che era un masso nella corrente del suo fiume, avvertì in pieno l'impatto della sua forza.

«Vi amo, Gaira di Colquhoun. Vi ho amato dal
momento in cui mi avete colpito in testa con un
calderone. Perdonatemi se non ho riconosciuto subito il mio amore per voi.»

Quelle parole la fecero tremare. Lei cercò di liberare le mani, ma Robert le teneva strette.

«Non c'è paragone» proseguì lui. «Con Alinore,
l'amore era come un delicato fiore di primavera.
Con voi è una rosa purpurea piena di spine.» Le
baciò i palmi delle mani e lei sentì il calore delle
sue labbra propagarsi dalla punta delle dita fino al
ventre. «Ma io colgo questa rosa, la stringo con le
mani nude fino a farmi sanguinare i palmi, pur di
potervi avere nella mia vita.» Si alzò in piedi. Il buio della cantina non celava la luce maliziosa dei
suoi occhi. «Ma forse per le mie mani c'è qualcosa
di meglio.»

Senza preavviso, senza lasciarle il tempo di pre-
pararsi, il corpo di lui fu all'improvviso contro il
suo, le labbra sulle sue. Gaira sentì la sua forza solida e si immobilizzò.

Gli premette le mani sulle spalle. Le dita si allargarono, si piegarono, si allargarono ancora. Lui la
teneva stretta e il corpo raggelato di lei si sciolse.
Poi cominciò a bruciare.

Le dita di Robert si serrarono sui fianchi del suo vestito. Voleva fermarsi? Un'altra volta? Gaira protestò con un gemito e la sua risata le rombò contro il petto.

«Oh, no. Non mi fermo» le sussurrò sulle labbra. «Non potrei.» Con uno strattone deciso, il vestito sparì. «Non posso.» La camiciola sottile non era una barriera e lui gliela fece scivolare dalle spalle. La stoffa si ammucchiò ai suoi piedi. «Non lo farò.»

Gaira era nuda, ma non imbarazzata. Era sorpresa. Stava succedendo tutto così in fretta, e la sua frustrazione stava diventando bisogno, la preoccupazione desiderio.

Senza lasciarle il tempo di analizzare quelle emozioni, lui coprì un seno tenero con la mano callosa. Il corpo di lei prese ad ardere. Poi le sue dita si mossero, ruvide, pressanti. Il fuoco bruciò le ultime vestigia di angoscia e ansia. Ansimò.

Robert fece un profondo respiro e staccò la mano. «Sapevo di non poter essere gentile.»

Gaira la afferrò e gli prese anche l'altra. Si portò entrambe ai seni e le premette fino a quando lui chiuse di nuovo le dita intorno alle dolci curve, fino a quando il calore ardente si accumulò dentro di lei.

Robert aveva il respiro irregolare, ma rimase fermo. «Voglio essere delicato» le disse, deciso.

«Io voglio voi.» Lei tirò le sue mani, affinché le muovesse. «Non capirei la differenza.»

«Ma io ne sarei consapevole. So cosa fa per voi.»

«Io voglio voi» ripeté abbassando le mani. Per fortuna quelle di lui rimasero dov'erano. «Se così è come deve essere...»

«Non deve essere... No, mentirei. È ciò che è. Bisogno. Desiderio disperato. Non riuscirò a essere anche delicato.»

A dispetto di quelle parole, le sue mani divennero più leggere. Le sue dita presero a tracciare lenti cerchi. I seni si appesantirono, i capezzoli dolevano.

Gaira cominciò ad armeggiare con gli indumenti di lui.

«Sapete che ho sognato di vedervi così? Quando eravate sotto il vostro albero, con il vento che vi incollava la tunica addosso, i seni ben visibili. Mio Dio, in quel momento ho pensato che sareste stata la mia rovina.»

Lo ricordava anche lei. Ricordava che le si era messo davanti, in piedi, chiedendo in silenzio il permesso di toccarla.

«La prossima volta» sussurrò, anelando al successivo movimento delle sue mani. «La prossima volta chiederete il permesso.»

Lui si tolse la tunica. «La prossima volta» ripeté, con reverenza. «Non adesso.» Le fece scivolare le mani lungo i fianchi e la attirò a sé. «Buon Dio, non adesso.»

Si impadronì della sua bocca, chiedendo una risposta. Lei la diede. Con un piccolo suono, dischiuse le labbra per farlo entrare. Lui emise un mormorio di approvazione mentre il bacio si trasformava. Le sue labbra erano più dolci contro quelle di lei, la sua lingua tracciava, assaporava, stuzzicava. Si tirò indietro, facendole una domanda alla quale lei non poteva rispondere.

Ma Gaira voleva sapere e gli toccò la mandibola, incoraggiandolo.

Robert piegò la testa e le tracciò una scia di baci lungo la linea del viso, passò i denti e la lingua sui tendini del collo, mordicchiò e assaporò la clavicola.

Per tutto il tempo le sue mani percorsero avide i fianchi di lei, riscaldandola, incendiandola.

La sua bocca era gentile, le mani no. Gaira sentì una spirale salirle dentro, tendersi come una molla.

Quando le sue labbra raggiunsero i seni, lei non riuscì più a trattenere i mormorii di incoraggiamento che scaturivano dalle profondità del suo essere. Ansioso di assaporarla tutta, lui procedette con leccatine e baci fino a quando la sua lingua circondò i capezzoli turgidi, infiammandoli.

Gaira si inarcò contro la sua bocca. Lui socchiuse gli occhi ardenti. Non c'era rabbia lì, né controllo. Non era più il Robert che conosceva.

Non capiva le sue emozioni. E anche le proprie le erano del tutto estranee. Ma una cosa la sapeva: lui le aveva liberato il corpo dagli indumenti, tuttavia una parte di lei era ancora rinchiusa. E voleva essere del tutto libera.

«I capelli» disse piano. «Scioglietemi i capelli.»

Continuando con una mano ad accarezzarle il fianco, lui si raddrizzò. Fece scorrere le mani lentamente lungo la treccia dalla base del collo alle punte costrette dal fermaglio. «I vostri capelli sono come fuoco per me.» Tirò dolcemente il legaccio di cuoio e lo lasciò cadere a terra. «Da quando li ho visti, per me il sole ha perso tutto il suo calore.» Con le dita le cinse la nuca, poi le infilò tra i capelli e scese fino alle punte. «Sapete quale tortura è stata per me vedervi spazzolare, toccare, intrecciare questa chioma meravigliosa?» Il suo tocco era sicuro, reverente. Lei sentiva il riverbero di ogni carezza su ciascuna ciocca. «La toccavate con tanta disinvoltura, mentre io anelavo a bruciare nel suo fuoco.»

Ripeté quel movimento fino a quando i capelli ricaddero liberi. Poi li sistemò, un ricciolo alla volta. Lei sentì i suoi polpastrelli sulla clavicola, le nocche che le sfioravano i seni.

Senza staccare gli occhi da lei, Robert si liberò

delle scarpe, della cintura, dei calzoni. Di nuovo nessun preavviso. Stava a malapena cominciando a decifrare la sua virilità nuda e la propria reazione emotiva, quando le sue braccia la circondarono per tirarla giù, sui loro vestiti sparsi.

Il suo corpo era tutto muscoli e ampie distese di pelle liscia e solida. Le si allungò accanto, ma lei si sentì inchiodata sotto di lui mentre la sua mano le scendeva lungo il fianco, lungo la gamba per poi risalire di nuovo. Non era una carezza, era una dichiarazione di possesso. Una volta si era impedito di toccarla, e ora la toccava dappertutto. E ovunque la sua mano arrivava, accendeva lingue di fuoco che le lambivano il corpo. Era come se nelle vene le scorresse veloce qualcosa che non era sangue. E infatti il desiderio era più bruciante, più intenso.

La sua bocca scottava ancora di più quando seguì la traccia delle mani. La bramosia alimentava il desiderio, diventava lussuria, bisogno. Lei sentì la carne cedere sotto le sue dita. Il suo alito le solleticava la pelle sotto l'assalto caldo e umido della lingua.

Sulle spalle, sulle braccia, sui seni e più in basso, le mani e la bocca di lui stuzzicavano, facendo risuonare qualcosa in profondità dentro di lei. Poi lui si sollevò.

Senza aspettare che chiedesse il permesso, lei allargò le gambe.

Vide il suo cambiamento. Vide il suo controllo sgretolarsi per un istante.

«Toccami» le disse con voce rauca, intima.

Toccarlo? Adesso il suo corpo reclamava di più. E quello di lui reclamava soddisfazione.

Le stava dando il tempo di adattarsi all'invasione che sarebbe presto avvenuta. Solo che lei non poteva farlo. Non quando vedeva le emozioni susseguirsi sul suo viso e i muscoli possenti del suo petto e delle braccia scintillare, coperti da un sottile velo di sudore. Le sembrava di nuotare in un fiume dalla corrente veloce: spaventoso e inebriante allo stesso tempo.

Smaniosa, toccò ogni parte di lui che riusciva a raggiungere. La curva delle spalle, la peluria un po' ispida delle braccia, i muscoli del suo addome tesi come corde. A ogni tocco lui tremava. E lei ricominciava. Le dita si incurvavano, schiacciavano, sfioravano. Quando la mano raggiunse la coscia, lui le afferrò il polso.

«Non ancora. Ho troppo bisogno di avvicinarmi al tuo fuoco» ansimò. «Di essere dentro di te.»

Lasciò andare il polso e le si posizionò in mezzo alle gambe. Con la mano trovò il centro di lei e ne accarezzò l'umido calore. Delicato, attento, frustrante. Lei voleva di più.

Gli prese la mano, intrecciando le dita con le sue. Unendosi a lui nel solo modo che conosceva. Sentì le pulsazioni accelerate del suo cuore. Capiva lo sforzo che l'attesa gli costava, ma lei era pronta.

Lui strinse le palpebre, i suoi lineamenti sembravano più affilati. «Ti basta?» chiese. «Sei pronta?»

«Sì, sono pronta, Robert. Sì.»

Passandole le mani sotto le cosce, la sollevò verso di sé. In quella posizione era ancora più vicina, ma non abbastanza. Privata del contatto con le sue dita, cercò di usare il proprio corpo. Piegò le gambe, attirandolo di più a sé. L'autocontrollo di lui si infranse.

«Dio!» Robert si mosse e sprofondò in lei. Gaira avvertì un dolore bruciante. Era troppo. Si aggrappò alle sue spalle, affondò le unghie, ma lui non si fermò.

Era perso nelle sensazioni che consumavano entrambi. Fame. Desiderio. Bisogno. E lei si aprì.

Per lui.

«Più vicino» disse Robert. Le lasciò andare le gambe e puntò le mani accanto ai suoi fianchi. «Il tuo calore mi brucia.» Spinse più forte e lei gli andò incontro. Non più dolore, bensì fuoco e piacere.

Le spinte possenti di lui la incalzavano, il vestito e la camicia si ammucchiarono sotto la sua schiena. Perse la presa sulle sue spalle e afferrò i suoi polsi, cercando di tenere duro.

Più vicino, aveva detto lui. Lo erano. Sentiva ogni minima parte del suo corpo. Solo che non era ancora abbastanza. Gli cinse le cosce con le gambe, strinse forte, attirandolo ancora di più contro di sé. Più vicini.

«Robert!» Gaira ebbe l'impressione di dissolversi in miriadi di frammenti luminosi e il corpo si sciolse sotto l'assalto delle contrazioni.

Le membra ormai prive di forza non riuscirono più ad assecondare i movimenti di lui. Quando credeva che non sarebbe potuto affondare di più, Robert si irrigidì e un'ondata liquida affluì in lei. Dopo un istante di sospensione, lui rotolò sulla schiena.

Gaira avvertì la perdita del suo peso, ma non del calore. La sua mano e le sue dita le accarezzavano il fianco. La carezza serpeggiante echeggiava le sensazioni del corpo. Pienezza... gioia.

Voltò la testa per guardarlo. Perfino con quella luce fioca poté vedere che le emozioni di lui non erano in sintonia con le sue. Robert aveva le labbra strette e la fronte corrugata. Si girò sul fianco e cercò di spianargli la fronte con le dita. Lui le bloccò la mano e la mise contro il suo fianco.

«Volevo solo...» cominciò Gaira.

Robert le posò un dito sulle labbra. «Pace, Gaira. Adesso voglio solo pace.»

Lei non voleva la pace, invece. Voleva parlare, cancellare quell'espressione corrucciata. «Sei pentito?» chiese, il tono più tagliente di quanto intendesse.

«Sono pentito di tante cose. Non di questo.»

Lei posò il palmo contro il suo petto e sentì il rapido pulsare del suo cuore.

La bocca di lui si incurvò leggermente. «Sto assaporando, Gaira. Assaporo la sensazione del tuo corpo contro il mio. Era passato molto tempo per me, troppo per qualunque uomo. Non potevo essere delicato, ma ora ci sto provando.»

Chiuse gli occhi, mentre quelli di lei restarono spalancati. La luna diffondeva i suoi raggi pallidi in tutta la cantina. Non c'era alcun dubbio sul perché Gaira gli avesse dato il suo cuore. Inglese o no, era un uomo stupendo.

Con la punta delle dita seguì le cicatrici bianche sulla guancia, lungo il collo, sul petto. Ce ne erano altre, sul petto e nella parte interna delle braccia. Erano più grosse, ma non si trattava di ferite di spada: erano troppo piatte e troppo numerose. Ora Gaira sapeva cos'erano.

«Queste ustioni te le sei procurate nell'incendio, non è vero?»

Lui si irrigidì. «Sì.»

Con il palmo della mano, gli accarezzò il petto fino a quando il suo corpo si rilassò. Poi passò alle braccia. Sul lato interno di entrambe, le cicatrici erano quasi simmetriche. Le mani si fermarono, poi tremarono.

Robert aprì gli occhi e la guardò. Non disse niente. Era come se aspettasse che fosse lei a dirlo.

«L'hai strappata dal fuoco. È così?»

Lui distolse lo sguardo. «L'incendio divampò nella stanza accanto alla sua» raccontò, la voce priva di emozione. «La trovai sul letto. Troppo immobile. Il suo abito era in fiamme. I suoi capelli...» Prese un respiro tremante. «I suoi capelli dorati stavano diventando neri. Brynmor era completamente in fiamme. Le scale erano già distrutte. Quando riuscii a portarla fuori, nel cortile, ovunque c'era fuoco, ovunque gente. Dovevo trovare un posto sicuro dove rotolarla per terra, per spegnere le fiamme.» Il suo sguardo era fisso sul punto più buio della cantina. «Fuori dai cancelli, riuscii a spegnere fino all'ultima lingua di fuoco che bruciava sul suo corpo, ma non potei fare niente. Alinore aveva respirato la morte. C'era così tanto fumo... Non si svegliò più.»

Le lacrime di Gaira caddero sopra la mano che teneva appoggiata sul braccio di Robert. Poteva immaginare come lui avesse combattuto contro il destino, Dio e se stesso per salvare Alinore. Immaginava l'agonia del suo fallimento. Non era difficile... lei conosceva il fuoco e la distruzione che causava.

China su di lui, seguì con la bocca la caduta delle lacrime, baciando ogni punto in cui atterravano. Quando le braccia di Robert la serrarono contro il suo corpo, lo ammantò con il proprio.

Si sentiva ancora più vicino a lui. La distanza aveva smesso di esistere. Lui la stringeva più di quanto fosse fisicamente possibile, come se le loro anime si fossero fuse.

Quando le prese il viso tra le mani e la baciò di nuovo, cercò di trasmettergli le emozioni che provava. Voleva amarlo, guarirlo.

Quando Robert approfondì il bacio, Gaira dimenticò tutto tranne il desiderio.

Quando Robert si svegliò, una luce fioca entrava dalla porta della cantina, tanto che poteva vedere bene i lunghi arti di Gaira appoggiati sul suo corpo. Aveva la testa nascosta nell'incavo del suo braccio, i seni premuti contro il suo costato. Dormiva, ma il desiderio stava già spazzando via la soddisfazione di tenerla stretta.

Non si era ancora saziato di lei. Guardò le sue labbra, sapendo che il loro color pesca sarebbe diventato rosso scuro per i suoi baci ardenti. Era così generosa nelle sue reazioni. Forse questa volta sarebbe stato più gentile. Si allontanò dolcemente da lei per mettersi a sedere. I lunghi capelli di fiamma gli si avvolsero intorno al braccio e il suo corpo si tese.

No, non si sentiva delicato. La voleva in modo troppo egoistico, di nuovo. Voleva vederla alla luce mentre la possedeva un'altra volta, vederla quando si fosse svegliata e... Dannazione. Era mattina.

Il tempo a loro disposizione era finito. Ma se il suo piano avesse funzionato, avrebbe potuto tenerla tra le braccia per sempre.

Era difficile proibire al suo corpo di cercare quello che voleva e ancora di più negare al suo cuore il bisogno di stringerla di nuovo.

Dovevano separarsi e anche in fretta. Con una carezza le scostò i capelli dal viso. I suoi occhi si aprirono lentamente. La gioia che li faceva brillare era più luminosa del sole.

«È mattina, amore mio» sussurrò.

La fronte di lei si corrugò, gli occhi si incupirono. «Non hai intenzione di fuggire» disse, e c'era tensione nella sua voce.

Lui scosse la testa. «Devi andare ora. Se ci scoprono, tuo fratello non mi darà nemmeno la spada per difendermi.»

Gaira si alzò e raccolse la camicia. «Non so perché tu abbia acconsentito a batterti.» Infilando le braccia nelle maniche, lo avvisò: «Credi che ti amerò ancora se ucciderai mio fratello?».

«Sì.»

Fissandolo con aria tempestosa, lei prese il vestito e lo indossò dalla testa.

«Non sarebbe facile» aggiunse, «ma quando tu ami qualcuno, Gaira, è per tutta la vita. Proprio come ti amo io.»

Accidenti a lui! Era diventato troppo tenero.

Robert sorrise e si alzò. Nudo, ogni muscolo finemente modellato era in bella vista davanti a lei. I rilievi scolpiti del petto, i crinali dello stomaco, le cosce possenti. Era una festa per i suoi occhi di donna. Gaira non voleva nuove cicatrici sul suo corpo. Ma a lui cosa importava? E, dannazione, aveva ragione.

Se avesse ucciso Bram, lei avrebbe continuato ad amarlo. E se Bram avesse sconfitto Robert, non avrebbe potuto impedirsi di amare suo fratello. Rabbia e impotenza ruggirono dentro di lei. Odiava sentirsi impotente.

«Oh, andate tutti all'inferno!» si infuriò.

31

Dopo la pioggerella del mattino, il calore del sole appesantiva l'aria. I vestiti umidi di Robert lo limitavano nei movimenti e lui si strappò di dosso la tunica.

Era consapevole della folla che si stava radunando, esattamente come lo era della terra sotto i piedi e della brezza leggera intorno al corpo. Il campo di battaglia era costituito da tutti questi elementi che in qualche modo potevano riuscire utili nell'imminente duello.

Mancava soltanto Gaira. Non la vedeva da nessuna parte. Meglio così. Poteva ignorare la folla; non avrebbe potuto ignorare *lei*.

Anzi, doveva sforzarsi di liberare il corpo dal suo ricordo. Solo che Gaira era avvolta attorno a ogni fibra del suo essere. Quando respirava, ne sentiva il profumo. Avvertiva perfino il petto di lei che si alzava e si abbassava contro il suo. In mano teneva la spada, ma non era l'acciaio freddo e piatto che percepiva, bensì la sua carne, calda e morbida.

Quel giorno non avrebbe potuto combattere come aveva sempre fatto: senza emozione, mosso solo dalla lunga esperienza. Con lui c'era Gaira. Avrebbe combattuto per lei, avrebbe combattuto *con* lei, come parte di sé. Non era più vuoto. Lei aveva colmato il suo cuore.

Se solo l'ultima notte con lei non si fosse conclusa in quel modo spinoso... Ma anche le spine facevano parte del loro amore. E a causa di quell'amore doveva battersi con Bram.

Non soltanto perché aveva promesso di proteggerla. Suo fratello doveva convincersi dei suoi sentimenti per lei. Era la loro unica speranza. Robert aveva commesso troppi crimini contro il popolo scozzese. Doveva dimostrare che l'amava. E se avesse dovuto morire per riuscirci, lo avrebbe accettato. Era a corto di idee su come dimostrarlo in altro modo. E anche a corto di tempo.

Con la spada scintillante, Bram entrò nel cerchio. Malcolm e Caird lo seguivano. Le loro voci erano basse, ma la conversazione accalorata. Il laird alzò una mano e i due fratelli si allontanarono, poi cominciò a parlare alla gente del clan. Robert non lo ascoltò nemmeno: stava senza dubbio elencando i crimini che gli venivano imputati; lui li conosceva già.

Sugli scalini del mastio, Gaira ascoltava la voce di Bram. Non aveva scelta. I suoi piedi non si muovevano.

Usando tutte le colorite espressioni che conosceva, cominciò a imprecare. Quando le esaurì, ne inventò delle nuove. Le parole non le diedero soddisfazione. «Stupida femmina buona a nulla che sono! Mi spezzeranno il cuore. Sicuro come il fatto che il porridge diventa una colla quando è freddo.»

Ma non avrebbe continuato a preoccuparsi. Avrebbe fatto qualcosa.

Ci volle molto tempo per raggiungere Caird e Malcolm attraverso la ressa che le bloccava la visuale del duello. Ogni rumore di acciaio era una fitta al cuore. Quando finalmente fu vicina a Malcolm, lo colpì sulla testa. Il suo sussulto le diede una certa soddisfazione.

«Non servite proprio a niente, voi due.» Sgomitando, si mise in mezzo ai fratelli e si trovò davanti Robert e Bram che giravano in cerchio.

Malcolm le rivolse uno sguardo triste, Caird invece disse: «Lui è il laird».

«Dovrei pensare che è la legge che vuole questo? Cosa ce ne faremo della legge quando nostro fratello sarà morto?»

«Bram non ha mai perso» si vantò Malcolm.

«Robert ti ha battuto, e solo difendendosi.»

Malcolm si spostò. «Un colpo di fortuna.»

Con un altro clangore metallico le spade dei due avversari si scontrarono sopra le loro teste. Lei vedeva il sudore che brillava sulla fronte di Robert e le braccia che tremavano per lo sforzo di rompere quel contatto. Le rughe sulla fronte di Bram erano più profonde. Più che arrabbiato, sembrava frustrato. Non aveva il tempo di chiedersi perché.

«Dovevate parlare con Bram.»

«Lo abbiamo fatto» replicò Caird.

Sapendo che non avrebbe aggiunto altro, Gaira guardò Malcolm.

Questi, infatti, disse: «Lo abbiamo fatto. A quanto pare, i bambini...».

«I bambini!» lo interruppe lei. «Cosa c'entrano loro?»

Il fratello alzò la mano. «Stanno bene. Solo che hanno parlato con Hugh, che a sua volta ha parlato con Caird. Ci siamo sentiti... in dovere di informare Bram di... lo sai.»

«Cosa?» Gaira fece un gesto di impotenza. «Non capisco. Non vedo la differenza. Si stanno battendo!»

«Lo so» continuò Malcolm, «ma, vedi, non c'è

modo di nascondere che Robert è inglese. Quindi *deve* subire una sorta di castigo. Siamo in guerra.»

«Sì, è inglese, ma non è necessariamente Black Robert» soggiunse Caird.

Gaira rimase a bocca aperta. Erano anni che il fratello non forniva spontaneamente un'informazione. Le ci volle un minuto per capire che non aveva capito niente.

Il viso di Malcolm era altrettanto inespressivo. Poi i suoi occhi si illuminarono e lui fece un rapido sorriso. «Quel bastardo...»

Caird inarcò le sopracciglia.

Gaira si sentiva smarrita. Ci fu un sussulto tra la folla e i suoi occhi corsero a Robert. Aveva una ferita al braccio destro, il sangue colava a rivoli sulla pelle nuda.

«Se non vi spiegate, giuro che marcio dritta in mezzo a quei due e al diavolo le conseguenze.»

Caird guardò Malcolm. Il sorriso di questi divenne più ampio. Si divertivano a tenerla sulla corda. Gaira strinse il pugno.

«Bram non ha mai detto che Robert è *Black* Robert» spiegò il fratello minore.

Lei non rilassò il pugno. Robert sanguinava. Non aveva tempo per le idiozie. «Ero qui vicino quando Bram ha fatto il suo annuncio.»

«Sì, e probabilmente troppo occupata a pensare a come impedire il duello per ascoltare veramente.»

Non poteva negarlo.

«Ha detto che Robert è inglese e, *come* Black Robert, deve essere punito.»

«Ancora non capisco.» La colpa era del rombo che sentiva nelle orecchie. Robert sanguinava. Robert combatteva per la sua vita. Per la *loro* vita.

«Non ha detto al clan che lui è Black Robert» soggiunse Malcolm, paziente, «ma solo che è un soldato inglese. Ha lasciato aperte le possibilità.»

Lei aprì le mani. «Che importanza ha che sia Black Robert o un qualsiasi soldato inglese? Stanno cercando di uccidersi! Quali possibilità restano, se non le ferite e la morte?»

«Se Bram vincesse, sarebbe libero di denunciare la sua vera identità e di consegnarlo a Re Balliol. Se perdesse, non necessariamente il clan chiederebbe la testa di Robert.» Malcolm scosse il capo. «Avrei dovuto immaginarlo. Se Bram avesse voluto trattarlo come Black Robert, avrebbe già informato il nostro re. Invece lo combatte lealmente e gli rende onore. Così il clan potrà accettarlo.»

Gaira sentì un ronzio nella testa. La verità si stava facendo strada: Robert, non *Black* Robert. Bram aveva annunciato al clan che Robert era inglese, ma non il più odiato dei soldati inglesi.

Cercò di ricordare le altre parole del fratello, ma non ci riuscì. Era dunque vero che concedeva a Robert una possibilità di sopravvivere?

Nel momento stesso in cui il suo cuore si liberò della paura, Gaira si immobilizzò. Un fatto non poteva essere ignorato. Bram e Robert stavano combattendo: qualcuno che lei amava sarebbe morto.

Il duello non finiva mai. Passavano le ore e Robert sentiva che la vittoria si allontanava sempre di più. Era così stremato che i muscoli non gli facevano nemmeno più male. Si stava indebolendo. E Bram era ancora in piedi. Il suo piano per il duello stava fallendo.

Quando avevano cominciato, infatti, Robert era fiducioso che il laird si sarebbe battuto come i suoi fratelli. In un'oretta, avrebbe esaurito le forze. Sconfitto, ma illeso, Bram avrebbe dichiarato concluso il duello. Gaira non avrebbe perso il fratello e lui avrebbe mantenuto almeno una promessa nella sua miserabile vita solitaria: sarebbe rimasto.

Solo che Bram era più resistente del previsto. Robert ora si trascinava sul prato. Aveva le spalle curve, le dita intorpidite per le lunghe ore passate a stringere la spada che ormai pesava come un centinaio di uomini.

Il laird sollevò goffamente la sua. Robert non sapeva se avesse la forza di portarla più in alto, ma non importava. Erano così vicini che non avrebbe avuto lo spazio per deviare anche solo una spada sollevata a metà.

Questo non voleva dire che fosse pronto a morire. Mantenendo la propria arma abbandonata lungo il fianco, si lasciò cadere addosso a Bram sperando di riuscire a fargli perdere l'equilibrio. Le loro spalle si scontrarono ed entrambi mollarono la presa sulle spade per spintonarsi fiaccamente.

Robert sapeva come far cadere un uomo a terra con una manovra del corpo e una mossa dei piedi. Troppo tardi si rese conto che non aveva abbastanza forza per compierle entrambe. Maledizione, dovevano sembrare due amici che si abbracciavano ritrovandosi.

Solo che lui si sentiva tutt'altro che amichevole. Provava rabbia, frustrazione e una gran voglia di porre fine al pantano infernale nel quale era affondato. Il cuore pompò con più foga e la rabbia riprese a scorrere. E gli diede la forza di parlare.

«Stupido buono a nulla. Perché non cadete?» ansimò.

Il laird si irrigidì contro di lui e Robert pensò di approfittare di quel vantaggio, ma il suono che provenne dal suo avversario gli impedì di dargli la spinta definitiva.

Bram stava ridendo.

Stordito, Robert non lo fermò quando l'altro si raddrizzò e fece un gesto a Malcolm e Caird. Subito i due si avvicinarono. Entrambi sembravano confusi quanto lui. Cosa diavolo stava succedendo?

Malcolm sussurrò qualcosa all'orecchio di Bram. Robert colse solo qualche parola confusa, ma il laird scosse la testa. Si allontanò da lui e andò davanti alla folla. Caird invece si avvicinò a Robert, il quale si appoggiò alla sua spalla.

Bram si asciugò il sudore dagli occhi. «Il duello è finito» annunciò ad alta voce.

Da autentico laird, fece un ampio gesto con la mano per sottolineare la sua decisione, poi però inciampò nei suoi piedi. Malcolm fece per aiutarlo, ma Bram scosse di nuovo la testa.

«Lavatelo, dategli da mangiare e sistematelo in una camera libera perché si riposi» gli disse invece. «Anch'io farò lo stesso e dopo parlerò con nostra sorella.»

Robert non protestò quando Malcolm raccolse la sua spada. Era confuso e riusciva a malapena a reggersi in piedi.

Era vivo e anche Bram. Cercò Gaira tra la folla, ma non la vide.

Diverse ore più tardi, Gaira venne convocata nella camera di Bram. Il suo cuore si rifiutava di funzionare bene. Saltava, inciampava, ma si sentiva leggero e luminoso come un raggio di sole sulle ginestre giallo oro.

Il fratello era seduto su una comoda panca. I suoi capelli erano puliti ma arruffati come se si fosse addormentato quando erano ancora bagnati. Gli occhi erano gonfi e le guance scavate dalla stanchezza. Era *vivo*.

Volò da lui e lo abbracciò stretto, quanto la panca glielo consentiva.

Bram ridacchiò. «Mi vuoi ancora bene.»

Gaira si staccò da lui. «Ne hai mai dubitato?»

«Ho cercato di uccidere l'uomo che ami.»

299

Lei si sedette pesantemente sulla panca e appoggiò la testa sulla sua spalla mentre lui le circondava la vita con un braccio. «Ti vorrei bene anche se lo avessi ucciso.»

Lo sentì deglutire e un groppo le strinse la gola.

«Gaira» riprese Bram, esitante, «lo sai cosa vuol dire amarlo?»

Non le stava chiedendo cosa fosse l'amore. Le chiedeva se sapeva chi fosse.

Annuì.

«Ha ucciso centinaia di uomini.»

«Lo so.»

«Come puoi nutrire un sentimento qualsiasi per lui? Amarlo, poi...»

«Lo conosco. Conosco la sua rabbia e la sua gentilezza. Era destinato a incontrarmi. Era destinato a me.»

Bram sospirò. «Non capisco.»

«Non è il tuo cuore e non puoi capire. È il mio e lo capisco fin troppo bene.»

Lui tacque e Gaira era troppo contenta per rompere il silenzio. Era passato molto tempo dall'ultima volta che suo fratello l'aveva abbracciata, confortata.

«Non mi hai chiesto perché non l'ho ucciso» disse infine Bram. «Dov'è la mia curiosa sorella?»

«È troppo felice per mettere in discussione il risultato.»

Lui ridacchiò. «Robert mi ha insultato perché non cadevo.»

«È bastata qualche parola per fermarti?» scherzò.

«No. Sono state le sue imprecazioni. Mi ha chiamato *stupido buono a nulla*. Tu hai chiamato così sempre e solo noi fratelli.»

Lei rise. «Quindi si presume che questo particolare insulto sia una forma affettuosa? E quando Robert lo ha rivolto a te...»

«Ho capito che quell'insulto lo aveva sentito da te» la interruppe Bram. «E quindi che lo ami.»

«Ma io te lo avevo detto.» Bram non rispose niente e lei si scostò. «Non mi avevi creduto! Cosa pensavi che facessi? Che mentissi?»

«No! È solo che avevi trascorso insieme a lui un periodo che per te era stato molto difficile e in realtà non lo conoscevi. Certi sentimenti potevano essere frutto della gratitudine o della paura.» Si strofinò il viso. «Ero preoccupato per te.»

Aveva pensato alla sua sicurezza, ma lei non era del tutto soddisfatta. «È la seconda volta che provi a decidere per me. Non ti permetterò di riprovarci. Il mio uomo me lo scelgo io. Non tu.» Sbuffò. «Tra tanti, proprio Busby!»

Lui ebbe la decenza di arrossire. «Me lo rinfaccerai per sempre?»

«Per il resto della vita.»

Bram rise e Gaira con lui. La risata allentò paura e ansia e improvvisamente lei crollò. Aveva quasi perso suo fratello e Robert. La risata isterica si trasformò in grossi singulti, poi si sciolse in un pianto irrefrenabile.

Le pacche di Bram sulla schiena bruciavano, ma lei rimase lì fin quando riuscì di nuovo a parlare.

«Ho creduto...» Prese un respiro tremante. «... che lo avresti ucciso.»

«Ci avevo pensato, ma... No, non me lo avrebbe lasciato fare. In realtà» aggiunse con un mesto sorriso, «non credo che stesse cercando di uccidermi.»

Lei si asciugò le guance. «Quando lo hai capito?»

«Presto. Ero frustrato per come il duello era iniziato e nella fretta ho colpito la sua spada troppo in alto. Con una torsione del polso avrebbe potuto far volare via la mia arma. Anche lui lo sapeva, invece ha fatto un passo indietro e le nostre spade si sono staccate. Come durante l'addestramento, il suo unico obiettivo era stancarmi.»

«È un uomo magnifico e l'ho visto combattere. Non dubito che avrebbe raggiunto il suo scopo.»

Bram le rivolse uno sguardo imperioso. «Una Colquhoun offende il suo fratello e laird?»

«Puoi anche essere mio fratello e il laird, ma lui è Black Robert.» Il sorriso di Bram sbiadì e subito lei si pentì di averglielo ricordato. «Cosa intendi fare con lui ora?» sussurrò.

«Ho un'idea.» Si strinse nelle spalle. «Io non avrò troppi problemi se lui non ne darà a me.»

«Non troppi problemi? Ne avrai un sacco a crescere i figli di Busby.» L'espressione di Bram era così incredula che lei non l'avrebbe mai dimenticata. Rise, ma poi aggiunse con tono grave: «Sì, i figli di Busby ora sono tuoi. Una tua responsabilità. Non sarebbero orfani se non mi avessi costretto a sposarlo».

«Questo è ridicolo!» farfugliò suo fratello.

«Ridicolo?» Gaira balzò in piedi. Anche lui si alzò e usò la sua mole per cercare di intimidirla. Non funzionò. «No, non lo è e se non fossi tanto codardo al riguardo, lo riconosceresti anche tu.»

«Ma cosa devo fare con i suoi bambini? Non sono nemmeno sposato!»

«Avresti dovuto pensarci prima di cacciarti in questo pasticcio.»

Agitato, Bram andò alla finestra e guardò giù. Tacque a lungo, ma lei non lo sollecitò. Alla fine si voltò. «D'accordo. Li farò venire qui.»

Gaira lo scrutò attentamente. Era rassegnato, ma non sconfitto. Si insospettì. «Cosa hai in mente?»

Bram le sorrise dolcemente. «Per quanto detesti ammettere che hai ragione, è colpa mia se quei bambini sono stati coinvolti nei miei piani. Sono una mia responsabilità.»

Lei incrociò le braccia. «Sì, allora...»

«Ma non tutti i pasticci li ho combinati io. Anche tu hai fatto la tua parte. Ti dovrai assumere delle responsabilità...»

«Io ho pagato per qualsiasi cosa abbia fatto. Mi hai già fatto soffrire abbastanza.»

L'angolo della bocca di lui si contrasse. «Ho un piano, sorella, o lo hai dimenticato? C'è ancora qualcosa che devi fare.»

Aprì la porta e chiamò. Caird e Robert entrarono nella stanza.

La felicità le rese le gambe inconsistenti come l'acqua, quando guardò Robert. Era sano e salvo e lei lo amava da morire.

Aveva i capelli bagnati. Bram gli aveva gentilmente restituito i suoi effetti personali. La tunica e i calzoni, come sempre neri, erano puliti; ma a differenza degli abiti che lei gli aveva sempre visto indosso, questi erano finemente decorati. Un bordo di seta nera guarniva i polsini e l'orlo, e dei ricami elaborati, nero su nero, ornavano il davanti e le maniche della tunica. Alla cintura portava il pugnale ingioiellato che una volta lei aveva tenuto in mano. Erano vestiti eleganti, per grandi banchetti o feste alla corte del re.

Bram aveva detto che Robert era stato il braccio destro di Re Edoardo. Poteva anche averlo trovato nel bel mezzo della sua preziosa Scozia, ma quegli abiti le ricordarono che non era scozzese. Robert veniva dall'Inghilterra; dalla ricca e potente Inghilterra.

Stupidamente, lei aveva cominciato a immaginare una vita con lui e i bambini. Ma non sapeva se fosse quello che Robert desiderava. E se, avendo perduto Alinore, ora non potesse o non volesse prendere con lei lo stesso impegno che Gaira desiderava condividere con lui?

Vide a malapena il cenno di Bram a Caird, ma sentì che questi la prendeva con forza per il braccio. Cercò di liberarsi e le dita del fratello le si conficcarono nella carne fino a farle male. Tentò allora di pestargli un piede, ma Caird prevenne la sua mossa. Lo guardò in cagnesco, anche se la sua collera era rivolta a Bram.

«Cosa credi di fare?» chiese a quest'ultimo.

«Come ho detto, ti vengono richieste altre cose.»

«È necessario?» ringhiò Robert.

«Forse non i modi» replicò Bram, «ma non accetto eventuali ritardi. Vedo come lei si morde il labbro e la confusione che le increspa la fronte mentre vi guarda. Non tollererò indecisioni o ritardi ora che ho stabilito il da farsi.»

«Ma io non intendo sollevare alcuna obiezione...» protestò Robert.

«Non apprezzo che si parli di me come se io non fossi presente» protestò Gaira.

Robert lanciò un'occhiata a Caird e lei sentì che le dita del fratello si allentavano in modo impercettibile. Tuttavia non la lasciò andare.

«Quando lei...» prese a dire Robert.

Bram alzò la mano. «Non intendo travalicare i poteri di laird o di fratello. Ma esigo che collaboriate.»

Gaira era stufa della loro conversazione. Più che altro, di essere manipolata.

Si rivolse a Bram. «Pensavo che non avresti più cercato di decidere della mia vita!»

Lui sbuffò. «Spetta a un uomo dire a una donna qual è il suo posto!»

Lei ricacciò indietro una sfilza di insulti. «Cosa hai intenzione di fare con me?»

«Darti quello che desideri di più.» Bram fece un cenno a Caird. «Assicurati che si prepari.»

«Bram, per tutti i...»

«È tutto a posto, Gaira. Fidati di me» dichiarò Robert.

La dolcezza del suo tono la calmò più di una lunga spiegazione. Non voleva essere liquidata o manipolata. Per fidarsi di nuovo del fratello le ci sarebbe voluto molto tempo, invece in Robert aveva piena fiducia.

Annuì impercettibilmente prima di lanciare una occhiata furiosa a Bram. Caird mollò la presa. Con tutto l'orgoglio di cui era capace, Gaira uscì dalla stanza.

«Quando sarà mia, non la tratterete mai più in questo modo» dichiarò Robert con veemenza appena la porta si fu richiusa.

«Cosa vi fa pensare che sarà vostra?»

Lui tirò il polsino dell'elegante tunica. «Non state facendo vestire a festa anche lei, oltre a me?»

«Credete che mi interessi quello che indossate?»

«Mi avete risparmiato la vita. Farci sposare è la scelta più logica per assicurarvi la mia lealtà.» Robert incrociò le braccia. «Perché non glielo avete semplicemente detto?»

«È troppo testarda. Non ero sicuro che avrebbe preso la decisione giusta.»

«Vostra sorella è intelligente e forte. Non ha bisogno che siate voi a decidere come deve vivere la sua vita. E nemmeno io.»

«Come laird, è un mio diritto. E voi la sposerete.»

Robert ridacchiò. «Non vedo l'ora che incontriate una donna da amare. E tanto meglio per me se sarà disgustata dalla vostra arroganza.»

Bram lo guardò sbalordito, poi sogghignò. «Come se una donna non avesse bisogno di essere guidata.» Versò da bere per entrambi. «Vedo che difendete mia sorella a spada tratta.»

«Vale la pena di difenderla, anche se sono io a farlo.»

Bram scostò il boccale dalle labbra. «Voi la amate.»

«Sì. Ma questo non cambia chi sono.»

Il divertimento scomparve dal volto del laird. «Sì, invece. Perché io non credo di sapere chi siete.»

«Sono Black Robert. Ho ucciso centinaia di scozzesi. Sono il braccio destro di Edoardo d'Inghilterra.»

«No, non lo siete.»

Robert alzò un sopracciglio.

«Non siete più tutte queste cose. Da oggi in poi non sarete più conosciuto come Black Robert. Quell'uomo è stato ucciso dai miei fratelli qualche giorno fa. Voi siete un sopravvissuto di Doonhill.»

Robert sbatté il boccale sul tavolo. «Potrebbero esserci ugualmente delle ripercussioni. Qualcuno potrebbe riconoscermi.»

«Nessuno vi riconoscerà.» Anche Bram mise giù il boccale e si sporse in avanti. «Quello che sto per dire è tradimento. Capite? Parlerò ora e poi mai più.» Robert attese. Del resto Bram non si aspettava una risposta. «Credo che non siate al corrente degli ultimi eventi, ma vi riferirò i messaggi più recenti» proseguì. «Quello che è successo a Doonhill è successo anche altrove. Io non mi darò pace fino a quando mia sorella sarà vendicata. La Scozia non si darà pace fino a quando i suoi morti saranno vendicati. Anche se io sono qui, il mio clan è già coinvolto. Black Robert non dovrà più farsi vedere in giro.»

Dalle guerre gallesi a quelle tra Inghilterra e Scozia, per tutta la vita Robert non aveva fatto altro che combattere. Non conosceva nient'altro. Ma ora aveva ricevuto in dono una famiglia e una casa. Se fosse stato riconosciuto, non solo sarebbe stata in pericolo la sua vita, ma anche la loro. Avrebbe potuto tenersi in disparte? Senza problemi.

«Non leverò più la mia spada se non per difendere Gaira o coloro che ama.»

Bram sorrise. «Lei ama i suoi fratelli.»

«Disgraziatamente. Eppure, io resterò qui per difendere chi ha bisogno del mio braccio.»

«Un compromesso, quindi.» Bram annuì. «Nessuno saprà chi eravate un tempo o che siete vivo.»

«Uno lo sa» gli ricordò Robert. «Cosa farete con Hugh di Shoebury?»

«Lo lasceremo libero» rispose l'altro. «Il mio clan ha l'ordine di non alzare le armi contro di lui se onora il nostro patto del silenzio.» Afferrò il boccale e si rimise a sedere. «Dubito che qualcosa andrà male. Non somigliate affatto all'uomo descritto dalle leggende. Quando vi toglierete quei vestiti, nessuno vi riconoscerà.»

«Mi sono rasato la barba e tagliato i capelli per...»

«Proteggere mia sorella» concluse per lui Bram. Robert si strinse nelle spalle. «Potrete farlo per il resto della vostra esistenza. Questa sera vi unirò in matrimonio.» Versò dell'altra birra. «O state dicendo che non la volete prendere in moglie?»

La desiderava, ma alle sue condizioni e perché anche lei lo voleva. Non per soddisfare qualche piano politico.

«Sì, lo sapete dannatamente bene. Ma non crediate che siano state le vostre macchinazioni a portarci a questo.»

Bram fece un sorriso determinato, quasi selvaggio. «Parlate già come uno scozzese. In men che non si dica sarete fedele a me.»

Robert andò a cercare Gaira nelle sue stanze.

Lei era sul letto, girata dall'altra parte. Il suo abito, tutto stropicciato, era di finissima lana gialla. Un colore vibrante contro il rosso dei suoi capelli, spazzolati fino a brillare. Due piccole trecce le tenevano i capelli scostati dal viso, mentre il resto della chioma scendeva libero e lussureggiante sulla schiena.

Lei non si mosse quando Robert entrò nella stanza perché non lo aveva sentito. Il suo pianto era tutt'altro che silenzioso.

«Spero che siano lacrime di felicità» mormorò, appoggiandole una mano sulla spalla.

Gaira trasalì e lui la prese tra le braccia. Il suo calore e il dolce profumo lo travolsero. Sembrava tutto perfetto, finché lei non si mise a piangere ancora più forte.

Robert le accarezzò la schiena. Era forte, consolatorio. Gaira gli si aggrappò, assaporando il modo in cui le sue braccia la circondavano.

«Non volevo farti questo» singhiozzò. «Non avevo pensato alle conseguenze, ma solo ai miei sentimenti egoisti e ora ho combinato un terribile pasticcio e io...»

«Ssh, non c'è nessun pasticcio» la interruppe lui. «Siamo vivi, siamo insieme e ora, con la benedizione di tuo fratello, entrerò a far parte della tua famiglia.»

Lei tirò su con il naso. Non voleva che fosse costretto a sposarla.

Robert le sollevò il mento e le baciò le palpebre, le guance, la bocca. «Apri gli occhi, amore mio. Sono in uno stato tale che non vuoi vedermi?»

«No, non voglio che tu veda me» sussurrò Gaira. Era la sua ultima barriera contro i baci lievi come piume che dissolvevano le sue preoccupazioni e allo stesso tempo scatenavano altre emozioni.

Robert ridacchiò e lei aprì gli occhi. Quello che lesse nel suo sguardo la riscaldò più della vista dell'albero dei Colquhoun.

«Voglio sposarti, Gaira del clan Colquhoun» dichiarò lui. «Anche con gli occhi gonfi, le guance chiazzate e la faccia pallida sotto le lentiggini. Voglio sposarti, non perché tuo fratello lo pretende, ma perché se non ti avessi nella mia vita non avrei nemmeno una vita. Nelle promesse matrimoniali accetterò anche le spine insieme al tuo amore. Voglio sposarti se in cambio *tu* accetti il mio.»

«Come potrei accettarlo, adesso? Ho visto i tuoi vestiti, il sacchetto di monete che avevi legato alla sella, il pugnale ingemmato. Se queste sono le cose che porti con te, non oso pensare a quelle che hai lasciato a casa.»

«Non ho lasciato niente. Niente. La mia casa è qui; la mia famiglia è qui. Io non sono altro che Robert. L'uomo che ti ama.»

Lo voleva con sé, con i bambini, disperatamente. E dalle parole di lui, anche Robert aveva bisogno di stare con loro.

Scostandosi un poco, si asciugò gli occhi. «*Non sono altro che* non è come ti descriverei» lo canzonò.

«Perché? Come mi descriveresti?»

Gli mise una mano sulla guancia. Il suo cuore si frantumò in minuscoli frammenti, ma poi si ricompose e si allargò. «Ti descriverei come l'uomo che amo.»

Robert stava per baciarla e lei era più che pronta.

32

«Se voleste, vi permetterebbero di tornare indietro con me» affermò Hugh mentre preparava il cavallo per il viaggio.

Subito dopo avere unito in matrimonio Robert e Gaira, Bram aveva annunciato che Hugh era libero di tornare in Inghilterra e questi aveva deciso di partire immediatamente, nonostante il sole stesse già tramontando.

Erano diversi giorni che loro due non si parlavano. Tutto era cambiato da quando erano stati rinchiusi in cantina. Se Robert voleva essere sincero, tutto era cambiato da quando Gaira lo aveva colpito in testa con un calderone.

Grazie a lei aveva capito che non era stata la perdita di Alinore a svuotarlo di sentimenti, bensì il senso di colpa per la sua morte.

Non l'avrebbe mai scordata, ma non avrebbe più portato il lutto per lei. I sentimenti che provava per Gaira erano diversi da quelli per la giovane gallese. Alinore era morta e lui era sopravvissuto. Devastato, certo, ma con il cuore che continuava a battere e il respiro che gli entrava nei polmoni. Se Gaira fosse morta, il suo cuore si sarebbe fermato.

«Non torno indietro» dichiarò Robert.

«Ma il re...» Hugh si interruppe.

«Qui hanno bisogno di me» spiegò lui. «E io di loro.»

L'amico annuì. «Quindi quello che i bambini sono venuti a dirmi è vero. Non conta che voi siate inglese e loro scozzesi. Stento ancora a credere che questo matrimonio sia reale.» Gli puntò un dito contro il petto. «Alla fine, qualcuno ha fatto breccia nel muro che avevate eretto attorno a voi.»

«Proprio così.» Robert frugò dentro la borsa. L'anello d'oro con il rubino che Re Edoardo gli aveva donato scintillò debolmente nella luce ormai fioca. «Portatelo a Edoardo. Ditegli che sono morto. Vedendo questo anello si convincerà.»

«Ma non siete morto, Robert. Non posso mentire al re. E lui ha bisogno di voi.»

«Credetemi. Il Robert che Edoardo conosceva *è* morto.»

«Ma... E la sua guerra? Sono tanti anni che combattete per lui.»

«Porto grande rispetto al re, ma non ho combattuto queste battaglie per lui. Le ho combattute per me stesso, *con* me stesso.»

Hugh fece un passo indietro, la fronte aggrottata. «Ecco perché portavate sempre con voi il ricordo di ciascuna.»

«So di chiedervi un favore enorme. Ma Black Robert e tutto quello che io sono stato un tempo devono scomparire, se voglio continuare a vivere qui. Non posso mettere a repentaglio la vita della mia nuova famiglia. Io devo morire.»

«Ma io saprò che siete vivo.»

Era un rischio con il quale avrebbe dovuto convivere. Era probabile che Re Edoardo non avrebbe accettato facilmente la morte di Black Robert. Quindi tutto dipendeva dalla capacità di Hugh di essere convincente.

«Sì. Oltre i confini di queste terre, voi solo conoscerete la verità» confermò. «Io l'ho accettato. E voi?»

Il sorriso di Hugh era incerto, il fardello della responsabilità offuscava il suo perenne buonumore. «Voi chiedete la mia lealtà. L'avete. Per sempre.»

Con il capo, Robert accennò ai quattro soldati già in sella. «Vi stanno aspettando.»

Hugh socchiuse gli occhi, osservandoli a sua volta. Robert sorrise. Non era difficile comprendere il risentimento dell'amico. Solo che lui non voleva altri morti. L'ostilità tra Inghilterra e Scozia si stava inasprendo e gli ordini di Bram lo avevano trovato d'accordo.

«Verranno con voi solo attraverso le terre dei Buchanan» dichiarò. «Considerateli parte del paesaggio.»

«Preferirei non considerarli affatto» replicò l'altro.

Robert gli mise una mano sulla spalla. «Non potrò mai ringraziarvi abbastanza per la vita che mi permetterete di vivere.»

Hugh si raddrizzò in tutta la sua statura. «Un sentimento che condividiamo. Senza di voi, non starei per tornare in Inghilterra.»

«Non avrei mai potuto desiderare la vostra morte, amico mio» replicò lui.

Hugh montò a cavallo e lo fece voltare verso i cancelli. «Nemmeno io la vostra.»

Robert lo seguì con lo sguardo fin quando ebbe varcato i cancelli. Hugh di Shoebury era l'ultimo legame con la sua vecchia vita, e se ne stava andando. Era così che doveva essere. Non rimpiangeva la sua decisione, ma avrebbe sentito la mancanza di Hugh, della sua amicizia. Solo ora si rendeva conto di quanto fosse preziosa e di quanta fiducia avesse riposto in essa. Se Hugh avesse confessato la verità, volontariamente o meno, lui sarebbe stato perduto.

Una piccola macchia che però non guastava la luminosa bellezza del futuro. Un futuro con una donna tutta fuoco.

Li trovò in giardino. Gaira trascinava Flora e Maisie in un veloce girotondo e le sue treccine rosse rimbalzavano selvaggiamente. Alec correva intorno a loro, cercando di gettarsi nella mischia. Più lontano, Creighton faceva la lotta con degli altri ragazzini.

Un momento aveva ignorato l'esistenza di Gaira e dei bambini, quello successivo non era riuscito a immaginare di vivere senza di loro.

Gaira smise di girare in tondo quando lui l'afferrò per un polso. Maisie e Flora crollarono ai loro piedi, senza fiato.

Lui si chinò, posandole le labbra sotto l'orecchio. La fragranza di erica selvatica e di Gaira era inebriante. La baciò sul collo.

«Lo sai, vero, che voglio avere altri bambini?» sussurrò contro la sua pelle calda.

Lei arrossì. «Ah, lo spero tanto anch'io.»

Con un urlo di trionfo, Alec si tuffò su Flora e Maisie. Le bambine strillarono, braccia e gambe si agitarono in tutte le direzioni. Gli adulti furono dimenticati e Robert vide in questo una magnifica opportunità.

«Cosa ne dici? Ci mettiamo subito all'opera?»

NOTA DELL'AUTORE

Nella vita, ci capitano a volte esperienze che si rivelano del tutto diverse da come ce le aspettavamo. A me è successo quando ho fatto il tour dei castelli del Galles.

Sapevo che avrei provato eccitazione e meraviglia e che la mia immaginazione si sarebbe scatenata.

Dopotutto, sono castelli!

Quello che non avevo previsto è stata la nitida percezione della storia, delle persone che vi avevano vissuto un tempo. Non ho dovuto chiudere gli occhi e immaginare, né ho dovuto strizzarli per costringerli a vedere.

Molto semplicemente, erano tutti là.

E in particolare c'era Robert, un cavaliere inglese, curvo su se stesso e tormentato, sotto le fronde di un albero. Le sue larghe spalle e le braccia nude testimoni dell'epoca e dell'addestramento di un uomo abituato alla guerra. Ma il suo dolore derivava da qualcosa di diverso, dalla perdita, dalle speranze infrante.

Non potevo fare niente per lui. Sapevo tuttavia che non poteva restare dov'era e che doveva esserci qualcuno destinato a lui.

Infatti c'è qualcuno, in Scozia nel 1296, al culmine di una terribile guerra. Ma Gaira del clan Colquhoun se ne infischia delle guerre, anzi, non fa altro che maledirle.

E, quando incontra Robert, maledice anche lui.

I Grandi Romanzi Storici

Questo mese

Il ballo dello scandalo

JULIANNE MACLEAN

INGHILTERRA, 1883 - Clara Wilson ha attraversato l'oceano per sposare un nobile inglese. Peccato che alla prima uscita incappi in un ballo tutt'altro che rispettabile e finisca tra le braccia di...

Gioco d'inganni

LUCY ASHFORD

KENT, 1815 - Dopo la guerra, Ellie si trasferisce sulle coste del Kent infestate di contrabbandieri. Qui incontra il misterioso Luke Danbury, che la coinvolge in un pericoloso gioco di inganni.

La promessa del cavaliere

NICOLE LOCKE

SCOZIA, 1296 - Robert di Dent è il più feroce degli uomini di Re Edoardo I in terra di Scozia. Quando incontra in un villaggio distrutto una giovane scozzese e quattro bimbi spaventati...

Scandali, inganni e verità

CAROLINE LINDEN

INGHILTERRA, 1822 - Abigail Weston è bella, brillante e ricca. Certo non immagina di innamorarsi dell'uomo sbagliato, Sebastian Vane. Ferito nel corpo e nello spirito dalla guerra, infatti...

Un inarrestabile successo mondiale

I Grandi Romanzi Storici
Prossimo mese

Un barone per l'ereditiera

JULIANNE MACLEAN

INGHILTERRA, 1884 - L'americana Adele viene salvata dal misterioso Barone di Alcester. Damien rappresenta tutto ciò che lei rifugge, eppure fa vibrare corde sconosciute nel suo cuore.

La solitudine del visconte

ELIZABETH BOYLE

LONDRA, 1811 - Il Visconte Wakefield torna in patria ferito nell'animo e nel corpo. Finché Louisa lo travolge con la propria esuberanza, riportando nel suo mondo la luce... e forse l'amore.

I segreti di Wiscombe Chase

CHRISTINE MERRILL

INGHILTERRA, 1815 - Dopo tanti anni di guerra, Gerald Wiscombe trova la propria casa trasformata in bisca, un *figlio* e una bellissima truffatrice come moglie. Ma non tutto è come sembra...

Un bacio per scommessa

ELISABETH HOBBES

INGHILTERRA, XIII SEC. - Quando la giovanissima vedova Lady Eleanor conosce William Rudhale, le sue convinzioni sui vantaggi della libertà vacillano. Lui è innamorato... o è solo una scommessa?

Dal 3 agosto